Geheimnisvolles Vermächtnis

Mary Hooper begann zu schreiben, als ihre Kinder noch klein waren. Seitdem hat sie zahlreiche Kurzgeschichten für Zeitschriften und über dreißig Kinder- und Jugendbücher verfasst. Daneben gibt sie Kurse in Kreativem Schreiben. Mary Hooper lebt in Hampshire, England.

Seit die fünfzehnjährige Grace mit ihrer Schwester Lily aus dem Waisenhaus weglaufen musste, lebt sie in einem der ärmsten Viertel von London. Jeder Tag ist ein Kampf ums Überleben. Grace ahnt nicht, dass sie und Lily per Zeitungsannonce als Erbinnen eines riesigen Vermögens gesucht werden. Doch es ist nur eine Frage der Zeit, bis der skrupellose Bestattungsunternehmer Mr Unwin, bei dem Grace arbeitet, die Annonce entdeckt. Und er ist bereit, alles zu tun, um an das Vermögen heranzukommen. Als plötzlich Lily verschwindet, beginnt ein Wettlauf gegen die Zeit. Kann James, der junge Anwaltsgehilfe, Grace helfen und das Komplott rechtzeitig aufdecken?

MARY HOOPER

Geheimnisvolles Vermächtnis

Aus dem Englischen
von Marlies Ruß

BLOOMSBURY
K&J Taschenbuch

März 2012
Die Originalausgabe erschien 2010 unter dem Titel
Fallen Grace bei Bloomsbury, London

Umschlaggestaltung: Rothfos & Gabler, Hamburg,
unter Verwendung des Designs der Originalausgabe
und einer Fotografie von © Getty Images
Gesetzt aus der Stempel Garamond und
der Aquiline von psb, Berlin
Druck & Bindung: Clays Ltd, St Ives plc
Printed in Great Britain
ISBN 978-3-8333-5096-2

www.bloomsbury-verlag.de

B L O O M S B U R Y
LONDON • BERLIN • NEW YORK • SYDNEY

Für Richard, in Liebe

Die Beisetzung von Miss Susannah Solent findet am Montag, den 8. Juni 1861, in der London Nekropolis, Brookwood, statt.
Trauergäste, die der Verstorbenen das letzte Geleit erweisen möchten, mögen sich im Wartesaal der ersten Klasse am Waterloo Bahnhof der Nekropolis Gesellschaft einfinden.
Abfahrt des Zuges ist um 11.30 Uhr.

Kapitel 1

Grace, die ihr kostbares Bündel fest an sich drückte, fand den Bahnhofseingang ohne große Mühe. Die Nekropolis-Bahn lief, genau wie ihr die Hebamme Mrs Smith erklärt hatte, auf einer eigens dafür eingerichteten Schienenstrecke von Waterloo Station in London bis nach Brookwood in der Grafschaft Surrey. Hier am Londoner Bahnhof versammelten sich um kurz vor elf die Hinterbliebenen, unschwer zu erkennen an den für die erste Phase der Volltrauer vorgeschriebenen Kleidern: Die wenigen Frauen, deren nervliche Konstitution es ihnen erlaubte, dem Begräbnis beizuwohnen, trugen dicke Schleier und schwarze Gewänder aus Kreppstoff bar jeglicher Verzierung – kein glänzender Schmuck, keine bunten Knöpfe oder edlen Borten lockerten die strenge Tracht auf; die Männer trugen Zylinder mit Trauerflor, förmliche Gehröcke und schwarze Schalkrawatten aus feinem Kammgarn. Alle warteten auf den Zug, der sie zusammen mit ihrem Verstorbenen aufs Land hinausbringen sollte, in den Garten des ewigen Schlafs in Brookwood. Dort, fernab vom Getöse und Gestank Londons, konnten ihre Verstorbenen unter Rosenbüschen und immergrünen Kiefern in ewigem Frieden ruhen.

Grace hielt sich ein wenig abseits und beobachtete, wie die Trauernden vor die Glasscheibe des Fahrkartenschalters traten, um ihre Karte zu lösen. Sie war ängstlich und unsicher, da sie noch nie mit der Eisenbahn gefahren war, und konzentrierte sich darauf, alles richtig zu machen. Nachdem nahezu alle Reisenden den Fahrkartenschalter passiert und sich in die jeweiligen Wartesäle für ihre Klasse begeben hatten, trat sie vor die Scheibe.

»Nach Brookwood bitte«, sagte sie. »Hin und zurück.«

Der Schalterbeamte blickte auf. »Erster, zweiter oder dritter Klasse, Miss?«, fragte er in dem mitfühlenden Tonfall, zu dem die Mitarbeiter der Nekropolis-Bahn angehalten waren.

»Dritter Klasse«, antwortete Grace und schob ihm die zwei Shillinge hin, die die Hebamme ihr gegeben hatte.

»Sie fahren ganz allein? Nicht mit einer Trauergesellschaft?«

Grace nickte. »Nur ich allein. Ich … ich besuche das Grab meiner Mutter«, log sie.

Der Beamte schob ihr eine Fahrkarte aus dickem, schwarz umrandetem Papier hin. »Sie können sich einstweilen in den entsprechenden Wartesaal begeben. Man wird Ihnen dann zeigen, wo Sie hinmüssen«, sagte er. »Der Zug fährt pünktlich um halb zwölf Uhr ab. Einen guten Tag noch.«

Grace nahm die Fahrkarte entgegen, stammelte ein Dankeschön und ging weiter.

Es gab drei Wartesäle, für jede Klasse einen, und den Leuten darin sah man, obschon natürlich alle Schwarz trugen, ihren sozialen Stand unschwer an. Die in der zweiten Klasse waren lange nicht so elegant und förmlich gekleidet wie die der ersten, und manche aus der dritten Klasse schienen, ihren geflickten Gewändern und verwahrlostem Äußeren nach zu urteilen, fast dem Armenstand anzugehören. Grace stellte erleichtert fest, dass sie hier in ihren zerschlissenen und gestopften Kleidern nicht weiter auffiel. Und da ein jeder sowieso in seine eigene Trauer versunken war und darum rang, seine Fassung zu bewahren, blickte auch niemand zu dem zierlichen, blassen Mädchen auf, das jünger als seine fünfzehn Jahre wirkte, die Augen zu Boden geschlagen hatte und ein kleines, in Leinen gewickeltes Bündel unterm Arm hielt. Hätte jemand sich gefragt, was sie da bei sich trug, so hätte er vermutlich auf ein extra Paar Schuhe oder einen zusätzlichen Schal getippt, für den

Fall, dass der Boden des Friedhofs schlammig sein oder der Himmel sich plötzlich bewölken sollte.

Um Punkt zwanzig nach elf setzten sich die verschiedenen Grüppchen in Bewegung, um den Zug zu besteigen, wobei die Passagiere der ersten Klasse von beflissenen Vertretern der Beerdigungsgesellschaften zu privaten Waggons geleitet wurden. Sie stiegen zuerst ein, damit ihnen jeglicher Kontakt mit den Reisenden der dritten Klasse – oder auch nur deren bloßer Anblick – erspart bliebe. Auch die Särge ihrer Verstorbenen reisten getrennt von denen der niederen Klassen; alles andere wäre eine Zumutung für sie gewesen.

Sobald die lebenden Passagiere sicher auf ihren Plätzen angelangt waren, kamen die Särge an die Reihe. Sie wurden nun in den Leichenwaggon geladen, was aus Rücksicht auf die Angehörigen mit der allergrößten Diskretion vor sich ging. All jene, die nicht in Begleitung eines Sargs reisten, sondern sich nur um ein Grab kümmern oder zu einem stillen Gedenken auf den Friedhof fahren wollten, stiegen in einen separaten Waggon. Ihnen schloss sich Grace an. Jemand machte eine Bemerkung, wie angenehm es doch sei, dass die Sonne schien, was rundum zustimmendes Gemurmel erntete, doch Grace blickte weder auf noch steuerte sie selbst einen Kommentar bei. Zu sehr war sie mit ihren eigenen verzweifelten Umständen beschäftigt.

Denn welchen Unterschied hätte es schon gemacht,

ob es heute regnete oder schneite – oder gar die ganze Welt vom Nebel verschluckt wurde und kein Mensch je wieder das Licht der Sonne erblickte? Sie hatte ein Kind zur Welt gebracht, und das Kind war gestorben. In so einem Augenblick war nichts anderes mehr von Bedeutung.

Auf die Minute pünktlich setzte sich der Zug mit gewaltigem Dröhnen und Rattern in Bewegung. Dampf- und Rauchschwaden hüllten den Waggon ein wie eine Wolke. Von weiter hinten ertönte ein erschrockenes »Um Himmels willen!«, und einige Frauen schrien vor Angst auf. Grace war nämlich nicht die Einzige, die noch nie mit der Eisenbahn gefahren war. Angesichts des Lärms und des zischenden Dampfs sprang sie erschrocken auf, zog prompt sämtliche Blicke auf sich und setzte sich daher rasch wieder hin.

Sie wusste, dass die Fahrt ungefähr eine Stunde dauern würde, und hatte genaue Anweisungen erhalten, was sie zu tun habe: Nachdem die Fahrt begonnen hatte, sollte sie in den Waggon mit den Särgen gehen, sich einen davon aussuchen (keinen Armensarg, hatte die Hebamme sie angewiesen, sondern einen aus der ersten Klasse, aus gutem Holz und mit Messinggriffen), an einer Ecke den Deckel ein wenig anheben und ihr kostbares Bündel hineinlegen. Das war schon alles. Wenn der Zug dann den Friedhof erreichte, würden die Särge ausgeladen und, nachdem die Deckel fest zugeschraubt worden waren, an ihre letzte Ruhestätte gebracht, wo im privaten Kreis der Angehörigen die Beerdigungszeremonie stattfand.

Wenn Grace es zügig anstellte, so die Hebamme weiter, dann würde niemand bemerken, dass einer der Särge eine kleine Zugabe erhalten hatte. Und eine solche Bestattung wäre doch viel, viel besser für den toten Säugling, als in einem Armengrab in London beerdigt zu werden.

»Ich rate dies allen jungen Mädchen, die solch einen Verlust erlitten haben«, hatte die Hebamme hinzugefügt. »Und danach musst du die ganze Sache vergessen. Erzähl niemals einer Menschenseele von dem Kind – nein, nicht einmal, wenn du heiratest. Du bist eine gefallene Frau, und solch eine Sünde verzeiht niemand.«

Aber es sei doch nicht *ihre* Sünde gewesen, hatte Grace einwenden wollen, sie habe den Vorfall, der zu dem Kind geführt habe, doch weder gewollt noch herausgefordert, doch Mrs Smith hatte sie unterbrochen und ihr befohlen, kein Wort mehr darüber zu verlieren. Auf diese Weise werde sie das Ganze am schnellsten vergessen, so die Hebamme.

Der Zug fand allmählich in einen monotonen, schaukelnden Rhythmus, und als der Schmutz und Gestank Londons nach und nach dem lieblichen Grün des Umlands wichen, richtete Grace den Blick aus dem Fenster. Während sie noch überlegte, wo sie wohl gerade waren, wanderten ihre Gedanken zu den vergangenen Tagen zurück.

Die letzte Phase ihrer Wehen war qualvoll gewesen, aber Gott sei Dank kurz – was allerdings auch daran lag, dass Grace sich ihre heftigen Schmerzen stundenlang nicht eingestanden hatte. Und davor hatte sie sich monatelang nicht eingestanden, überhaupt schwanger zu sein, und tatsächlich hätte es ihr bis zu den letzten paar Wochen auch niemand angesehen. Erst ab da war ihr öfters aufgefallen, wie Leute auf der Straße vielsagende Blicke tauschten oder jemand spöttisch bemerkte: »Da braucht aber eine ziemlich dringend einen Ehemann!« oder »Dieser Bauch kommt ganz gewiss nicht vom Bier!«, wenn sie an einem Samstagabend an einem Wirtshaus vorbeiging. Natürlich hatte sie Lily davon erzählt, hegte jedoch ihre Zweifel, wie viel wohl jemand wie ihre Schwester von Babys verstand und davon, wie man sie bekam.

Als die Geburt näher rückte (wobei Grace selbst nicht sagen konnte, woher sie das wusste, denn sie hatte ja keine Ahnung, wie lange eine Schwangerschaft dauerte), machte sie sich auf die Suche nach jemandem, der ihr helfen würde, denn immerhin wusste sie, dass dabei nicht nur ordentliche Schmerzen mit im Spiel waren, sondern auch Blut und Leintücher und Schüsseln mit Wasser. Einmal hatte sie ein Mädchen, das sich offensichtlich in derselben Situation befand, dazu befragt, und es hatte ihr den Namen einer Hebamme genannt, doch die Frau hatte Grace mit den Worten abgewiesen, sie sei ja viel zu jung und die Angelegenheit sei ihr zuwider; einem unehelichen Balg auf die Welt zu verhelfen, damit wolle sie nichts zu tun haben. Auch in dem großen Entbindungsheim an der Westminster Bridge hatte sie es versucht, war jedoch auf eine Tafel mit dem Hinweis gestoßen, dass nur verheiratete Frauen zur Entbindung aufgenommen würden, und diese als Nachweis ihre Heiratsurkunde mitzubringen hätten.

So musste Grace es dem Schicksal überlassen, wann und wo sie ihr Kind zur Welt bringen würde. Sehr früh am vorhergehenden Morgen waren ihre Wehen mit einem Mal häufiger gekommen, und so hatte sie Lily Anweisungen für den folgenden Tag gegeben und sich zu Fuß zum nächstgelegenen Krankenhaus am Charing Cross aufgemacht. Dort wurde sie zwar abgewiesen, doch eine mitfühlende Schwester riet ihr, ins Berkeley House in Westminster zu gehen. »Wo auch gefallene Mädchen aufgenommen werden«, wie ihr die Schwester zugeraunt hatte.

Berkeley House lag nur ein kurzes Wegstück entfernt – ein hässliches Gebäude mit rußigen Mauern und geschlossenen Fensterläden –, doch als sie es erreichte, kamen die Wehen bereits in so kurzen Abständen, dass Grace schon befürchtete, auf der Türschwelle entbinden zu müssen, hätte man sie nicht rasch aufgenommen. Eine außen angebrachte Notiz wies darauf hin, dass nur unverheiratete Frauen, die ihr *erstes* Kind bekamen, aufgenommen würden, und erinnerte in schonungsloser Deutlichkeit daran, was für ein gefahrvolles Unterfangen eine Entbindung bedeutete:

Aufgenommene Patientinnen werden gebeten, dafür Sorge zu tragen, dass im Falle eines tragischen Ausgangs die Kosten für eine Beerdigung aufgebracht werden können. Das Hospital übernimmt keine Beerdigungskosten für Mutter oder Kind.

Grace war dankbar, dass sie nicht mit irgendwelchen Fragen konfrontiert, sondern sogleich in einen Raum mit sechs Betten geführt wurde, jedes nur durch einen dürftigen Baumwollvorhang vom nächsten getrennt und mit einer Holzkiste am Fußende versehen, die als Kinderbettchen herhalten musste. Weitere Möbel oder sonstigen Schmuck gab es nicht in dem Raum, außer einem großen Schwarzweißbild von Königin Viktoria an der Wand.

Grace sank auf das hinterste Bett in der Reihe. Sie hörte zwei Babys schreien und jemanden stöhnen, eine Frau flehte Gott um Beistand in der Stunde ihrer Not an. Dazwischen war die ruhige Stimme einer Hebamme zu vernehmen, die von Bett zu Bett ging und den in den Wehen liegenden Frauen Ermahnungen, Anweisungen und Zuspruch zuteilwerden ließ.

»Nun, Mary, es kann nicht mehr lange dauern«, sagte sie, während sie Grace untersuchte. Als Grace ihren Namen richtigstellen wollte, erhielt sie zur Antwort, alle Mädchen würden hier im Hospital Mary genannt, und die Hebamme würde mit Mrs Smith angeredet.

»Hast du ein paar Dinge vorbereitet?«, fragte Mrs Smith. »Hast du einen Schlafplatz für das Kind, wo es nicht zieht, und ein paar saubere Baumwolltücher, die man auskochen kann?«

Grace hatte bloß den Kopf geschüttelt.

»Hast du etwas zum Anziehen für das Kind? Windeln und Wolltücher? Jäckchen und Kleider?«, fuhr Mrs Smith fort. »Diese Dinge kommen nämlich nicht einfach mit dem Kind auf die Welt! Hast du denn gar nicht darüber nachgedacht, was es alles brauchen wird?«

Grace drehte das Gesicht zur Wand. Sie hatte nämlich, trotz ihres sich rundenden Bauchs, trotz ihres rudimentären Wissens über die Körperfunktionen, trotz dem, was vor neun Monaten passiert war, nie wirklich geglaubt, dass sie ein Kind erwartete. Wie hatte so etwas nur geschehen können? Es konnte doch nicht sein, dass sie da gar nichts mitzureden gehabt hatte?

Die Hebamme schnalzte mit der Zunge. »Wo wohnst du denn, Kind?«

»Ich habe ein Zimmer in Mrs Macreadys Mietshaus in Seven Dials«, brachte Grace zwischen zwei Wehen hervor.

»Gütiger Himmel!«, hatte Mrs Smith kopfschüttelnd ausgerufen. »Dort? In dem Elendsviertel?«

»Es ist ein sauberes Zimmer«, verteidigte sich

Grace. »Nur ich und meine Schwester wohnen darin.«

»Hast du keine Familie? Wissen deine Eltern von dem Kind? Hast du dich an wohltätige Einrichtungen gewandt, die dich aufnehmen könnten? Gütiger Himmel, Kind, hast du überhaupt genügend Geld, um für eine Beerdigung aufzukommen, sollte es für dich oder das Kind zum Schlimmsten kommen?«

Grace hatte keine Lust, auf irgendeine dieser Fragen zu antworten, und so verzog sie angesichts der nächsten Wehe schon vorzeitig schmerzvoll das Gesicht.

Als die Wehe vorbei war, fragte die Hebamme: »Weiß der Vater des Kindes Bescheid? Wird er dir helfen? Ist er – Gott bewahre –, ist er womöglich verheiratet?«

»Er weiß nichts«, antwortete Grace flüsternd. »Und er wird es auch nie erfahren.«

»Du hast also niemanden, der sich nach der Niederkunft um dich kümmern wird? Niemand, der das Kind willkommen heißt und dir beim Aufziehen zur Seite steht?«

Grace schüttelte den Kopf. Sie hatte sich einfach nicht vorstellen können, dass das einmal Realität würde: so ein rotgesichtiges schreiendes Bündel, das sich arme Frauen auf den Rücken banden, wenn sie zur Arbeit gingen.

»Ja, in Gottes Namen, willst du denn das Kind bloß als ein Requisit, um damit betteln zu gehen?«, fragte die Hebamme plötzlich.

»Nein!«, entgegnete Grace mit so viel Empörung, wie sie zwischen den Wehen zustande brachte.

Die Wehen wurden stärker und kamen in immer dichteren Abständen, und einmal hielt Mrs Smith Grace ein Fläschchen mit starkem Riechsalz hin, von dem ihr so schummrig wurde, dass sie in eine Art Dämmerzustand nahe der Bewusstlosigkeit versank, obwohl die Wehen sie nach wie vor plagten. Als die Wirkung des Salzes nachließ und Grace wieder ganz zu sich kam, war es dunkel geworden in dem Raum. Die Hebamme kümmerte sich um ein Mädchen zwei Betten weiter. Erschöpft kämpfte sich Grace in eine sitzende Position auf und beugte sich ans Fußende ihres Betts vor, um in die Kiste zu sehen.

Sie war leer.

Grace rief nach Mrs Smith, die einen Augenblick später zu ihr kam. Ein sanfter, tröstender Ausdruck lag auf ihrem Gesicht, und sie strich Grace übers Haar, während sie sprach. »So traurig es auch ist, 's ist wohl das Beste so«, sagte sie.

»Was ist passiert? Wo ist das Baby?«

»Ach. Es tut mir leid, dir das sagen zu müssen, mein liebes Kind, aber das Baby ist gestorben.«

Es trat eine lange, lange Stille ein, und Grace war selbst überrascht, als sie bemerkte, dass ihr dicke Tränen über die Wangen kullerten. Sie hatte sich das Kind nicht einmal als echtes, lebendes Baby vorstellen können, überlegte sie verwundert, warum war es dann so niederschmetternd, zu erfahren, dass das Baby tot war?

»Was war es denn?«, fragte sie schließlich.

»Ein Junge. Gott segne ihn.«

»Hat er überhaupt gelebt?«

Mrs Smith schüttelte den Kopf. »Eine Totgeburt. Hat keinen einzigen Atemzug getan.«

Grace sank auf die Matratze zurück. »Habe ich irgendetwas falsch gemacht – während ich ihn trug?«

»Nein, liebes Kind. So etwas passiert einfach manchmal bei ganz jungen Mädchen. Dein Körper war noch nicht bereit, ein Kind auszutragen. Ich denke, es ist am besten so. Du bist ja selbst noch ein Kind und hast niemanden, der sich um dich kümmert. Das Kleine hätte sowieso den ersten Winter nicht überstanden. Seven Dials ist kein Ort, um ein Kind aufzuziehen.«

»Aber *tot* …«

»Gar nicht am Leben«, verbesserte die Hebamme. Sie schob Grace eine Haarlocke hinters Ohr. »Du bist noch sehr jung. Du wirst noch andere Kinder bekommen, wenn es an der Zeit ist. Du wirst diese traurige Sache vergessen.«

»Kann ich …?« Grace zögerte, da sie sich selbst nicht sicher war, welche Antwort auf ihre Frage sie sich wünschte. Doch die Hebamme kam ihr zuvor.

»Es ist besser, ihn nicht mehr zu sehen«, sagte sie rasch. »Ich rate immer davon ab. Stell dir einfach vor, das Ganze war bloß ein Traum, eine Geschichte …

etwas, was gar nicht wirklich passiert ist. So kommt man leichter drüber weg.«

Grace hatte wieder zu weinen angefangen.

»Wie gesagt, so ist's am besten. Und jetzt schlaf und ruh dich aus über Nacht, dann bist du im Nu wieder bei Kräften und auf den Beinen.«

Und tatsächlich: Nach einer durchschlafenen Nacht und einer Schale Kartoffeln mit Fleisch – eine milde Gabe der Gesellschaft zur Rehabilitation mittelloser Frauen und Mädchen – wurde Grace aufgefordert, ihr Bett in Berkeley House für die nächste Bedürftige zu räumen. Bevor sie das tat, wurde ihr allerdings ein fest verschnürtes Bündel überreicht, und die Hebamme erzählte ihr von einem wunderbaren Parkfriedhof draußen auf dem Land.

»Ich mach das nicht für jedes Mädel«, hatte Mrs Smith gesagt und ihr dabei zwei Münzen in die Hand gedrückt. »Aber es tut mir besonders leid für dich.«

Grace schaute sie fragend an.

»Die zwei Shillinge sind das Fahrgeld, um dieses kleine Bündel aus der Stadt zu bringen, denn die Friedhöfe in London sind allesamt überfüllt und geschlossen worden, und du hättest es bestimmt nicht gern, wenn das Kleine ohne Sarg in einem Armengrab verbuddelt würde, oder?«

Grace schüttelte den Kopf. Die bloße Vorstellung war ihr schon unerträglich.

»Eben. Drum musst du nach Brookwood hinausfahren.«

»Was ist das?«

»Das ist so was wie ein wunderschöner Park, mit Bäumen und Blumen und Statuen drin. Wenn du dann an dein Kleines denkst, kannst du es dir dort draußen vorstellen, wo schöne Engel aus Stein über ihm wachen.« Die Vorstellung rief ein kleines Lächeln auf Graces Gesicht, und auch die Hebamme lächelte. Es war so, wie sie gedacht hatte: Die Beerdigung des Kindes, das vollzogene Ritual, würde helfen, die Trauer zu bewältigen. »Und wenn du ihn begraben hast«, setzte sie hinzu, »dann musst du mit deinem Leben noch mal von vorn beginnen …«

»*Noch mal von vorn beginnen* …«, murmelte Grace, als sie an das Gespräch zurückdachte. Auf einmal merkte sie, dass sie, eingelullt von dem rhythmischen Schaukeln des Nekropolis-Zugs, die Worte laut ausgesprochen hatte.

»Alles in Ordnung, Kind?«, fragte der Mann neben ihr. Er trug einen schäbigen Gehrock und einen zerbeulten schwarzen Zylinder.

Grace nickte und drückte ihr Bündel fester an sich.

»Du bist sehr jung, um schon allein mit diesem Zug zu fahren. Ist ein Familienmitglied von dir gestorben?«

Grace nickte, machte dazu eine Geste, als sei sie zu sehr von Trauer überkommen, um zu sprechen, und starrte durchs Fenster hinaus auf die vorbeigleitende Landschaft.

Noch mal von vorn, schien der Rhythmus der Eisenbahnräder zu raunen. *Noch mal von vorn* … Wenn sie nur diesen Tag überstehen und noch einmal neu anfangen könnte, betete sie im Stillen, dann wollte sie versuchen, etwas aus ihrem Leben zu machen. Dann würde sie sich anstrengen, um sich und Lily ein anderes und besseres Leben aufzubauen.

Ein schrilles Pfeifen ertönte, als der Zug unter einer Brücke hindurchfuhr. Der Krach riss Grace aus ihren Gedanken. Sie musste einen letzten Ruheplatz für ihr Kind finden …

Manche hätte diese Aufgabe mit Entsetzen erfüllt, die Vorstellung, einen Hort der Toten zu betreten, doch Grace hatte in ihrem Leben schon genügend Leid erfahren, um zu wissen, dass man sich nur vor den Lebenden zu fürchten brauchte, nicht vor jenen, die ins Jenseits hinübergegangen waren. Sie zog sich ihr Wolltuch fester um den Kopf, schob die Abteiltür auf und trat auf den Gang hinaus. Hier war alles still: Jede Trauergesellschaft hatte ihren eigenen, privaten Waggon (und im letzten saßen die Angestellten der Beerdigungsgesellschaften zusammen, erzählten sich Anekdoten und genossen ein Schlückchen aus der Whiskeyflasche).

Der Zug ging dröhnend und heftig schaukelnd in eine Kurve. Grace hielt sich am Fensterrahmen fest und wartete, bis er wieder geradeaus fuhr. Dann schob sie die Tür zu dem Waggon auf, in dem sich die Särge befanden, und ging hinein.

Der Wagen hatte kein Fenster und war nur spärlich vom Licht zweier Kerzen beleuchtet, die in Haltern an der Wand befestigt waren. Es dauerte ein paar Augenblicke, bis Graces Augen sich an das Dämmerlicht gewöhnt hatten. Sie sah, dass der Wagen drei Abteilungen aufwies, eine jede mit schmalen Eisenregalen ausgestattet, auf denen die Särge ruhten. Selbst in dem kümmerlichen Licht waren Reich und Arm leicht zu unterscheiden: Die Särge der dritten Klasse waren aus billigem Spanholz gefertigt und die Schildchen mit dem Namen des Verstorbenen und dem Todestag von Hand geschrieben, während die Särge der ersten Klasse aus lackiertem, auf Hochglanz poliertem Holz bestanden und Beschläge, Griffe und gravierte Schilder aus Messing oder Silber trugen.

Grace ging in die Abteilung der ersten Klasse und las ein paar der Namensschilder. Sie klangen wie Visitenkarten fürs Himmelreich: *Sebastian Taylor, hingebungsvoller Gatte und Vater; Maud Pickersley, widmete ihr Tun den Mittellosen und Notleidenden; Jessy Rennet, führte ein Leben der Frömmigkeit und Hoffnung.*

Die Bremsen des Zugs quietschten, und der Zug verlangsamte seine Fahrt ein wenig, als ob er sich seinem Ziel näherte. Grace ließ den Blick nervös über die Särge wandern. Welchen sollte sie nehmen? Sie wollte auf jeden Fall, dass ihr Kind bei einer Frau ruhte, jemandem, der sich nach einem freundlichen Menschen anhörte und aus einer guten Familie kam.

Sie blieb vor einem Sarg aus hellem Eichenholz stehen, der *die sterblichen Überreste von Miss Susannah Solent, Fürsprecherin der Schwachen, Prinzessin der Armen* enthielt.

Miss Susannah Solent. Es gab keinen Hinweis auf ihr Alter, und offenbar war sie selbst keine Mutter gewesen, doch die Beschreibung klang nach jemandem, der zu einem Kind freundlich gewesen wäre und ihm Schutz geboten hätte.

Die Zeit drängte. Grace hob den hellen Deckel des Sargs, in dem Miss Susannah Solent lag, an einer Ecke ein wenig an und legte, ohne hineinzublicken, ihr kleines Bündel hinein. Ein Gefühl sagte ihr, dass irgendeine Form von Abschied angebracht wäre, und so murmelte sie: »Mögest du in Frieden ruhen und wir eines Tages wieder vereint werden.« Sich die Augenwinkel tupfend, ging sie rasch in den Gang zurück.

Mr und Mrs Stanley Robinson freuen sich, Ihnen die sichere Ankunft ihres Sohnes, Albert Stanley Robinson, bekannt geben zu dürfen.
Mrs Robinson heißt Besucher und Gratulanten ab dem 1. Juli bei sich zu Hause willkommen.
Bitte senden Sie vorab Ihre Karte.

Kapitel 2

In einem Kinderzimmer, dessen Wände über und über mit Segelschiffen auf schaumgekräuselten Wellen bemalt waren, stand ein junges Paar, Mr und Mrs Stanley Robinson, über einen üppig verzierten Stubenwagen gebeugt. Unter den Spitzenvorhängen des Wagens schlief in einem mit weißen Bändern und Rüschen verzierten Bettchen ihr neugeborenes, noch ungetauftes Baby. Immer wenn ihr allerliebster Schatz und zukünftiger Erbe den geringsten Mucks machte, sich leise regte oder das Gesichtchen verzog, gerieten sie aufs Neue in Staunen.

»Ich fürchte, das wird wohl nicht so bleiben«, flüsterte der Mann. »Es heißt doch, dass Babys ziemlich viel schreien.«

Die Frau lachte leise, aber wohlwollend. »Meinst du etwa, das wüsste ich nicht? Oh, doch! Und ich bin sehr wohl darauf vorbereitet.«

»Sollen wir ein Kindermädchen einstellen? Mutter sagte, sie würde dafür aufkommen.«

»Auf gar keinen Fall«, erwiderte die Frau. »Nachdem ich so lange auf unser Baby gewartet habe, werde ich es doch nicht von jemand Fremdem versorgen lassen.«

»Ganz wie du willst, Liebste«, sagte der Mann. Er streckte einen Finger aus und strich dem Baby über die rosige Wange unter der allerliebsten Spitzenhaube. Das Baby zuckte im Schlaf, und das Paar erstarrte für einen Augenblick vor Angst, es könne aufwachen, doch es schlief ruhig weiter. »Liebes kleines Baby«, sagte der Mann.

»Liebes, kostbares Baby«, sagte auch die Frau, und sie und ihr Mann blickten einander zärtlich an. »Endlich …«

BETTLER Um Ihren Bettler loszuwerden, so er Ihnen lästig wird und es sich um einen Engländer handelt, schenken Sie ihm einfach keinerlei Beachtung. Er wird Ihnen nur so lange folgen, bis er ein erfolgversprechenderes Opfer erspäht hat. Falls er etwas zu verkaufen hat, sagen Sie einfach »Hab ich schon« und gehen weiter.

Dickens's Dictionary of London, 1888

Kapitel 3

Seven Dials im Bezirk St. Giles war das vielleicht ärmste Viertel in ganz Westlondon, denn angeblich lebten hier nahezu dreitausend Menschen zusammengepfercht in wenig mehr als hundert Wohnhäusern. Der Name kam von den sieben Gassen, die unterhalb der Oxford Street zusammentrafen. Jeder Hof und jedes Gässchen, das von ihnen abzweigte, war gesäumt von Slums und Elendsquartieren. Baufällige Mietskasernen, Ladengeschäfte und stinkende Wirtshäuser reckten sich schief in die Höhe, abgestützt durch morsche Holzbalken und rostiges Blech; die kaputten Fenster waren mit Brettern vernagelt, Löcher im Mauerwerk zum Schutz gegen den Regen notdürftig mit Plane abgedeckt. Wer in diesen Häusern wohnte, war arm, jedoch nicht vollkommen mittellos. Keiner dieser Bewohner besaß feste Einkünfte, sondern sie alle lebten von der Hand in den Mund, hofften jeden Morgen aufs Neue, dass der Tag ihnen genug Geld einbringen würde, um sich und ihre Familie wieder für vierundzwanzig Stunden zu ernähren. Sie waren Gemüsehändler mit einem Stand auf einem der Märkte, Straßenhändler, die Streichhölzer und eingelegte Wellhornschnecken verkauften, Straßenkehrer, Wäscherinnen, Gossenreiniger und Jungen, die sich ihren Lebensunterhalt zu verdienen suchten, indem sie einem Gentleman das Pferd hielten oder zur Unterhaltung der Passanten Purzelbäume schlugen. Noch eine Etage darunter, in den übelsten Löchern und Verschlägen, hauste Gauner- und Lumpenpack, Diebe und Bettler.

An den Ständen und in den Läden ringsum wurden all die Dinge feilgeboten, die selbst die Ärmsten nicht entbehren konnten: Viele mussten zwar ohne Schuhe auskommen, doch alle benötigten etwas zu essen und Kleidung. Die Kleider, die man in Seven Dials kaufen konnte, waren niemals neu, sondern immer aus zweiter, dritter oder vierter Hand: abgelegte Damenkleider, Hüte, Schuhe, Strümpfe, verknitterte Unterröcke, ausgefranste Jacken und löchrige Schultertücher. Eine ganze Reihe von Läden bediente Vogelfreunde, und so konnte man hier fast jede Art von Tauben, Vogelwild und Hühnern finden, nebst

Drosseln, Finken und anderen Singvögeln. Einige Läden am Südrand von Seven Dials boten billige Haushaltsgegenstände zum Verkauf an: Besen, Kehrschaufeln, Staubwedel, Waschschüsseln und Putzlumpen, denn selbst die ärmste Frau wusste, dass Sauberkeit gleich hinter Frömmigkeit rangierte, und mühte sich, einen gewissen Standard zu halten.

Mrs Macreadys Mietshaus am Brick Place in Seven Dials verfügte über vier Stockwerke mit je zwei Zimmern sowie einen feuchten, schimmlig-grünen Keller. Mrs Macready selbst wohnte im Erdgeschoss und wachte über das Kommen und Gehen im Haus, über ein Kontobuch mit den Mieten und eine Küche, die die Mieter für einen Halfpenny oder zwei benutzen durften. Es gab einen provisorischen Abtritt im Hinterhof und auch einen Brunnen, doch wegen der räumlichen Nähe der beiden zueinander war das Wasser aus dem Brunnen verschmutzt und nicht trinkbar – ein paar Jahre vorher waren einige von Mrs Macreadys Mietern und weitere aus dem Nebenhaus deswegen sogar an Cholera gestorben. Seither holten sich alle brav ihr Wasser in Eimern, Wasserkesseln und Töpfen an einem Standrohr auf der Straße.

Mrs Macready war eine resolute und heitere Dame, die die alten, zurückgelassenen Kleider ihrer Vermieter auftrug, wenn diese weiterzogen, egal wie zerlumpt sie sein mochten und ob es sich um Frauen- oder Männerkleider handelte. So konnte es sein, dass sie eine zerschlissene Spitzenbluse unter einem alten

Jackett trug oder einen knittrigen Rock zu einem abgetragenen Schal und Weste und das Ganze mit einem Hut mit künstlichen Blumen krönte. Aus strikter Überzeugung und Menschenfreundlichkeit vermietete sie jedes Zimmer nur an eine einzige Familie, und ihre Mietpreise lagen deutlich unter dem üblichen Niveau. In der Tat verlangte sie so wenig, dass ihr nicht genügend Geld blieb, um das Haus instand zu halten, das inzwischen hoffnungslos baufällig war. Wenn es denn eines Tages um sie herum einstürzen sollte, pflegte sie zu sagen, so würde sie zu ihrem wohlhabenden Sohn in Connaught Gardens hinausziehen.

Während Grace mit dem Nekropolis-Zug zum Friedhof in Brookwood hinausfuhr, harrte ihre Schwester Lily im kleinsten Zimmer des zweiten Stocks von Mrs Macreadys Mietshaus ungeduldig ihrer Rückkehr. Ohne Unterlass vor sich hin seufzend, hielt sie durch das rußige Fenster hindurch nach ihr Ausschau. Grace war nun schon eine Ewigkeit lang fort, was um alles in der Welt trieb sie denn bloß die ganze Zeit? Dauerte es denn so lange, ein Baby zu bekommen? Nein, wirklich, sie war jetzt schon einen ganzen Tag und eine Nacht lang fort – oder waren es schon zwei?

Lily wusste, dass ihre Schwester mit einem Baby zurückkommen würde, denn Grace hatte ihr in einfachsten Worten erklärt, dass in ihrem Bauch ein kleines Baby war, und dass sie jemanden suchen musste, der ihr half, es herauszuholen. Währenddessen sollte Lily, so die Anweisungen ihrer Schwester, zum Markt gehen und Brunnenkresse kaufen (wie das ging, wusste sie, da sie Grace schon oft begleitet und zugesehen hatte, wie diese mit den Markthändlern feilschte), die Kresse in kleine Sträußchen zerteilen und sie dann, wie jeden Tag, auf der Straße feilbieten. Am Vortag hatte sie die Anweisungen auch getreu ausgeführt, doch weil sie sich zu lange nicht entscheiden konnte, welche Kresse sie kaufen sollte, hatte sie den morgendlichen Strom der Arbeiter verpasst. Zu allem Übel hatte es auch noch den ganzen Tag geregnet, so dass sich kaum eine Hausfrau auf der Straße blicken ließ, und obwohl Lily bis nach sechs unterwegs gewesen war, hatte sie nicht genügend von ihren Kressesträußchen verkauft, um ihre Ausgaben wieder wettzumachen. Sie hatte sich eine Fleischpastete zum Abendessen gekauft – das hatte Grace ihr ausdrücklich erlaubt –, doch auf dem Heimweg war sie auf einen Taschenspieler gestoßen, der ihr angeboten hatte, die Münzen in ihrer Tasche zu verdoppeln, wenn sie erraten konnte, unter welcher seiner drei Tassen sich eine Bohne befand. Sie war sich sicher gewesen, dass sie das richtig erraten konnte – es sah doch so einfach aus, und wäre Grace nicht hochzufrieden mit ihr? –, doch die Bohne war nie unter der Tasse, auf die sie zeigte.

Als Lily am nächsten Morgen erwachte, ging ihr mit Entsetzen auf, dass kein Geld mehr da war – nicht ein einziger Penny, mit dem sie zum Markt gehen und frische Brunnenkresse kaufen konnte, um sie feilzubieten. Es war allerdings nicht das erste Mal, dass ihnen das passierte, und im Bett liegend dachte Lily angestrengt nach, was sie tun sollte. Endlich stieß sie auf die Lösung: Natürlich, sie würde etwas zum Pfandleiher bringen! Das tat Grace auch immer, wenn sie nicht genügend Geld eingenommen hatten, um sich mit neuer Ware einzudecken.

Sie blickte sich im Zimmer nach einem geeigneten Gegenstand um, doch abgesehen vom Bett (das sowieso Mrs Macready gehörte), gab es nicht viel: eine Matratze aus Stroh, zwei Kissen, drei dünne Decken und mehrere Holzkisten. Ein paar der Holzkisten enthielten ihre spärlichen Kleider und Besitztümer, zwei waren leer und dienten, umgedreht, als Sitzgelegenheit. Grace hatte sich bereits überlegt – soweit sie überhaupt etwas in dieser Richtung überlegt hatte –, eine davon als Bettchen für das Baby zu verwenden.

Lily blickte sich stirnrunzelnd um. Die Decken würde Grace bestimmt nicht verkaufen wollen, das wusste sie, denn die brauchten sie, wenn es kalt wurde. Als sie bei Mrs Macready eingezogen waren, hatten sie noch fünf Decken gehabt und vier Kopfkissen. Und davor, als sie noch im Waisenhaus gewohnt hatten, hatten sie weiche, gebleichte Bettlaken und eine Decke mit richtigen Entendaunen gehabt und eine Tagesdecke, die Mama genäht hatte, mit den Segenssprüchen, die ihre Mutter als Mädchen daraufgestickt hatte: *Herr, segne unser Haus* und *Behüt' dich Gott*. Ein paar von ihren Sachen waren allerdings über die Jahre gestohlen worden, der Rest verkauft oder verpfändet, samt dem Großteil ihrer Winterkleider. Der Verlust ihrer Kleider hatte Lily nicht viel ausgemacht, da sie sowieso kaum etwas darauf gab, wie sie aussah, doch ihre Puppe Primrose, die so groß wie ein richtiges Baby gewesen war und echtes Haar hatte und einen rosenroten Mund in einem Gesichtchen aus Porzellan, die vermisste sie sehr. Nun hoffte sie, dass das Baby, das Grace mitbrachte, ein wenig wie Primrose sein würde, ein hübsches kleines Ding, mit dem man spielen konnte und das man beim Kresseverkaufen als kleines Bündel verschnürt auf dem Rücken trug. Bestimmt würden die Kunden stehen bleiben und das Baby bewundern und streicheln – und vielleicht um seinetwillen ein wenig mehr geben.

Lily fing an, die Gegenstände in den Kisten durchzusehen. Eine Kiste beinhaltete, was sie »Mamas Schätze« nannten: eine Teekanne aus hauchdünnem Porzellan mit handgemalten Vögeln darauf und eine dazu passende Tasse mit Unterteller; eine leere Ringschachtel; eine aus Porzellan gefertigte Muschel, die in so zart schimmerndem Rosarot bemalt war, dass sie aussah wie echt; der Hut, den Mama bei ihrer Hochzeit getragen hatte, und ein Stück Spitze, das ihr als Schleier gedient hatte. Lily wickelte die Gegenstände der Reihe nach aus und bewunderte sie, dann packte sie alles wieder in die Kiste zurück, wobei sie fast zu atmen vergaß, so sehr konzentrierte sie sich darauf, nur ja nichts zu zerbrechen. Ein paar Kleidungsstücke befanden sich auch noch in der Kiste, allerdings leider nicht jene, die am kostbarsten waren – Schuhe; davon besaßen beide Mädchen jeweils nur das eine Paar, das sie an den Füßen trugen. Lily nahm einen Schal in die Hand und überlegte, ob sie lieber den verkaufen sollte anstatt einer Decke. Würde Grace verärgert sein, wenn sie es tat, oder sie im Gegenteil für ihr vernünftiges Handeln loben? Wenn sie den Schal auf einem Altkleidermarkt feilbot, wie viel sollte sie wohl dafür verlangen (denn er war ziemlich dünn und an einigen Stellen schon durchgewetzt), und wäre Grace dann wohl mit der Summe zufrieden? Würde es reichen, um davon frische Ware zu kaufen? Und sollte sie mit dem Ertrag Brunnenkresse kaufen oder doch lieber zwei Stück Kartoffelauflauf zum Abendessen, die sie in Mrs Macreadys Ofen aufwärmen könnten? Aber wenn Grace nun nicht rechtzeitig nach Hause kam, um den Auflauf zu essen, und er verdarb?

Die Fragen wirbelten nur so in Lilys Kopf herum und entlockten ihr einen gequälten Schrei, so verwirrt war sie angesichts all dieser Entscheidungen. Und was, wenn Grace nun überhaupt nicht mehr nach Hause kam? Lily hatte schon gehört, dass Kinderkriegen eine mühsame, gefahrvolle Angelegenheit war. Wenn nun Grace starb und in der Erde verscharrt wurde wie Mama? Die Vorstellung war so verstörend und entsetzlich, dass eine Welle von Panik sie ergriff. Ihre

Beine fingen so stark an zu zittern, dass sie sich aufs Bett setzen musste. Wie sollte sie ohne Grace zurechtkommen?

Es dauerte eine ganze Weile, bis das Zittern nachließ und Lily wieder aufstehen konnte. Inzwischen war es allerdings zu spät, um zum Großmarkt zu gehen und Brunnenkresse zu kaufen. Außerdem hatte sie ja noch immer kein Geld. Erneut betrachtete sie die Sachen und rang plötzlich erschrocken nach Luft. Sie hatten ja gar keine Kleider für das Baby, das Grace heimbringen würde! Es hatte gar nichts zum Anziehen! Wie sollten sie es denn da mit nach draußen nehmen, wenn es nicht einmal ein Wolltuch zum Einwickeln hatte?

Das Baby musste eingekleidet werden, das war ganz klar! Mit dieser plötzlichen Erkenntnis ging Lily zu der ersten Kiste zurück und holte Mamas Teekanne hervor. Dafür bekäme sie beim Pfandleiher am meisten Geld. Bestimmt genug, um für ein paar Tage Brunnenkresse zu kaufen, für heute Abend etwas zu essen (natürlich würde Grace heute Abend heimkommen!) und eine Babyausstattung. Sie würde die Kleider für das Baby gleich selbst besorgen, und Grace wäre bestimmt so froh darüber, dass sie gar nicht fragen würde, was Lily denn dafür versetzt hatte. Sie würde Schlafkleidchen aus gekämmter Baumwolle kaufen, hübsche Babyhauben mit Spitze und einen kuschelweichen weißen Schal. Es wäre fast, als hätte sie Primrose wieder.

Lily wickelte die Teekanne aus dem Zeitungspapier und strich zärtlich mit der Hand darüber. Sie war aus feinstem Porzellan, das einen klingenden Ton abgab, wenn man sanft mit dem Fingernagel dagegenschlug, und war über und über mit kleinen blauen Vögeln bemalt – die blauen Vögel brachten Glück, hatte Mama immer gesagt. Sie hatte jedem Vogel einen Namen gegeben und den Mädchen erzählt, an welchen Blumen sie sich labten, doch Lily konnte sich an all diese Einzelheiten nicht mehr erinnern. Die Teekanne war jedenfalls sehr hübsch, aber warum sie nicht verkaufen, wo sie doch gar keine Verwendung dafür hatten, denn Tee war ja sowieso viel zu teuer, als dass sie sich welchen hätten leisten können.

Vorsichtig wickelte sie die Kanne wieder in das Zeitungspapier. Sie wusste, dass das die *Times* war, aber sie selbst konnte nicht einmal das Datum lesen. Grace dagegen, die konnte lesen. Manchmal brachte sie ein Blatt oder zwei, die auf dem Gehsteig herumgeflattert waren, mit nach Hause und las die Anzeigen auf der ersten Seite vor: *»Mr Lucas sucht einen braunen Wallach«*, stand da zum Beispiel, oder: *»Gouvernante sucht Anstellung in einem aristokratischen Haushalt. Fünf-Pfund-Note in der Bishopsgate Street verloren. Madame Oliver singt heute Abend in Tremore Gardens. Hilfe gesucht für mittellose verkrüppelte Buben.«* Manchmal erfand Grace Geschichten über die Leute, von denen sie in der Zeitung las – eine Gouvernante, die einen braunen Wallach zu verkaufen hatte, sich auf Mr Lucas' Anzeige meldete, und die beiden verliebten sich ineinander. Einer der verkrüppelten Jungen fand eine Fünf-Pfund-Note und wusste nicht, ob er sie nun zurückgeben und die Belohnung verlangen oder sich davon ein ganzes Jahr lang jeden Tag eine Fleischpastete kaufen sollte. Madame Oliver hatte eigentlich in Tremore Gardens singen wollen, dann aber auf einem braunen Wallach reitend die Zeit vergessen.

So verbrachten die beiden Mädchen manch lustige Stunde zusammen, denn Grace war eine exzellente Geschichtenerfinderin, und wenn Lily wegen irgendetwas Angst bekam, dann erzählte Grace ihr zum Einschlafen Geschichten von Schlössern und Prinzessinnen. Sie erzählte die Geschichten so gut, dass Lily noch am nächsten Tag darüber nachdachte und manchmal nicht mehr genau wusste, ob sie nun erfunden oder tatsächlich so passiert waren.

Ganz erleichtert darüber, dass sie endlich zu einer Entscheidung gekommen war, machte Lily sich auf den Weg zu einem Pfandleiher, bei dem sie schon öfter etwas versetzt hatten, einem gutmütigen Mann, der – wie alle seiner Zunft – von den Leuten »Onkel« genannt wurde. Allerdings fand sie seine Tür verschlossen vor und die Rollläden heruntergelassen. Am Fenster klebte ein Blatt Papier mit einer Nachricht.

Lily fragte einen Mann, der eben vorbeikam und Kerzenstummel verkaufte, was auf dem Zettel stand.

»*Geschlossen wegen Ablebens*«, bekam sie zur Antwort.

»*Geschlossen wegen Ablebens*«, wiederholte Lily und überlegte angestrengt, was das wohl heißen sollte.

»Das heißt, der Laden ist zu, weil einer gestorben ist«, sagte der Mann. »Der Inhaber wahrscheinlich.« Auf einmal betrachtete er Lily interessiert. »Wolltest wohl was beim Onkel versetzen, ha?«

Lily nickte und hielt ihr Päckchen hoch. »Eine Teekanne.«

»Nicht gerade großer Bedarf für so was«, merkte der Mann an, noch ehe sie das Wort ganz ausgesprochen hatte. »Aber ich sag dir, wer dir 'n besten Preis für so was macht – der alte Morrell, Parsnip Hill runter. Sag ihm, Ernie hat dich geschickt.«

Lily bedankte sich und ging weiter. Währenddessen huschte Ernie in ein Seitengässchen, rannte zwei Straßen entlang, sprang über die Mauer eines Hinterhofs und traf zwei Minuten vor Lily bei Morrells Pfandleihhaus ein. Ein rascher Blick die Straße hinauf und hinunter, dann schlüpfte er ungesehen in den Laden.

Morrell war spezialisiert auf Ankauf, Verkauf und Pfandleihe von Porzellan- und Glaswaren. In seinem schmutzigen Schaufenster reihten sich trübe Kristallvasen, angeschlagene Schmuckgegenstände, bunte Jahrmarkts-Tierfiguren und Glaskrüge. Eine solche Teekanne in seinem Sortiment wäre wie der Besitz der Kronjuwelen.

»Kannst gleich 'nen guten Fang machen«, platzte Ernie heraus, kaum dass er im Laden war. Morrell stand hinter seiner Ladentheke, besaß allerdings einen solchen Wanst, dass er kaum an diese heranreichte. »Junges Mädel, bisschen simpel in der Birne. Teekanne. Zieh deine Masche ab, und wir machen halbehalbe.«

Morrell nickte grinsend. Während Ernie wieder verschwand, holte er eine kleine Schachtel hervor und stellte sie auf ein verborgenes Regalbord an der Rückseite seines Ladentischs.

Lily betrat den Laden, erklärte, dass Ernie sie geschickt habe und dass sie eine Teekanne in die Pfandleihe geben wolle. Unterwegs hatte sie noch sehr mit sich gerungen, ob sie die Kanne wirklich versetzen sollte, sich dann aber damit beruhigt, dass sie sie ja nur in die Pfandleihe gab und nicht verkaufte. Wenn Grace wirklich ärgerlich war, dann könnten sie die Kanne ja später, wenn sie einmal reich waren, wieder zurückkaufen. In den Geschichten, die Grace erzählte, wurden sie immer reich.

Morrells Augen leuchteten, als er die Kanne sah. Meißner Porzellan, ging es ihm durch den Kopf. Ziemlich alt, handbemalt und einiges wert. Er schüttelte bedauernd den Kopf.

»Echt schade«, sagte er. »Dachte, du hättest was Besonderes, aber das is ja bloß so billiger Trödel. 'nen Sprung hat's auch noch«, log er.

Lily war ganz geknickt, hegte aber noch immer

kein Misstrauen. »Aber ein bisschen was muss sie doch wert sein?«, fragte sie. »Es war mal ein ganzes Service, das meiner Ma gehörte.«

»Zeig mal her«, sagte Mr Morrell. »Halten wir's mal ins Fenster und gönnen der Sache 'nen Blick.«

Lily reichte ihm die immer noch halb eingewickelte Kanne über die Ladentheke. Als Morrell sie entgegennahm und sich zum Fenster umdrehte, rutschte die Kanne irgendwie aus dem Zeitungspapier.

»Hoppla!«, rief Morrell, als plötzlich etwas auf dem Steinfußboden zerschellte.

»Oh nein!«, schrie Lily entsetzt auf.

»Ach, du Schreck! Jetzt hast du's zu früh losgelassen, Mädel.«

Lily hatte sich die Hände vor den Mund geschlagen und war leichenblass geworden. »Ist sie ... ist sie ganz kaputt?«

»Mauskaputt! Lauter Scherben!«, rief Morrell aus.

»Kann man sie nicht wieder zusammenkleben?«

»Nie im Leben! Da, schau dir den Schlamassel an!«

Lily spähte ängstlich über die Ladentheke. Und tatsächlich, auf dem Steinboden lagen lauter Porzellanscherben.

»Schade«, sagte Morrell. »Aber mehr als 'n paar Pennys wär sie sowieso nich wert gewesen.«

Lilys Lippen zitterten. »Kann man denn ... gar nichts ... tun?«

»Haste noch mehr davon zu Haus?«, fragte Morrell munter.

Lily schüttelte den Kopf. Wie war das nur passiert? Vielleicht hatte sie einfach nicht aufgepasst. Grace tadelte sie manchmal wegen ihrer Ungeschicklichkeit. Und nun war die Teekanne kaputt, Mamas kostbare Teekanne! Und bald würde Grace nach Hause kommen, und es würde nichts zu essen da sein und auch keine Kleider für das Baby.

Lily wandte sich um und ging wie betäubt nach Hause. Nicht einmal die Tränen wollten fließen, so bestürzt war sie. Währenddessen bewunderten Mr Morrell, der Pfandleiher, und Ernie, der Trödelhändler, die Teekanne aus Meißner Porzellan, die sicher und unversehrt auf dem Geheimregal an der Rückseite der Ladentheke stand.

NICHTS AHNEND GING ER DURCH DIE FLUR
BEDACHTE NICHT DIE LEBENSUHR
DA PLÖTZLICH SPRACH DER TOD IHN AN
WARF IHN AUS SEINER LEBENSBAHN.

Grabinschrift

Kapitel 4

»›*Der Garten des ewigen Schlafs*‹«, murmelte Grace, das Bahnhofsschild lesend. Dann fügte sie, an sich selbst gewandt, hinzu: »Mein Baby wird bei Miss Susannah Solent im Garten des ewigen Schlafs gut aufgehoben sein.« Wenn man es so sagte, klang es fast erträglich. Als ob die Verstorbenen sich bloß in der Erde ausruhten, bis sie eines Frühlings alle auferstehen würden. Grace wusste, dass sie dies eigentlich glauben sollte, doch es fiel ihr schwer.

Der Zug fuhr inmitten von Dampfwolken in den Bahnhof ein. Sobald er zum Stehen gekommen war, stiegen die Zylinder tragenden Herren der Bestattungsgesellschaften aus und standen bereit, um die Trauernden mit unterwürfigen Verbeugungen in Empfang zu nehmen und zu den Grabstätten ihrer Liebsten zu geleiten. Während sich die Trauergäste in Grüppchen sammelten und für den letzten Teil der Reise aufstellten, ging Grace ein wenig näher zu dem Wagen mit den Särgen. Diese wurden inzwischen, abseits von den Blicken der Öffentlichkeit, zugenagelt (diese kleine Zeremonie ließ man bis zuletzt, als Vorsichtsmaßnahme, damit niemand begraben würde, der seinen letzten Atemzug noch nicht getan hatte). Erst dann wurden die Türen des Waggons geöffnet und die Särge ausgeladen. Für die meisten Beerdigungen der ersten Klasse stand ein eigener Leichenwagen bereit, zusammen mit einem Priester oder einem schwarz gekleideten Sargbegleiter, der den Trauerzug anführte, während bei den Armenbegräbnissen ein einfacher Handkarren Verwendung fand, gezogen von Freunden oder Angehörigen, die sich das Zugticket von London hierher hatten leisten können. Auch die Armen bevorzugten Brookwood für ihre Beerdigungen, denn selbst wenn die Beerdigungszeremonie für arme Leute eine ganz gewöhnliche war, so garantierte die enorme Fläche des Friedhofs doch, dass jeder Verstorbene sein eigenes Grab erhielt, anstatt, wie in London üblich, mit zahllosen anderen in ein Massengrab geworfen zu werden.

Grace beobachtete aus diskreter Entfernung, wie die Särge aus dem Waggon geladen wurden. Sie wusste genau, welcher der von Susannah Solent war: der helle Eichensarg im letzten Abschnitt. Sie sah, wie er von den Männern des Leichenbestatters abgeholt, auf die Schultern gehoben und sanft auf den bereitstehenden, mit Glas überwölbten Leichenwagen geschoben wurde, wo er in weiße Blumen eingehüllt lag. In sicherem Abstand folgte Grace den mit schwarzen Federn geschmückten Pferden auf ihrer langsamen Prozession zwischen Bäumen und Büschen hindurch, denn sie wollte genau wissen, wo ihr Kind begraben lag, für den Fall, dass sie sich je einmal eine Fahrkarte hierher leisten konnte, um an seinem Grab zu trauern.

Zu dem Leichenzug von Miss Solent gehörten ungefähr zwanzig Trauergäste, darunter nur eine einzige Frau, die mit Schleiern aus schwarzem Krepp so dicht verhüllt war, dass man kaum etwas von ihr ausmachen konnte. Ob das Miss Solents Mutter war? Oder ihre Schwester, eine Tante, eine enge Freundin? Unmöglich, Genaueres zu sagen.

Die Prozession kam zum Stehen. Miss Solents Grab befand sich auf einer Lichtung hinter einer Reihe frisch gepflanzter Zedern – so frisch gepflanzt, dass die Gärtner noch an diesem Morgen unmittelbar bis zur Ankunft des Zugs dort gegraben hatten. Als sie den Zug im Bahnhof einfahren hörten, hatten sie sich rasch zurückgezogen, um die Intimsphäre der Trauergäste nicht zu verletzen, hatten dabei jedoch eine schwere Gabel in der Erde vergessen. Grace stolperte darüber, verstauchte sich den Knöchel und konnte einen Aufschrei nicht unterdrücken, der jedoch nur von einem in ihrer Nähe stehenden Trauergast vernommen wurde, während die anderen weiterhin gebannt den Worten des Priesters lauschten oder in ihrem eigenen Schmerz versunken waren.

Mr James Solent, der in der Trauergemeinde am Grab seiner Schwester ganz hinten stand, dachte zunächst, das Geräusch müsse von einem Waldtier stammen, das sich in einer Falle verfangen hatte. Als er sich umdrehte, sah er jedoch im Unterholz ein Mädchen, das sich langsam aufzurichten versuchte. Er konnte ihr Gesicht nicht sehen, doch sie schien sehr jung zu sein. Ihr loses, lockiges Haar (der Schal war ihr nämlich vom Kopf gerutscht) hatte die Farbe der am Boden liegenden Buchenblätter. James Solent zögerte einen Augenblick, dann löste er sich lautlos aus der Versammlung, um zu sehen, ob er behilflich sein könne. Er wusste, dass seine Schwester ihm dies nicht übel genommen, sondern, im Gegenteil, an seiner Stelle genauso gehandelt hätte.

Als Grace ihn auf sich zukommen sah, schoss ihr der Gedanke durch den Kopf, wegzulaufen, doch sie erkannte, dass ihr dazu nicht nur die körperliche Kraft, sondern auch die Energie fehlte. Außerdem, so sagte sie sich, wusste ja niemand, weshalb sie auf dem Friedhof war oder was ihr widerfahren war. Sie hatte ihre Fahrkarte bezahlt und dasselbe Recht, hier zu sein wie alle anderen auch.

»Kann ich helfen? Sind Sie verletzt?« James sprach sie in ganz behutsamem Ton an, da er fürchtete, sie könne sich erschrecken und überstürzt davonlaufen, wenn er zu direkt oder laut auftrat. Sie mochte vielleicht dreizehn Jahre alt sein, schätzte er, und ihr bleiches Gesicht war von einer tragischen Schönheit. Ihre altmodischen Kleider schienen einmal von guter Qualität gewesen zu sein, waren jedoch, wie ihm auffiel, an mehreren Stellen geflickt, ausgebessert oder durchgewetzt.

Grace setzte sich auf eine moosige Bank. Sie fühlte sich auf einmal ganz schwach. »Vielen Dank, Sir, aber es ist nichts. Ich bin nur über die Gabel gestolpert.«

»Aber Sie haben sich doch wehgetan, oder?«, sagte James.

Grace schüttelte den Kopf und bedeckte vorsichtig ihren Knöchel. »Es ist nicht schlimm. Ich war ja selbst schuld.«

»Ich würde sagen, schuld waren die Gärtner von Brookwood!«, wandte James ein. »Aber zeigen Sie mir mal den Knöchel.«

»Es tut fast gar nicht weh«, wehrte Grace ab und strich ihre Röcke glatt, so dass sie ihre Füße bedeckten und ihre schäbigen Schuhe vor ihm verbargen. »Ich … ich möchte nur einen Moment hier sitzen bleiben, bis ich mich wieder erholt habe.«

»Darf ich mich dann vielleicht zu Ihnen setzen?«, fragte James. »Ich habe heute nämlich schon mehr als genug über das Reich des Todes, den Zorn Gottes und die ewige Ruhe gehört, und das passt alles überhaupt nicht zu meiner Schwester. Außerdem will ich nicht dabei sein, wenn ihr Sarg in die Erde hinuntergelassen wird.«

»Nein, bestimmt nicht.« Grace schüttelte den Kopf, denn sie selbst hatte diesen letzten Augenblick auch nicht mit ansehen wollen. »Dann ist das Ihre Schwester, die beerdigt wird?«, fragte sie schüchtern.

James nickte und setzte sich neben sie. »Susannah.« Er seufzte. »Sie war ein fröhliches Mädchen, das immerzu lachte – und so will ich sie in Erinnerung behalten. Aber nun sehen Sie sich das alles an!« Er deutete auf die düstere Szene, die sich ihren Augen bot: professionelle Sargbegleiter in schwarzen Umhängen und Trauergäste mit schwarzen Zylindern auf dem Kopf. »Diese ganzen schwarzen Federn und Trauerstabträger, Sargbegleiter und Kutscher! All das Geschwätz über Leichenwagen und Pferde und wie lange man Trauerkleidung tragen sollte – das ist so gar nicht Susannah! Mein Vater will ein ägyptisches Mausoleum über ihr errichten lassen, in dem eine ewige Flamme brennt. Aber dieser ganze Pomp wird sie auch nicht zurückbringen.«

Sie schwiegen eine Weile, dann sagte James: »Aber verzeihen Sie, dass ich zu fragen vergaß: Sind Sie auch zu einer Beerdigung hier?«

Grace schüttelte den Kopf. »Nein, bloß um … um nach dem Grab meiner Mutter zu sehen.«

»Das ist traurig. Aber zumindest ist es ein schöner Ort für ihre letzte Ruhestätte. Die Statuen sind wunderschön.«

Grace nickte zustimmend, denn auch ihr waren die wundervollen marmornen Engel und Putten aufgefallen, steinerne Anker an den Gräbern alter Seeleute, ein herrliches reiterloses Pferd für einen toten Jockey und sogar ein Flügel aus Stein auf der Gruft eines Musikers.

»Mein Vater hat die Absicht, in angemessener Zeit sich selbst und meine Mutter in dem Mausoleum begraben zu lassen, und dann mich und meine Brüder.« Er schwieg einen Moment. »Aber wenn es Ihnen nicht zu schwer fällt, darüber zu sprechen, dann erzählen Sie mir doch, wann Ihre Mutter verstorben ist.«

»Das ist lange her – fast zehn Jahre«, sagte Grace, und diesmal antwortete sie wahrheitsgemäß.

»Aber Sie haben doch noch einen Vater, der sich um Sie kümmert?«

Grace schüttelte den Kopf. »Unser Vater starb ein paar Jahre vor Mama«, fuhr sie fort, denn davon war sie überzeugt. Lily glaubte natürlich immer noch, was Mama ihnen erzählt hatte: dass Papa fortgegangen sei, um sein Glück zu machen, und eines Tages zurückkehren würde.

»Dann sind Sie also eine Waise?«

»Ja, Sir.« Grace fühlte sich scheu und unsicher bei diesem Gespräch, denn wenn sie sich sonst einmal mit einem jungen Mann unterhalten hatte, dann höchstens, um ihm einen Bund Kresse zu verkaufen. »Ich lebe mit meiner Schwester zusammen, und wir kommen ganz gut zurecht«, fuhr sie fort, denn sie wollte nicht, dass er sie für verarmt hielte.

»Aber was haben Sie denn nach dem Tod Ihrer Mutter angefangen? Sie müssen ja noch ein kleines Kind gewesen sein, das sie auf dem Arm trug.«

»Ich war ungefähr fünf und meine Schwester sechs«, sagte Grace. »Wir wurden in ein Waisenhaus gebracht, das eine gutherzige Frau führte, und waren dort recht glücklich.«

»Und dann …?«

»Als ich vierzehn wurde, kamen wir in eine Schulanstalt, wo ich eine Ausbildung zur Lehrerin bekommen sollte.«

Er musterte sie prüfend. »Ich sehe es Ihrem Gesicht an, dass es Ihnen dort nicht zugesagt hat.«

Grace spürte einen Anfall von Panik in ihrem Inneren aufwallen und bemühte sich, trotzdem ruhig zu antworten. »Nein, das hat es nicht, Sir. Daher haben wir beschlossen, wegzugehen.«

»Wann war das?«

»Vor ungefähr einem Jahr. Und seither schlagen wir uns alleine durch und … und kommen ganz gut zurecht. Wir verkaufen Brunnenkresse auf der Straße.«

Er nickte. »Und da Ihre Schwester älter ist als Sie, kann sie Ihnen zumindest ein wenig mütterliche Fürsorge schenken.«

Grace nickte langsam. Was hätte es schon gebracht, ihm zu erzählen, dass Lily zwar den Jahren nach älter war als sie selbst, dass es sich in Wirklichkeit allerdings genau andersherum verhielt, weil Lily nämlich *Graces* ganzer Fürsorge bedurfte und ihr Leben lang nie in der Lage sein würde, für sich selbst zu sorgen.

Als der Begräbnisgottesdienst sich dem Ende näherte und die Gruppe an Miss Solents Grab dem Pfarrer ihren Dank aussprach, erhob sich James und sagte, er müsse nun wieder zu den anderen zurück. Als er sich bei Grace verabschiedete, griff er in die Innentasche seines Jacketts, und Grace erstarrte vor Scham, weil sie glaubte, er werde ihr Geld anbieten. Doch das tat er nicht.

»Ich bin Anwaltsgehilfe in Lincoln's Inn«, sagte er und reichte ihr eine Visitenkarte. »Falls ich Ihnen einmal irgendwie behilflich sein kann, zögern Sie nicht, in unsere Kanzlei zu kommen und nach mir zu fragen.«

Grace konnte sich keine Umstände vorstellen, unter denen sie seines Beistands bedurft hätte, nahm die Karte jedoch entgegen. Darauf stand:

MR JAMES SOLENT
Anwaltssekretär bei
Mr Ernest Stamford, Anwalt der Krone
Moriarty Chambers, Lincoln's Inn

»Ich sehe es Ihrer Miene an, dass Sie nicht im Entferntesten daran denken, je von meinem Angebot Gebrauch zu machen. Aber wenn ich Ihnen tatsächlich einmal helfen kann, dann, bitte, geben Sie mir die

Gelegenheit dazu. Meiner Schwester zuliebe.« Er lächelte traurig. »Susannah zögerte keinen Augenblick, wenn sie einer jungen Dame in Not behilflich sein konnte, wissen Sie. Und wer sagt denn, dass sie nicht irgendwie ihre Hand im Spiel gehabt hat, damit wir uns heute hier bei ihrer Beerdigung begegnen?«

»Das ist ein reizender Gedanke«, sagte Grace. Sie stand auf, belastete vorsichtig ihren Knöchel und stellte fest, dass sie keine Schmerzen mehr hatte. »Vielen Dank für Ihre Freundlichkeit« sagte sie zu James, »und ich wünsche Ihnen noch einen so angenehmen Tag, wie es unter den Umständen möglich ist.«

»Bis zu unserem nächsten Zusammentreffen«, sagte James mit einer kleinen Verbeugung.

Der Nekropolis-Zug verließ Brookwood erst wieder um drei Uhr nachmittags, und so ging Grace in die kleine Kapelle, ließ sich so unauffällig wie möglich in der hintersten Bank nieder, dachte über alles nach, was ihr in den vergangenen Tagen widerfahren war, und versuchte, es irgendwie zu begreifen. Von Zeit zu Zeit lief sie Gefahr, vor schierer Müdigkeit einzunicken, doch jedes Mal, wenn das passierte, ließ ein wiederkehrender Angsttraum sie hochschrecken, in dem das Baby immer noch in ihrem Bauch war und sie panisch von hier nach dort rannte, auf der Suche nach einem sicheren Ort, um es zur Welt zu bringen.

Als es halb drei schlug (und ihr Leben ihr noch immer genauso sinnlos erschien wie vorher), beschloss sie, zum Zug zurückzugehen, um die Heimfahrt anzutreten. An dem kleinen Bahnhof angelangt, musste sie feststellen, dass das Gefährt noch nicht an Ort und Stelle war, und so wartete sie mit den anderen Trauergästen, die nach und nach aus den Erfrischungsräumen zum Vorschein kamen, auf dem Bahnsteig.

Schon als Kind hatte Grace sich angewöhnt, Leute zu beobachten, was sich später, als sie mit dem Kresseverkaufen anfing, als äußerst hilfreich erwies, da sie schnell lernte, wen es sich anzusprechen lohnte und wen nicht. Als sie nun die Zylinder tragenden Bestattungsunternehmer beobachtete, wie sie um die Grüppchen ihrer trauernden Kundschaft herumscharwenzelten, sie hierhin und dorthin dirigierten, kam sie nicht umhin festzustellen, dass manche von ihnen sehr viel eifriger auftraten als andere. Ihre Beileidsbekundungen waren wortreicher, ihr Bemühen um die Kundschaft eifriger: Immer hatten sie einen extra Schal oder ein schwarz umrandetes Taschentuch bei der Hand, klopften hier beschwichtigend eine Schulter, tätschelten dort tröstend einen Arm, reichten ein Tüchlein zum Trocknen der Tränen und suchten die Angehörigen mit Floskeln von einem »guten Tod« oder dem »Trost eines schönen Begräbnisses« zu beruhigen.

Dies war Graces erste Begegnung mit den Unwins.

Mr George Unwin war Eigentümer des größten Bestattungsunternehmens in London, stets bereit – um nicht zu sagen, begierig –, die Hinterbliebenen mit jeglicher nur erdenklichen Dienstleistung rund um die Bestattung ihres Angehörigen zu versorgen. Beim Unwin Bestattungsunternehmen konnte man aus einem Sortiment von neunundzwanzig verschiedenen Särgen wählen, alle mit austauschbaren Seidenausstattungen sowie Beschlägen und Griffen wahlweise aus Messing oder Silber. Hier konnte man Glaskutschen bestellen, samt zugehörigem, mit Federbüschen geschmücktem Pferdegespann, Sargtücher aus Samt, Trauerflore, Fähnchen, Trauerstäbe, Blumenkränze sowie professionelle, in beliebige Mengen schwarzen Krepp gehüllte Sargbegleiter. Das Einzige, was es nicht gab, war Trauerbekleidung, doch dafür – nämlich jegliche Art von Kleidungsstücken, dazu Schleier, Taschen, Handschuhe, Schals, Stolen und weitere Accessoires für die erste, zweite und dritte Trauerphase – gab es ja glücklicherweise das Unwin Trauerbekleidungskaufhaus in der Oxford Street, das größte seiner Art in London, im Besitz von Mr Sylvester Unwin, Mr George Unwins Cousin.

Mrs Emmeline Unwin, George Unwins Gattin, sah Grace still und in sich versunken auf dem Bahnsteig stehen, offenbar allein und ohne Familienangehörige. Mrs Unwin war eine ungewöhnliche, jedoch höchst einfallsreiche Ergänzung zu einem modernen Bestattungsunternehmer, denn ihr einziger Zweck bei der Beerdigung bestand darin, den Vertreterinnen des schwachen Geschlechts, die von ihren Gefühlen überwältigt wurden, Trost zu spenden. Sie war eine hagere, hoch aufgeschossene Frau mit fahlem Gesicht, kleinen Augen und einem Lächeln, das ebenso viel Zahnfleisch wie Zähne entblößte. Um ganz und gar mit ihren Kundinnen mitfühlen zu können, trug sie praktisch permanent Schwarz und verfügte zu diesem Zweck über gut und gerne zwanzig oder noch mehr modische Trauerkostüme inklusive der dazu passenden Hüte und Schleier. Ihre Mission bestand darin, die Hinterbliebenen zu überzeugen, dass man im Tragen der neuesten Trauermode nicht so sehr eine Geldausgabe als eine Ehrenbezeugung gegenüber dem Verstorbenen sehen sollte, und so segelte sie nun in einem topmodischen Kleid mit bauschigen, von einer Krinoline getragenen Röcken, die beim Gehen hin und her schaukelten, auf Grace zu.

»Mein liebes Kind, ist alles in Ordnung?«, fragte sie und legte ihr mitfühlend die Hand auf den Arm. Aus nächster Nähe fiel ihr allerdings auf, wie schäbig Graces Kleider waren, und dass hier kein Geld zu verdienen war, indem man etwa eine Marmorstatue als Trost in der dunkelsten Stunde vorschlug. Doch sie witterte sofort eine andere Gelegenheit. »Mein armes Kind, du scheinst vollkommen niedergeschlagen.«

Grace brachte trotz ihrer Müdigkeit einen kleinen Knicks zustande. »Vielen Dank, aber ich komme schon zurecht.«

»Was für ein trauriges Gesicht du hast!« Mrs Unwin senkte die Stimme. »Hast du schon einmal daran gedacht, als Sargbegleiterin bei einem Beerdigungsunternehmen zu arbeiten?«

Grace schaute sie verblüfft an. Sie verspürte ein unwillkürliches Bedürfnis, die Hand der Frau abzuschütteln, wusste aber, dass das sehr unhöflich gewirkt hätte.

»Womöglich erscheint es dir wenig feinfühlig, dass ich dich einfach auf so etwas anspreche, aber ich muss dir sagen, dass ich mir dich in einer solchen Stellung ideal vorstellen könnte.«

Grace war noch immer sprachlos vor Verblüffung.

»Du bist noch jung und siehst aus, als hättest du bereits alle Traurigkeit der Welt kennengelernt. Du würdest eine perfekte Sargbegleiterin abgeben!« Da Grace nicht widersprach, fuhr die Frau fort: »Das Beerdigungsgeschäft blüht, meine Liebe. Wir suchen ständig nach Gesichtern wie deinem. Du könntest bei uns wohnen, ein Mitglied der Unwin-Familie werden.«

Grace schüttelte den Kopf. »Es tut mir leid, aber …«

»Du würdest fünf Shilling pro Beerdigung verdienen, und wenn gerade keine Beerdigung ansteht, könntest du den Mädchen in der Schneiderei beim Ausstatten der Särge helfen. Mit so einem tragischen Gesichtsausdruck wie deinem wärst du bei Oberschicht-Beerdigungen *absolut* gefragt.«

Grace schauderte einen Moment lang bei dem Gedanken. »Es tut mir leid«, sagte sie erneut. »Ich lebe mit meiner Schwester zusammen und könnte sie unmöglich allein lassen. Und mein Dasein als Sargbegleiterin zu fristen, erscheint mir doch recht elend.«

»Aber es ist doch wundervoll, anderen Menschen Trost zu spenden!«, rief Mrs Unwin aus. »Es ist sogar unsere Christenpflicht, dies zu tun, so sich uns die Gelegenheit dazu bietet.«

Grace schüttelte erneut den Kopf. »Ich könnte so etwas nicht, aber vielen Dank für das Angebot.«

»Wie du meinst«, sagte Mrs Unwin und zog eine kleine Karte aus ihrem schwarzen Samtmuff. »Solltest du es dir je anders überlegen …«

Grace nahm die Visitenkarte entgegen und bedankte sich mit einem Knicks. Wie seltsam es doch war, nun schon die zweite Visitenkarte an einem Tag zu erhalten, wo sie vorher nie eine in der Hand gehabt hatte. Diese hier war schwarz umrandet wie eine Beileidskarte, und darauf stand in Prägedruck:

Unwin Bestattungsunternehmen
Einem guten Tod gebührt eine gute Beerdigung.
Diskretion ist unser Motto.
Maple Mews, Marble Arch, London

Der bläulich schwarze Zug kam endlich von seinem Rangiergleis herein und hielt unter heftigem Gequalme vor dem Bahnsteig an. Mrs Unwin segelte mit wehenden Röcken davon, während Grace in den Wagen der dritten Klasse stieg, sich setzte und die Frau im nächsten Augenblick bereits vergessen hatte.

Der Zug fuhr mit einem Ruck an und nahm allmählich seine rhythmische Fahrt auf. Grace seufzte vor Erleichterung, dass alles genau so verlaufen war, wie die Hebamme ihr prophezeit hatte. Sie schloss die Augen und trieb den Zug im Geiste zu rascher Fahrt an, um möglichst schnell zu Hause bei Lily zu sein. Oh, hoffentlich war ihre Schwester ohne sie gut zurechtgekommen …

MORRELLS PFANDLEIHE
Absolute Seriosität. Beste Preise.
Vertrauen Sie Morrell und keinem anderen.
Immer für Sie da, wenn Sie Hilfe brauchen.

Kapitel 5

Die Mieter von Mrs Macreadys Haus bildeten eine kunterbunte Schar. Das Dachgeschoss war nur mit einer dünnen Bretterwand in zwei Räume unterteilt, in denen je ein Ehepaar wohnte. Beide Männer waren Straßenhändler mit einem eigenen Stand, ihre Frauen halfen ihnen beim Verkauf. Einer war auf billigen Fisch spezialisiert – Heringe, Sprotten und Wellhornschnecken –, der andere verkaufte Äpfel oder Kartoffeln, je nach Angebot der Saison. Wenn ihnen faulige oder minderwertige Ware übrig blieb, so teilten sie diese mit den anderen Mietern, die immer mehr als dankbar dafür waren.

Ein Stockwerk unterhalb, im dritten Stock, wohnte Mr Galbraith, der zu den ungewöhnlichsten Nachtzeiten kam und ging, immer in kompletter Abendgarderobe. Im Zimmer neben ihm hausten die Cartwrights, eine irische Familie mit einer sieben- oder achtköpfigen, lärmenden Kinderschar. Die Cartwrights arbeiteten als Streichholzverkäufer, Zigarrenstummelsammler, Botenjungen und der jüngste, ein Zweijähriger, als Lockvogel. Er zog die Aufmerksamkeit der Passanten auf sich, indem er schluchzend vorgab, seine Mama verloren zu haben, während seine älteste Schwester jenen mitfühlenden Seelen, die stehen blieben, um ihm zu helfen, mit geschickten Fingern die Manteltaschen leerte. Grace und Lily hatten ein kleines Zimmer im zweiten Stock für sich, neben einem gebrechlichen alten Ehepaar, Mr und Mrs Beale, die beide halb blind waren und auf der Straße Schnürsenkel verkauften, um nicht voneinander getrennt in ein Arbeitshaus gesteckt zu werden. Sie litten furchtbar darunter, direkt unter den lärmenden Cartwrights zu wohnen, wo ein ständiges ein und aus herrschte.

Auf der ersten Etage wohnten – Tür an Tür, wodurch es sich umso besser miteinander streiten ließ – zwei Familien, die Wilsons und die Popes. Die Wilsons – Mutter, Vater und drei Kinder – arbeiteten als Straßenfeger und hatten die besten Straßenkreuzungen in Seven Dials unter ihrer Kontrolle. Die Popes hatten vier noch zu Hause wohnende Kinder, die jede Arbeit ausführten, die sich ihnen bot: von Lumpen- und Pferdemistsammeln bis zu Purzelbäumeschlagen, um die Passanten zu unterhalten, und wenn die Zeiten richtig hart waren, Betteln oder gar Stehlen.

Mr Pope unterhielt außerdem ein gut laufendes Geschäft als »Vogelfälscher«, indem er gewöhnliche Vögel bunt bemalte und als exotische Singvögel verkaufte. So mancher blasse Fink, der in Mr Popes Wohnung verschwand, kam als schillernder Paradiesvogel wieder daraus zum Vorschein. (»Ein ganz besonders seltenes Exemplar, Madam. Hat mein Seemanns-Cousin von weit her mitgebracht.«)

Nach der Tragödie mit der Teekanne war Lily furchtbar niedergeschlagen in ihr Zimmer zurückgekehrt. Sie hatte sich mit ihren Schätzen beschäftigt – einer glänzenden Muschel, einer ausländischen Geldmünze und noch ein paar nahezu wertlosen Besitztümern, die sie in einer alten Zigarrenschachtel aufbewahrte –, doch nicht einmal die konnten sie trösten. Nun war fast noch ein ganzer Tag vergangen, und noch immer keine Grace. Was sollte sie bloß tun? Mrs Macready davon erzählen? Ihre alte Furcht kehrte zurück: Wenn nun Grace gar nicht wiederkam? Dann müsste sie zur Gemeinde gehen und es melden. Sie müsste sich beim Büttel melden, diesem riesengroßen, furchterregenden Mann, und ihm sagen, dass sie die Miete nicht mehr bezahlen konnte, und dann würde er sie ins Arbeitshaus stecken – und da würde sie nie wieder herauskommen, wäre eingesperrt, ihr Lebtag lang. Der Kopf würde ihr geschoren, es gäbe Tag für Tag nur Steckrüben zu essen, und sie müsste einen Kittel aus grobem Sackleinen tragen, der so auf der Haut kratzte, dass man es nicht aushielt. Wenn Papa zurückkäme, würde er sie dort niemals finden. *Jemand* würde sie aber bestimmt dort finden, schoss es ihr durch den Kopf, und zitternd dachte sie an den Mann, der mitten in der Nacht gekommen war und sich zu ihr ins Bett gelegt hatte. Warum hatte sie nicht geschrien? Warum hatte sie Grace nichts davon erzählt? Als sie jetzt daran dachte, steigerte sie sich in eine maßlose Furcht hinein und fing an, unkontrolliert zu weinen und zu schluchzen.

Grace, die soeben unten bei der Haustür hereinkam, hörte das Schluchzen und rannte so schnell die Treppe hinauf, wie ihre Röcke und ihr geschwächter Zustand es zuließen.

»Lily! Was ist denn geschehen?«, rief sie beunruhigt und schloss ihre Schwester in die Arme. »Warum weinst du denn? Ich bin ja jetzt da ... ich bin ja da. Schsch ... Jetzt erzähl mir erst mal, was passiert ist.«

Lily schniefte und schluchzte noch ein paar Mal und ergab sich ganz in die tröstende Umarmung ihrer Schwester. Der einarmige Mann versank wieder in der Vergangenheit, und sie wollte auch nicht von ihm erzählen, denn es gab ja andere, gegenwärtigere Dinge zu beweinen. Und manchmal passierte es Lily, so wie jetzt, dass die Grenze zwischen Wahrheit und erdachten Geschichten in ihrer Vorstellung irgendwie verschwamm.

»Ich hab geweint, weil ... weil ein fürchterlicher Mann hereinkam und Mamas Teekanne gestohlen hat!«, sagte sie und fing erneut hemmungslos zu weinen an.

»Die Teekanne!« Grace stiegen sogleich die Tränen in die Augen, denn ihnen waren nur noch so wenige Andenken an Mama geblieben. »Schsch …«, sagte sie erneut. »Es macht nichts. Solange dir nichts passiert ist. Solange dieser Mann dir nichts getan hat.«

Lily beruhigte sich ein wenig. Es war so, wie sie gedacht hatte: Die Teekanne war zwar fort, aber das war nicht so schlimm im Vergleich zu anderen, wichtigeren Dingen. Plötzlich fiel ihr eines von diesen wichtigeren Dingen wieder ein. »Wo ist das Baby?«, fragte sie und blickte suchend über Graces Schulter hinweg in den Raum. »Hast du es nicht mit nach Hause gebracht?«

Grace seufzte tief. »Es gibt kein Baby.«

»Dann war doch keins in deinem Bauch?«, fragte sie und errötete, kaum dass sie es gesagt hatte, weil Mama sie doch immer ermahnt hatte, dass man über Körperteile nicht sprach.

»Doch, es war schon da, aber es war nicht kräftig genug, um gesund auf die Welt zu kommen«, sagte Grace vorsichtig. »Es ist gestorben, und jetzt ist es im Himmel.«

»Oh.« Das war aber traurig, dachte Lily, denn das Baby wäre doch etwas Schönes zum Spielen gewesen.

»Ich habe es an einen Ort gebracht, wo es beerdigt wurde, einen wunderschönen Friedhof auf dem Land. Deshalb war ich auch so lange weg.«

Lily dachte darüber nach. »Können wir es da besuchen und Blumen hinbringen?«

»Irgendwann einmal, ja«, sagte Grace und musste daran denken, wie einmal eine nette Frau aus dem Waisenhaus sie zu Mamas Grab mitgenommen hatte und wie Lily, als sie sie einen Moment lang aus den Augen gelassen hatten, von den anderen Gräbern Blumen eingesammelt hatte, um sie auf den Gräbern zu verteilen, wo keine lagen. Nun hielt sie Lily ein Stück von sich weg und schaute sie prüfend an. »Aber wie ist es dir denn ergangen? Bist du zurechtgekommen? Hast du gestern Brunnenkresse gekauft? Und wann kam denn dieser Dieb und hat die Teekanne gestohlen? Hast du ihn gesehen? Hat er sonst noch was mitgenommen?«

Lily runzelte die Stirn, während sie darüber nachdachte. Geschichten zu erfinden war so schwierig, und meistens kam sie dabei durcheinander. Immer gab es irgendeine Kleinigkeit darin, die seltsam klang und die Grace sofort aufhorchen ließ.

»Jemand hat sie mitgenommen«, gab Lily ausweichend zur Antwort. »Ich weiß nicht, wer. Jemand ist hereingekommen und hat sie ganz kaputt gemacht.«

Grace musterte ihre Schwester und wusste sogleich, dass sie log, denn sie fing an, mit angespanntem Gesichtsausdruck an ihren Fingernägeln herumzukauen. Doch Grace wollte die Angelegenheit jetzt nicht weiterverfolgen, sie war einfach zu erschöpft. Die Wahrheit würde schon noch ans Licht kommen. Das war immer so bei Lily.

Am frühen Abend ging Grace mit der Teetasse zu einem Pfandleiher – nicht zu Morrell, sondern einem jüngeren und ehrlicheren »Onkel«, der ihr einen silbernen Sixpence dafür gab. Grace wusste, dass sie sich damit für ein oder zwei Tage über Wasser halten konnten, musste allerdings immer öfter daran denken, was aus ihnen werden sollte, wenn sämtliche Überbleibsel aus ihrem früheren Leben versetzt worden waren und auch das letzte Stück Nippes, die letzte Decke und die letzten übrigen Kleidungsstücke fort waren. Was sollten sie essen, wie sich warm halten und Kerzen kaufen, um im Dunkeln Licht zu machen? Was sollte bloß aus ihnen werden? Ein Schaudern erfasste sie – nur nicht das Arbeitshaus! Nein, nie, nie, niemals.

Sie hielt das Sixpence-Stück auf dem Heimweg so fest in der Hand, als wäre es ein Talisman. Bestimmt würde ihnen irgendetwas Gutes widerfahren, bevor es so weit kam. Vielleicht käme ja ihr Vater zurück und würde sie finden, oder die Nachfrage nach Brunnenkresse würde ansteigen und sie könnten plötzlich zehnmal so viele Sträußchen wie jetzt verkaufen, oder vielleicht würde sie ja einen Geldschein finden, den ein Windstoß die Straße entlangfegte, denn wenn man den Zeitungsannoncen glaubte, dann verlor anscheinend ständig jemand einen. Oder – sie musste schmunzeln bei dem Gedanken – vielleicht käme ja eine gute Fee daher und würde sie und Lily in eine dieser feinen jungen Damen verwandeln, die man in bunten kleinen Kutschen mit offenem Verdeck herumfahren sah – diese Wendung der Dinge wäre nämlich auch nicht unwahrscheinlicher als alle anderen.

Als sie auf dem Weg hinauf zu ihrem Zimmer an der Küche vorbeikam, rief ihr Mrs Macready einen Gruß zu. Grace hatte ihr von der bevorstehenden Geburt nichts erzählt, zum einen aus Angst, die Vermieterin würde ihr womöglich untersagen, das Baby mitzubringen, zum anderen weil sie sich dachte, das Kind werde vielleicht einfach wieder weggehen, wenn sie so tat, als sei es gar nicht da. In der Hoffnung, Mrs Macready möge ihr wachsender Bauch unter den voluminösen Unterröcken entgangen sein, rief sie ihr ein »Guten Tag« zu und fügte hinzu, dass sie sich beeilen müsse, weil Lily oben warte.

»Oh, bitte, komm doch einen Augenblick herein zu mir, Kind!«, rief Mrs Macready trotzdem.

Grace bauschte ihre Röcke auf, damit ihre Figur darunter nicht zu erkennen war, und ging in die Küche, wo Mrs Macready mit einem der Lebensmittelhändler vom obersten Stock beisammensaß und sich ein Glas Bier schmecken ließ.

»Ich habe dich ein paar Tage lang nicht gesehen, Kind. Ist alles in Ordnung?«

»Mir geht es gut, danke«, gab Grace zurück. Wenn man sich jemandem anvertrauen wollte, wäre Mrs

Macready bestimmt die Richtige, ging es ihr durch den Kopf, aber welchen Sinn hätte das jetzt noch?

»Bist du ganz sicher?«, fragte Mrs Macready und blickte sie bedeutungsvoll an.

»Ganz sicher, danke«, erwiderte Grace lächelnd und ohne sich etwas anmerken zu lassen, obwohl sie sich darüber keineswegs ganz sicher war, nein, im Gegenteil, sie war sogar ziemlich froh, dass der Gemüsehändler mit in der Küche saß, sonst hätte sie sich womöglich vor Mrs Macreadys Stuhl auf den Boden geworfen, ihr alles erzählt und sich die Seele aus dem Leib geweint.

»Und wie läuft das Kressegeschäft?«, fragte der Gemüsehändler.

»Gut bis mäßig«, gab Grace zurück.

»Hm, liegt an der Jahreszeit«, brummte er. »Da läuft's nirgendwo prächtig.«

»Das stimmt«, pflichtete Grace bei. »Aber jetzt muss ich mich entschuldigen, Lily wartet schon.«

»Ah«, rief Mrs Macready. »Du bist ein Engel, so wie du dich um deine Schwester kümmerst. Fürwahr, das bist du.«

Noch vor Sonnenaufgang am nächsten Morgen, zu einer Zeit, als die einzigen Leute auf der Straße die Milchmädchen und Viehtreiber waren, brachen Grace und Lily zum Farringdon Markt auf, um Brunnenkresse zu kaufen. Das Kressegeschäft teilten sich vor allem die ganz Alten und die ganz Jungen, weil der

Ankauf nicht mehr als ein paar Pennys erforderte und die Ware leicht zu tragen war. Diese Leute waren die Ärmsten überhaupt, und Grace und Lily zählten zu den wenigen unter ihnen, die Schuhe trugen. Verkauft wurde die Kresse entlang des Zauns am Eingang zum Markt, wo die hell brennenden Gaslaternen es den Käufern ermöglichten, die angebotene Ware genau in Augenschein zu nehmen. Auch ein Kaffeehändler hatte seinen Stand am Eingang aufgebaut und ein Feuer in einem Kohlenbecken angeschürt, um das sich nun die ersten Kunden drängten, um sich ein wenig aufzuwärmen.

Um fünf Uhr öffneten die vom Land hereinkommenden Großhändler ihre Warenkörbe. Die Käufer – ausgestattet mit Taschen, Schultertüchern, Bauchläden oder ausgefransten Körben, in denen sie das Grünzeug sammelten – fingen nun an, vor den Körben auf und ab zu gehen, die Ware zu begutachten, Preise zu erfragen und die Qualität zu prüfen, indem sie die Ware ins Licht hielten, um die Farbe der Blätter besser zu sehen, oder daran rochen, um ihre Frische zu beurteilen. Nachdem Grace und Lily ihren Einkauf getätigt hatten – sechs große Büschel zu je einem Penny –, gingen sie damit zu einer Wasserpumpe, benetzten die Kresse mit Wasser und zupften die welken Blätter ab. Dann setzten sie sich auf das Pflaster und machten sich daran, jedes große Büschel in drei oder vier kleinere zu zerteilen und mit Binsen zusammenzubinden. Lily fror an den Fingern und besaß weder die Geduld noch das Geschick, die fisseligen kleinen Sträußchen zu binden, doch Grace war inzwischen so geschickt und schnell darin, dass sie vier davon schaffte, während Lily noch mit ihrem ersten kämpfte.

Als sie ihre Kressesträußchen fertig hatten, ging es ans Verkaufen. Lily trug etwa die Hälfte davon in einem extra mitgebrachten Umhängetuch, Grace bot die andere Hälfte auf einem alten Teetablett feil, das sie im Armwinkel trug. Grace pries ihre Ware mit den Worten »Feine, frische Brunnenkresse!« an, Lily rief »Kresse, frische grüne Kresse!«.

Wie unbehaglich sie sich gefühlt hatten, als sie das erste Mal ihre Waren angepriesen hatten: Ganz schüchtern, fast flüsternd, hatte es geklungen – als wollten sie sich dafür entschuldigen, dass sie überhaupt etwas sagten. Über die Monate waren sie jedoch kühner geworden, weil sie sonst schlicht verhungert wären.

Auf den Straßen ging es geschäftig zu an diesem klaren und frischen Morgen, und die beiden Mädchen konnten mehrere ihrer Kressesträußchen an Männer auf dem Weg zur Arbeit verkaufen und etwas später dann an Hausfrauen, die nach einer herb-würzigen Beilage zu ihrem Abendessen aus Brot und Käse suchten. Es wurde ein guter Tag für die beiden Mädchen: Um elf Uhr hatte Grace bereits ihre gesamte Ware verkauft, wobei ihr hübsches Gesicht und der Ernst, der in ihrer ganzen Erscheinung lag, bei Männern und Frauen gleichermaßen Sympathie erweckten und ihr des Öfteren mehr als den verlangten Halfpenny für einen Bund Kresse einbrachte. Als Graces Tablett leer war, gingen die beiden Schwestern gemeinsam weiter, priesen im Chor ihre Ware an und hatten gegen Mittag das am Morgen eingesetzte Geld mehr als verdreifacht. Grace liebäugelte mit dem Gedanken, die Teetasse von Mama wieder auszulösen, doch sie wusste, dass sie dafür einen Zuschlag würde zahlen müssen, und wenn sie dann noch die Miete für die Woche abzog, so bliebe ihnen nicht mehr genug für die neue Ware und etwas zu essen am folgenden Tag. Die Tasse musste also wohl oder übel beim Onkel bleiben.

Wie normal sich alles anfühlte, überlegte Grace, als sie nach Hause gingen. Als ob es gar kein Baby gegeben hätte und die qualvolle Nacht im Berkeley House nur ein Albtraum gewesen wäre. Abgesehen von dem vielsagenden Blick von Mrs Macready hatte keiner ihrer Nachbarn mit irgendeinem Wort auf die Schwangerschaft angespielt. Grace vermutete, dass sie es entweder tatsächlich nicht bemerkt hatten oder aber nichts damit zu tun haben wollten. Hätte Grace tatsächlich jemandem von ihren Qualen erzählen wollen, von der Fahrt nach Brookwood hinaus, von ihren Gesprächen mit Mr James Solent und Mrs Emmeline Unwin, so hätte sich dafür gar keine Gelegenheit geboten. Und Lily war leider keine geeignete Gesprächspartnerin für derlei Dinge.

Lily ging derweil, ein bekanntes Liedchen vor sich hin summend, fröhlich neben ihrer Schwester her und freute sich darüber, dass sie all ihre Kressesträußchen verkauft hatten und dass Grace wieder gesund nach Hause gekommen war – und, nun, vielleicht war es sowieso besser, dass es jetzt doch kein Baby gab, weil man Babys ja füttern musste, und dabei hatten sie doch manchmal gar kein Geld für etwas zu essen. Sie liebte Babys über alles, aber vermutlich musste man sich ständig um sie kümmern und ... Plötzlich brachen Lilys Gedanken abrupt ab. Sie kamen gerade an Morrells Pfandleihe vorbei, und da, auf einem eigenen Glasbord mitten im Schaufenster, prangte Mamas Teekanne.

Lily hielt erschrocken die Luft an, blieb stehen und zeigte darauf: Die Teekanne, die sie so liebte, war wie durch ein Wunder wieder heil geworden!

»Das ist Mamas Teekanne!«, rief Grace aus, die sie im selben Moment wie Lily gesehen hatte. »Oder eine ganz ähnliche.« Sie betrachtete zuerst die Teekanne und dann ihre Schwester. »Ist das tatsächlich unsere? Lily! Hast du sie zum Pfandleiher gebracht?«

Lily brachte kein Wort heraus, so durcheinander war sie. Wie konnte so etwas sein?

»Du hast sie hierhergebracht, stimmt's?« Grace blickte Lily geknickt an. »Wie konntest du nur, Lily? Wie konntest du mir so eine furchtbare Lüge erzählen, dass jemand bei uns eingedrungen sei und sie gestohlen habe?«

Lily fing an zu weinen. »Ich … ich wollte sie doch nur versetzen, weil ich meine Kresse nicht verkaufen konnte und nicht mehr genug Geld für neue da war. Und ich dachte, das … das Baby braucht doch Kleider.«

»Wie viel hat er dir dafür gegeben?«, fragte Grace fassungslos. »Und was hast du mit dem ganzen Geld gemacht?«

»Gar nichts hat er mir gegeben! Die Teekanne ist zerbrochen. Sie ist heruntergefallen, als ich sie dem Mann gereicht habe.«

»Was?«

»Ich hab sie ihm über den Ladentisch gereicht, und da ist sie dem Mann heruntergefallen. Also …«, fuhr sie betreten fort, »der Mann hat gesagt, ich hätte sie fallen lassen, aber ich glaube nicht, dass ich das habe.«

»Hast du gesehen, dass sie kaputt war?«

Sie nickte. »Sie lag auf dem Boden. In lauter Scherben.«

»Aber jetzt steht sie hier«, sagte Grace und deutete auf die Teekanne.

»Ist das … ist das Zauberei?«, fragte Lily ängstlich.

»Nein, das ist keine Zauberei«, sagte Grace. »Aber ein Trick ist es allemal.« Sie dachte schweigend nach, während sie zum Ende der Gasse weitergingen. »Ich warte jetzt hier, und du läufst so schnell du kannst nach Hause«, sagte sie schließlich zu Lily. »Auf dem Kaminsims in unserem Zimmer liegen zwei kleine weiße Kärtchen. Ich will, dass du mir die bringst.«

Lily, die nur zu begierig war, ihren Fehler wiedergutzumachen, tat wie ihr geheißen und kam Minuten später mit den beiden Kärtchen zurück. Grace befahl ihr, auf sie zu warten, zog ihr Schultertuch fester um sich, straffte den Rücken und ging in Morrells Geschäft.

Morrell war nicht erfreut über die Störung, denn es war Samstag, und er saß über eine Rennsportzeitung gebeugt und suchte sich gerade seine Favoriten fürs Pferderennen heraus.

»Ja, Missy?«, fragte er mit einem Bleistiftstummel zwischen den Zähnen. »Was gibt's?«

»Die Teekanne im Fenster ...«

»Die mit den blauen Vögeln?« Er schaute auf. »Ein ganz besonders hübsches Stück. Echte Qualität. So ein exzellentes Stück ham wir hier nicht oft. Bist ein schlaues Mädel.«

»Sie ähnelt sehr einer Teekanne, die meine Schwester neulich hier vorbeigebracht hat.«

»Ah ja?«, sagte er. Seine Lippen waren ganz violett von dem Blei.

»Ja, allerdings«, erwiderte Grace bestimmt.

»Und du willst mir jetzt vorwerfen, ich hätt ihr keinen fairen Preis gemacht?«

»Sie haben ihr überhaupt keinen Preis gemacht!«, sagte Grace. »Sie haben die Kanne fallen lassen, als sie sie Ihnen reichte.«

»Wenn was zu Bruch geht, ist das nicht Sache der Geschäftsführung«, brummte Morrell automatisch.

»Aber sie ist ja gar nicht zu Bruch gegangen«, sagte Grace. »Sie steht nämlich hier in Ihrem Schaufenster, auf einem eigenen Regal.«

»Das is ’ne andere!«, polterte Morrell.

»Ich habe schon von Leuten wie Ihnen gehört, die vorgeben, etwas sei zerbrochen, obwohl es gar nicht stimmt.«

»Ich sag dir aber, dass die Kanne da im Fenster nicht die ist, die du meinst«, erwiderte Morrell. »Das is ’ne andere. ’ne teure, aus echter Qualität. Genau.«

»Die Kanne in Ihrem Fenster ist die Teekanne meiner Mutter«, sagte Grace unbeirrt. »Und mein Bruder, der Anwaltsgehilfe ist« – dabei wedelte sie mit der Visitenkarte von Mr James Solent –, »lässt Ihnen ausrichten: Wenn Sie uns die Kanne nicht sofort zurückgeben, dann wird es eine gerichtliche Untersuchung in dieser Angelegenheit geben.«

Morrell warf einen Blick auf die Karte, woraufhin ihm die Kinnlade herunter- und der Bleistift aus dem Mundwinkel fiel. »Ach, nu mal halblang«, sagte er. »Gerichtliche Untersuchung. Das wird ja wohl nicht nötig sein.«

»Dann verlange ich, dass Sie mir die Kanne auf der Stelle zurückgeben!«, sagte Grace.

Zehn Minuten später waren Grace und Lily wieder zu Hause, und Grace stellte die Teekanne vorsichtig in die Kiste zurück. Die Hände zitterten ihr noch ein wenig dabei, denn Morrell die Stirn zu bieten, hatte sie ihre ganze Kraft gekostet.

Im Pfandhaus hatte sie die Teekanne in ein paar Bogen Zeitungspapier von der Ladentheke gewickelt. Nun strich sie einen davon glatt. Zum Spaß und um ihrer Schwester zu zeigen, dass zwischen ihnen alles in Ordnung war (denn im Grunde, so fand sie, war ja eine verlorengegangene und wiedergefundene Teekanne eine Nichtigkeit im Vergleich zu anderen Dingen), fing sie an, ein paar der Annoncen vorzulesen.

»*Der Höhepunkt der Saison ist ein Besuch in Madame Tussauds Wachsfigurenkabinett mit einer lebensgroßen Figur des Mörders James Mullin, samt einer Nachbildung des schrecklichen Päckchens aus braunem Papier, dessen Entdeckung zu seiner Gefangennahme führte.*«

»Würdest du dir das gerne ansehen?«, fragte Lily erschrocken.

»Nein, ganz und gar nicht«, versicherte ihr Grace. »Aber das hier würde ich gerne sehen: *Kapitän Greens seidener Ballon, täglich zu sehen im Kristallpalast. Bewundern Sie den Ballon, der schon von allen europäischen Großstädten aus in den Himmel stieg. Kapitän Green ist vor Ort, um sich Ihren Fragen zu stellen und Ihren Beifall entgegenzunehmen.*«

»Ein seidener Ballon?«, fragte Lily. »Wie groß ist der denn?«

»Ich glaube, er ist groß genug, um einen darunterhängenden Korb mit mehreren Leuten darin zu tragen.«

»Und die Leute schweben damit in die Luft hinauf?«

Grace nickte.

»Wie Vögel!«

»Genau, wie Vögel«, sagte Grace. »Oh, und es gibt hier mehrere Anzeigen für Hunde: *Gesellige, edle, niedliche Terrierhündchen. Ein perfekter Begleiter für eine Dame.* Ein nettes Hündchen hätte ich gerne. Du nicht, Lily?«

»Aber Hündchen muss man jeden Tag füttern«, gab Lily zu bedenken.

»Natürlich«, sagte Grace. »Dann also kein Hündchen für uns.« Sie überflog den Rest der Seite. »Eine ganze Reihe von Damen sucht nach einer Stellung als Gouvernante. Oh, und unter ›Personenanzeigen‹ wird eine Miss Caroline Thomas in einer höchst dringenden und delikaten Angelegenheit gesucht. Was das wohl sein mag?«

In Gedanken versunken, fuhr sie mit den Fingern ein kleines, sorgfältig ausgeschnittenes Rechteck am unteren Ende der Seite nach. »Schau nur«, sagte sie, »da hat jemand eine Anzeige ausgeschnitten, vermutlich, um darauf zu antworten. Was da wohl gestanden haben mag?«

Lily schüttelte ungeduldig den Kopf. »Ist doch egal. Lies mir noch was vor, bitte! Erzähl mir eine Geschichte von einem Terrierhündchen, das in einem Ballon in die Luft hinaufschwebt.«

Kennt jemand den gegenwärtigen Aufenthaltsort von Letitia Parkes und ihrer Tochter Lily, etwa 17 Jahre alt, vermutlich wohnhaft in London? Wer über Kenntnisse, diese beiden Damen betreffend, verfügt, möge sich, zu seinem nicht geringen Vorteil, mit der Kanzlei Binge & Gently in The Strand, London, WC, in Verbindung setzen.

Kapitel 6

Die diskrete Anzeige in dem rechteckigen Kästchen stammte von der Titelseite der Zeitung *The Mercury*. Der Mann, der sie jetzt in den Händen hielt, gekleidet in sein übliches Samstagshabit aus grellem Tweed-Jackett und gelber, zu einer Schleife gebundener Krawatte, hatte sie ausgeschnitten, bevor er ein paar Gegenstände in Zeitungspapier wickelte, um sie bei Morrells Pfandleihe zu versetzen. Denn Morrell stellte nie Fragen nach der Herkunft der Gegenstände.

Dieser Mann saß nun, zusammen mit einem weiteren, bei Barker's, einem Herrenclub im Londoner St.-James-Viertel, in den ausladendsten Ledersesseln, die das Raucherzimmer zu bieten hatte. Die beiden hatten für ihre Mitgliedschaft in dem elitären Gentlemen's Club weit über Gebühr zahlen müssen, denn da sich ihr gesellschaftlicher Status auf »Handel« anstatt auf »Herkunft« gründete, hätten sie hier eigentlich überhaupt nichts zu suchen gehabt.

Der Mann mit der gelben Krawatte reichte die Annonce seinem Begleiter hinüber, der sehr viel förmlicher gekleidet war: Er trug einen makellosen dunklen Anzug, dazu handgefertigte Stiefel und Handschuhe aus weichstem Leder. Er paffte an einer Zigarre und versuchte, Rauchkringel in die Luft zu blasen. Dies war aber auch das Einzige an ihm, was eine gewisse Leichtigkeit verströmte – seine groben Gesichtszüge, die Knollennase und sein arroganter Ausdruck sprachen eine andere Sprache. Er richtete das Gesicht zur Decke, und ein Rauchkringel schwebte empor.

»Lies vor.«

»Nun, ich erspare dir die Einzelheiten, aber im Grunde steht hier, dass sie zwei Täubchen suchen und dem Finder eine Belohnung winkt.«

»Zwei Täubchen?«

»Mutter und Tochter«, bestätigte die Gelbe Krawatte, zu einem über dem Kamin hängenden Ölgemälde von Königin Viktoria aufblickend. Er hob sein Glas Portwein und prostete Ihrer Majestät zu.

»Und du denkst, es sollte möglich sein, die beiden ausfindig zu machen?«

»Ich würde meinen, einen Versuch ist es allemal wert«, erwiderte die Gelbe Krawatte und wich einer

Rauchwolke aus. »Mein Spitzel bei Gericht sagt, eine herrenlose Erbschaft wartet darauf, dass jemand seine Ansprüche anmeldet – ein kleines Vermögen offenbar. Um genau zu sein: Er erwähnte den Fall in Verbindung mit just diesen beiden. Die Person, die die beiden ausfindig macht, erhält zehn Prozent von einer enormen Summe.«

Der zweite Mann blies einen weiteren perfekten Rauchkringel in die Luft. »In der Tat, das ist einen Versuch wert. Mutter und Tochter, sagst du?«

»Das Mädchen ist siebzehn, also dürfte die Mutter wahrscheinlich so ... ungefähr in den Dreißigern sein?«

»Ich lasse mal meine Verbindungen spielen.«

»Wir machen halbe-halbe, oder?«, fragte die Gelbe Krawatte.

»Erst mal müssen wir sie finden«, sagte der andere. Der Rauchkringel hing über seinem Kopf und löste sich schließlich auf. »Sonst noch was?«

Der Erste schüttelte den Kopf. »Nur das Übliche: Mehrere Male Eiche gegen lackiertes Spanholz ausgetauscht. Ach, und ein hübsches Paar Eheringe ging mir diese Woche ins Netz. Die Angehörigen wollten, dass sie mit der Leiche begraben werden.«

»Geschieht ihnen recht, den Trotteln! Wette, das hat einen Jubelschrei ausgelöst.«

»Hat es, in der Tat«, sagte die Gelbe Krawatte. »Allerdings erst, nachdem die Kundschaft aus dem Laden war.«

EINKAUFSBUMMEL Damen ohne männliche Begleitung können ihren Einkaufsbummel für einen mittäglichen Imbiss getrost in einem der großen Restaurants unterbrechen – man achte jedoch immer darauf, dabei keinen Ausschank zu durchqueren.

Dickens's Dictionary of London, 1888

Kapitel 7

Die folgenden vier bis fünf Wochen liefen gut für Grace und Lily. Anfang Juli war die Brunnenkresse, die von den Bauernhöfen auf dem Land nach London geliefert wurde, am üppigsten, so dass ein großes Büschel davon schon für einen Halfpenny zu bekommen war, was ihren Gewinn verdoppelte. So konnten sie bereits nach zwei Wochen ihre Miete für einen ganzen Monat zur Seite legen, und bald darauf kaufte Grace die Teetasse von Mama vom Pfandleiher zurück und erwarb zwei Strohkörbe, in denen sie ihre Kresse vorteilhaft anrichten und umhertragen konnten. Außerdem schaffte Grace es, zwei Shillinge für eine Zugfahrt nach Brookwood zur Seite zu legen, um bei Gelegenheit einmal das Grab ihres toten Kindes zu besuchen.

Ende August wendete sich das Blatt jedoch erneut, diesmal zu ihren Ungunsten: Der Bach, den einer der größten Kressebauern in Hampshire zum Bewässern seiner Pflanzen benötigte, trocknete aus, weil die Gemeindeverwaltung ihn zur Frischwasserbeschaffung in ein nahegelegenes Dorf umgeleitet hatte. Dadurch entstand plötzlich ein solcher Mangel an Kresse, dass die Großhändler am Farringdon Markt den Preis für ein Büschel gleich mehrmals verdoppeln konnten. Noch dazu regnete es beinahe drei Wochen lang fast jeden Tag, wodurch weniger Käufer auf den Straßen unterwegs waren – mit dem Ergebnis, dass Grace und Lily gegen Ende September so arm waren wie eh und je. Die Shillinge, die Grace für die Bahnfahrt mit dem Nekropolis-Zug zur Seite gelegt hatte, waren für Essen aufgebraucht worden, und Mamas Teetasse war erneut beim Pfandleiher gelandet, samt der Kanne und den Strohkörben. Und nun hatten sie noch nicht einmal mehr das Geld für die nächste Wochenmiete beisammen.

»Wir haben nur noch sechs Pennys übrig. Davon werden wir morgen drei große Büschel kaufen«, sagte Grace und legte die Münzen auf dem Deckel einer ihrer Kisten aus. »Wenn wir es ganz sorgsam angehen und vier kleine Sträußchen aus jedem großen machen und sie jeweils für einen Penny verkaufen, dann haben wir …« Sie zählte die Summe an ihren Fingern ab. »Zwölf Pennys.« Sie seufzte. »Und davon müssen wir am nächsten Tag sechs für die neue Ware einsetzen und zwei für die Miete und zwei für ein paar Kartoffeln – ach, und einen für die Benutzung von Mrs Macreadys Ofen, um die Kartoffeln zu kochen. Selbst wenn wir die ohne alles essen, reicht das Geld kaum.«

»Wir könnten doch eine Annonce in der Zeitung aufgeben!«, schlug Lily vor. Sie saß auf einer Kiste, Grace kniete neben ihr auf dem Boden. »Wir könnten sagen, dass wir Geld benötigen, weil wir ehrenwerte Damen in misslicher Lage sind …« Ein paar Tage vorher hatte Grace solch eine Anzeige vorgelesen, und obwohl Lily nicht verstanden hatte, was die Worte im Einzelnen genau bedeuteten, war sie davon fasziniert gewesen.«

»Und was glaubst du wohl, was so eine Anzeige in der *Times* kosten würde?«

Lily schüttelte unsicher den Kopf.

»Gewiss zehn Shillinge.«

»Zehn Shillinge! Dann können die ehrenwerten Damen aber nicht in einer *sehr* misslichen Lage gewesen sein«, sagte Lily. Sie zog die Stirn in tiefe Falten und dachte nach. »Vielleicht könnte eine von uns was anderes versuchen, um Geld zu verdienen; irgendeine andere Arbeit …«

»Vielleicht«, stimmte Grace zu. Jetzt, wo sie nur noch so wenig Kresse verkauften, war es ja wirklich nicht nötig, dass sie beide damit durch die Straßen zogen.

»Ich könnte die Straße fegen!«, fuhr Lily fort. »Ich

könnte einen Besen kaufen, nach feinen Damen Ausschau halten und ihnen einen Weg bahnen. Das machen die Wilson-Kinder auch. Oder ich könnte den Gentlemen ihr Pferd halten.«

»Die guten Straßenkreuzungen sind alle in fester Hand«, gab Grace zu bedenken. »Und nur Burschen haben die Kraft, ein Pferd zu halten.«

»Also, dann könnte ich doch vor einem Geschäft warten und anbieten, den Damen ihre Päckchen zu tragen. Oder ich könnte Sachen auf der Straße auflesen. Patrick Cartwright hat erzählt, er hätte mal zwei seidene Taschentücher gefunden.«

»Was er damit wirklich meint, ist, dass er sie in fremden Taschen gefunden hat«, sagte Grace.

»Oder ich könnte am Fluss unten im Schlamm nach Sachen suchen.«

»Nein!«, rief Grace. »Auf gar keinen Fall. Weder du noch ich werden das je tun. Nicht das. Eher gehe ich …«

Lily schaute sie an und brach in Tränen aus. »Ich geh nicht zurück in das Heim, wo wir zuletzt waren!«

Grace rückte näher zu ihrer Schwester und legte ihr einen Arm um die Schultern. »Nein, Lily, niemals. Dahin werden wir nicht zurückgehen.«

»Du hast es versprochen. Du hast versprochen, dass wir da nie wieder hingehen. Du hast gesagt, egal was passiert, aber wir gehen nie wieder da hin!« Wenn Lily einmal angefangen hatte zu weinen, dann hörte sie so schnell nicht wieder auf. »Du hast gesagt, selbst wenn wir keine Schuhe mehr haben und verhungern, gehen wir da nicht wieder hin. Du hast es gesagt!«

»Und genau so habe ich es auch gemeint«, beruhigte Grace ihre Schwester und streichelte ihr das Haar. »Ich habe es dir schon mal versprochen und verspreche es noch einmal: Wir werden weder in ein Arbeitshaus noch in das Ausbildungsheim zurückgehen. Niemals.« Sie blickte ihre Schwester forschend an. »Aber was war denn gar so schlimm für dich an dem Heim?«

»Womöglich kommt dann der Mann wieder zu mir!«

Grace wurde leichenblass. »Was meinst du damit?«

»Der böse Mann. Oh!« Sie schaute Grace mit einem Ausdruck puren Entsetzens an. »Ich habe versprechen müssen, dass ich es nicht erzähle. Er hat gesagt, er würde mich sonst umbringen.«

Grace schwieg eine Weile, um ihrer Gefühle wieder Herr zu werden, dann sagte sie: »Wir sind ja jetzt weit weg von dort und werden da auch nie wieder hingehen. Also kann er ja gar nicht wissen, dass du es mir erzählst.«

Ein Schaudern schüttelte Lily. Sie schluchzte erneut.

»Erzähl mir, woran du dich erinnerst«, forderte Grace sie sanft auf.

»Er ist in der Nacht gekommen. Du warst nicht da ... eines von den kleineren Kindern hatte nach dir gerufen, und du warst gerade in einem anderen Zimmer, und da dachte ich erst, als er in mein Bett geklettert ist, dass du es wärst.«

»Und dann …«

»Dann hat er was gemacht …« Lily wandte beschämt den Blick ab. »Er hat was Unschickliches mit mir gemacht.«

»Und hat er irgendwas zu dir gesagt?«

»Fast gar nichts und bloß ganz leise, so was geknurrt hat er. Dass ich jetzt bald eine Frau würde, und da sollte ich ruhig gleich herausfinden, was mich erwartet.«

Grace nickte traurig. Bei ihr war es genauso gewesen. »Hast du sein Gesicht gesehen?«

Lily schüttelte den Kopf. »Du hattest doch die Kerze mitgenommen, und es gab kein Mondlicht in der Nacht. Außerdem hab ich solche Angst gehabt, dass ich die ganze Zeit die Augen fest zugemacht habe – bis er wieder aus dem Bett stieg. Dann hab ich geschaut und ihn von hinten gesehen, und als er die Decke weggeschoben hat, da …« Sie schauderte erneut. »… da habe ich gesehen, dass er nur eine Hand hatte. Wo die andere hätte sein sollen, war bloß ein Stumpf.«

Grace nickte und schluckte den bitteren Geschmack hinunter, der ihr die Kehle hochgestiegen war.

»Er hat mir gesagt, dass er alle Mädchen einmal besucht. Er hat gesagt, er sei ein sehr bedeutender

Mann, und dies sei sein besonderes, geheimes Geschenk an die Mädchen.« Auf einmal ging ihr auf, was sie da gerade gesagt hatte. Sie holte erschrocken Atem und fragte: »Ist er zu dir auch gekommen, Grace?«

Grace schaffte es, ihre Fassung zu bewahren und ruhig zu antworten: »Ja.«

»Hat er zu dir dasselbe gesagt?«

Grace nickte.

»Und … und dasselbe gemacht?«

»Ja, genau dasselbe. Aber deswegen …« Sie zögerte einen Moment, kam dann aber zu dem Schluss, dass Lily diese Dinge ruhig wissen sollte.

»Ja?« Lily schaute gebannt, da sie ahnte, dass nun etwas noch Schlimmeres kommen musste.

»Das war das Baby, Lily. Wenn ein Mann und eine Frau so etwas tun, dann kann es dazu führen, dass die Frau ein Baby bekommt. Und mir ist das passiert.«

»Und wird mir das jetzt auch passieren?«

Grace lächelte schwach. »Nein, Schwesterherz. Wenn es dazu gekommen wäre, dann schon viel früher. Jetzt kann nichts mehr passieren, dir nicht und mir nicht.«

»Und wenn er uns nun findet?«

»Er weiß ja gar nicht, wo wir sind – oder wer wir sind, weil es doch mitten in der Nacht war, als er zu uns kam. Ich glaube nicht, dass er auch nur ein bisschen mehr von uns gesehen hat als wir von ihm.«

»Und außerdem hat er ja noch die anderen Mädchen in dem Heim, wenn … wenn er wieder …«

Grace seufzte. »Ja. Ich fürchte. Aber wenn wir je einem Mann mit nur einer Hand begegnen, dann werden wir ihn daran erkennen.«

»Und dann?«, fragte Lily. »Was dann?«

Dann würde sie ihn umbringen, dachte Grace ungerührt.

Die Mädchen kamen zu dem Schluss, dass der wohl beste Weg, ein wenig Geld hinzuzuverdienen, wäre, wenn Lily vor einem der Geschäfte wartete und anbot, den feinen Damen ihre Einkaufspäckchen zu tragen. So ging Lily früh am nächsten Morgen, nachdem sie Grace zum Markt begleitet hatte, zur Burlington Arcade in Piccadilly, wo es die schicksten und opulentesten Kaufhäuser gab und folglich auch die wohlhabendsten Käuferinnen. Allerdings war diese Tatsache so wohlbekannt, dass bereits um sieben Uhr morgens eine ganze Schar zerlumpter Kinder vor der Passage darauf wartete, dass die Tore geöffnet wurden und sie ihren Stammplatz vor einem der Geschäfte einnehmen konnten. Es waren hauptsächlich Mädchen, und alle offenbar bettelarm, denn nur ein einziges von ihnen trug Schuhe, doch alle hatten sich bemüht, sich irgendwie zurechtzumachen. Die wenigen Jungen trugen zerbeulte Zylinder und die Mädchen irgendeine Kopfbedeckung, und sei es auch nur ein ausgefranster, in Auflösung begriffener Strohhut oder ein zerlumpter Schal, den sie sich um den Kopf geschlungen hatten.

Lily trat zu dem schmiedeeisernen Tor der Passage und spähte hindurch. Dahinter konnte sie bauchige glänzende Glasscheiben sehen, hinter denen die herrlichsten Dinge auslagen: Börsen und Handtaschen aus weichem Leder, Pelzkragen, edles Porzellan, Schmuck, Parfums, Seifen und Cremes. Mama hatte auch einen echten Pelzmantel besessen, erinnerte sich Lily, und reizende Kleider, doch diese Dinge waren seit Jahren schon fort.

Um halb acht wurden die Tore von zwei livrierten Männern geöffnet, die versuchten, die Schar der hoffnungsvollen Päckchenträger zu verscheuchen, indem sie verkündeten, dass bereits ein paar bullige Polizisten unterwegs seien, um den ganzen Haufen wegen Bettelns zu verhaften. Die Ängstlicheren unter ihnen, darunter auch Lily, ließen sich davon einschüchtern und hielten sich ein wenig im Hintergrund, doch es kamen gar keine Polizisten, und so folgte Lily nach einer Weile den anderen in die von Arkaden überwölbte Passage. Dort entdeckte sie, dass es zwei Ausgänge gab und am anderen Ausgang ebenfalls eine Schar von Kindern gewartet hatte. So standen nun vor den meisten Ladentüren bereits zwei Kinder bereit, vor den großen Kaufhäusern sogar drei.

Lily schlenderte die Passage entlang und tat so, als sehe sie sich bloß die Schaufenster an, während sie in Wirklichkeit nach einem Geschäft Ausschau hielt, vor dem vielleicht nur ein Kind wartete. Sie fand auch eines, ein Herrengeschäft für Rasierbedarf, doch davor stand ein stämmiger Bursche von ungefähr siebzehn Jahren, der feindselig um sich blickte und die großen Hände bereits zu Fäusten geballt hatte. Lily wagte nicht, ihn anzusprechen, und so ging sie zum Ende der Passage weiter und dann wieder zurück. Sobald sie allerdings ihren Schritt auch nur ein wenig verlangsamte, wurde sie sofort von den anderen Kindern, die ihren Platz vor den Ladentüren eingenommen hatten, angefaucht oder in unmissverständlichen Worten aufgefordert, sich sonst wohin zu scheren.

Vielleicht würde es ja besser, wenn die Käuferinnen erschienen, hoffte sie, doch sie glaubte sich zu erinnern, dass so feine Damen eigentlich nie vor elf Uhr aufstanden, den Vormittag mit dem Anlegen ihrer Kleider verbrachten und sich erst einmal die Haare machen ließen, bevor sie sich am Nachmittag für einen kleinen Einkaufsbummel und ihre Besuche und Erledigungen außer Haus wagten. Und normalerweise hatten sie doch ihre Dienstmädchen dabei, und würden dann nicht *die* die Einkäufe tragen? Lily wagte schließlich, ein kleines Mädchen von etwa acht Jahren anzusprechen und zu fragen, ob sie neben ihr warten und auch ihr Glück versuchen dürfe, doch das Mädchen fuhr sie an wie eine wildgewordene Katze: Das sei *ihr* Platz, sagte sie, den sie sich hart erkämpft habe, und sie würde jeden umbringen, der ihn ihr streitig machen wolle, und so zog sich Lily zurück.

Sie verließ Piccadilly und ging in Richtung der

Straße *Strand* weiter, um vor dem, wie es sich nannte, größten Stoffhaus Londons ihr Glück zu versuchen, doch hier herrschte ein ganz ähnliches System, das eine Bande von Burschen kontrollierte. Sie gaben Lily zu verstehen, dass sie hier niemals ein Päckchen zu tragen bekäme, solange einer von ihnen noch auf zwei Beinen stand. Und so erging es Lily bei jedem Geschäft oder Kaufhaus, dem sie sich näherte, so dass sie am Abend genau so nach Seven Dials zurückkehrte, wie sie am Morgen von dort aufgebrochen war: mit leeren Händen.

»Wie ist es dir ergangen?«, fragte Grace gespannt. Auch sie hatte einen schlechten Tag gehabt. Brunnenkresse war zwar seit jeher eine beliebte Beilage zu einem Abendessen aus Brot und Käse, doch unter den momentanen Umständen war sie den meisten Londonern schlichtweg zu teuer, und so verzichteten sie eben darauf.

Lily schüttelte traurig den Kopf. »Aber morgen könnte ich doch Zigarrenstummel auf der Straße aufsammeln. Ich habe gehört, wie jemand sagte, das sei eine gute und gewinnträchtige Arbeit.«

»Nein!«, rief Grace. »Auf keinen Fall tust du das. Brunnenkresse zu verkaufen ist eine Sache – und selbst Päckchen für feine Damen zu tragen hat nichts Beschämendes –, aber wir werden nicht wie Landstreicher in der Gosse oder im Morast des Flussufers wühlen. Mama würde das ganz und gar nicht gefallen.«

»Aber Mama ist doch gar nicht da!«, rief Lily und brach, müde und hungrig, wie sie war, in Tränen aus, und Grace wusste selbst nicht, was sie ihr zum Trost hätte entgegnen sollen.

> Gesucht werden mehrere Begünstigte von Vermächtnissen, insbesondere Mrs Letitia Parkes und ihre Tochter Lily. Die beiden Damen oder jedwede Personen, die über Kenntnisse hinsichtlich des Verbleibens derselben verfügen, mögen sich bitte zu ihrem eigenen, beträchtlichen Vorteil mit der Kanzlei Binge & Gently in The Strand, London, WC, in Verbindung setzen.

The Mercury

Kapitel 8

Im Baker's Club in St. James saßen dieselben zwei Männer beisammen und lasen in den Londoner Tageszeitungen. Von Zeit zu Zeit legten sie ihre Zeitung zur Seite, um über die Geschäfte der vergangenen Woche zu sprechen. Einer der beiden trug wieder sein übliches Tweed-Jackett und die gelbe Krawatte, der andere – der mit dem arroganten Gesichtsausdruck – seinen förmlichen Anzug. Der Letztere hatte soeben seine Zigarre ausgedrückt.

»Leider nur eine spärliche Ausbeute an Toten diese Woche«, sagte die Gelbe Krawatte, bei dem es sich um keinen anderen als Mr George Unwin, den bekannten Bestattungsunternehmer, handelte. Er stieß einen sarkastischen Lacher aus, blickte sich dann aber hastig um, aus Angst, jemand könnte ihn gehört haben. »Ich weiß ja, wie das für einen Außenstehenden klingen muss«, schob er nach und hob dazu in gespieltem Protest die Hand. »Aber Geschäft ist nun mal Geschäft!«

»Ganz recht. Und ohne Beerdigungen keine Trauerkleider. Eine gänzlich ungute Situation«, fügte sein Gesprächspartner und Cousin, Mr Sylvester Unwin, hinzu.

»Nun, zu unserem Glück erwischt es jeden früher oder später.«

»Und zu unserem noch größeren Glück gibt es ja bis dahin noch die eine oder andere sekundäre Quelle von Einkünften, nicht wahr?«

»Wo wir gerade beim Thema sind: Wie ich sehe, sind die beiden Täubchen noch nicht ausfindig gemacht worden.« George Unwin tippte mit dem Finger auf die Zeitungsannonce.

»Ich habe meine Angestellten schon darauf angesetzt.«

»Und meine üblichen Schnüffler sind instruiert.« George faltete die Zeitung so zusammen, dass die Suchanzeige obenauf lag. »Ich habe so ein Gefühl in Bezug auf die hier, weißt du.«

»Was denn für ein Gefühl?«

»So ein Gefühl, dass wir Mrs …« – er warf einen erneuten Blick auf die Annonce – »… Mrs Parkes und die liebe kleine Lily bald finden werden.«

»Hätte nichts dagegen, wenn du Recht behieltest, George. Ganz und gar nichts dagegen«, erwiderte Sylvester Unwin.

»Nein, allerdings«, sagte George selbstzufrieden.

Hund vermisst: kleiner Beagle, hört auf den Namen Scout, letzte Woche in Seven Dials entlaufen oder gestohlen. Es wird gebeten, mit lebendigem Hund vorzusprechen bei 7 Beauchamp Palace, London, SW. Stattliche Belohnung!

The Mercury

Kapitel 9

Als Grace auf das Klopfen hin die Tür ihres Zimmers öffnete, stand dort die alte Mrs Beale, zupfte nervös an ihrem Taschentüchlein herum und machte den Eindruck, als ob der nächstbeste Windstoß sie hinwegfegen werde.

»Ich komme, um mich zu verabschieden, meine Liebe«, sagte sie. »Mr Beale und ich werden von hier wegziehen.«

Grace bat sie in ihr kärgliches Zimmer, denn egal, wie tief man auf der sozialen Leiter sank, höfliche Umgangsformen waren immer von Bedeutung. »Es tut mir leid, das zu hören«, sagte sie. »Wo ziehen Sie denn hin?«

»Wir ... hm ... wir ... nun, wir werden in ein Arbeitshaus umziehen.« Das Wort kam der alten Dame so schwer über die Lippen, dass sie sich fast daran verschluckte.

Grace bemühte sich, ihr Entsetzen nicht zu zeigen, und nahm Mrs Beales Hand in die ihre. »Ach, wer wollte es Ihnen verdenken, wenn Sie anderswo Schutz suchen«, sagte sie. »Es scheint ein harter Winter bevorzustehen.«

Mrs Beales Taschentuch wurde noch mehr verknittert. »Wir haben ja versucht, alleine durchzukommen, aber letzte Woche wurde Mr Beale niedergeschlagen und seine ganzen Schnürsenkel gestohlen, und gestern stürzte er mitten auf der Straße und wäre um ein Haar von einem Omnibus überfahren worden. Nun sind wir bereits drei Wochen mit unserer Miete im Rückstand, und auch wenn Mrs Macready eine herzensgute Frau ist, können wir es nicht ertragen, bei irgendjemandem in der Schuld zu stehen.«

Grace drückte der alten Dame mitfühlend die Hand.

»Ist es denn wirklich so schlimm in diesen Häusern?«, fragte Mrs Beale. »Man hört ja solche Geschichten. Du warst doch in einem Heim, nicht wahr?«

Grace nickte. »Ich denke, sie sind wohl alle ganz unterschiedlich«, antwortete sie diplomatisch. »Im ersten Heim, wo wir waren, einem Waisenhaus, war man sehr freundlich zu uns. Wir konnten unser Hab und Gut behalten, und es gab immer genügend zu essen.«

»Ja, aber – verzeih, wenn ich so direkt frage – weshalb seid ihr dann dort weggegangen?«

»Wir wurden von dort in eine Ausbildungsanstalt für junge Mädchen geschickt, und erst dort war es so …« Grace schluckte, gegen den bitteren Geschmack in ihrer Kehle ankämpfend. »Dort hat es uns nicht gefallen.«

»Darf ich vielleicht fragen, warum?«, entgegnete Mrs Beale.

Grace schauderte und schien erneut das Gewicht des Mannes zu spüren, der sich auf sie kniete und sie niederdrückte. Sie holte tief Luft. »Es … es gab dort einen Mann, der sich mir gegenüber nicht anständig benahm«, sagte sie schließlich, und ihre Stimme war dabei kaum mehr als ein Flüstern.

»Oh!« Mrs Beales pergamentartige Wangen wurden tiefrot, und sie wechselte hastig das Thema. »Verzeih, liebes Kind, aber wann war es gleich noch mal, dass deine arme Mutter starb?«

»Vor beinahe zehn Jahren«, antwortete Grace.

»Und es gab keine anderen Verwandten, die euch hätten aufnehmen können? Was war denn mit eurem Vater?«

Grace schüttelte den Kopf. »Ich weiß nicht viel über meinen Vater oder seine Familie«, sagte sie. »Als er und Mama heirateten, waren beide Familien gegen die Verbindung, und zwei Jahre danach, als Lily gerade ein Jahr alt war und Mama noch gar nicht wusste, dass sie mit mir schwanger war, brach Vater nach Australien auf, um dort sein Vermögen zu machen.«

»Eure arme Mutter! Ohne einen Beschützer dazustehen.«

Grace nickte. »Sie zog uns mit einer kleinen Erbschaft von ihren Großeltern auf und brachte mir schon früh Lesen und Schreiben bei, in der Hoffnung, dass ich eines Tages eine gute Partie machen und Lily bei mir behalten würde.« Ein verlegenes Lächeln huschte über ihr Gesicht, weil ihr nur allzu bewusst war, dass man in Seven Dials wahrlich keine gute Partie machen konnte, sondern ein Mädchen hier schon froh sein konnte, wenn es einen Straßenhändler mit eigenem Karren heiraten durfte. »Ich begann eine Ausbildung als Lehrerin und Lily sollte Hauswirtschaft lernen, doch dann mussten wir plötzlich fortgehen …« Grace brach abrupt ab.

»Und wann war das?«

»Vor … vor etwa neun Monaten.«

»Neun Monate«, wiederholte Mrs Beale, und sofern sie die naheliegende Verbindung herstellte, besaß sie genügend Taktgefühl, es nicht auszusprechen. »Und von eurem Vater habt ihr nie wieder ein Wort gehört?«

»Nein.« Grace schüttelte den Kopf. »Mama sagte immer, dass Seereisen sehr gefährlich seien und dass er womöglich zugrunde gegangen war, aber vielleicht liebte er Mama einfach nicht genug, um zurückzukommen.«

Mrs Beale drückte ihre Hand. »Armes Kind. Ganz bestimmt hat ein anderer Umstand seine Rückkehr aus Übersee verhindert.«

»Mag sein.« Grace lächelte schwach. »Aber es tut mir so leid, dass Sie ins Arbeitshaus gehen müssen.«

»Wir wollen das ja beide nicht, aber noch so einen Winter wie den letzten würde Mr Beale nicht überstehen. Das Leben wird immer härter, je älter man wird, weißt du.«

Grace nickte, und während sie der alten Dame noch alles Gute wünschte, ging ihr durch den Sinn, dass ihr Leben jetzt schon so viel härter zu werden schien. Das Kressegeschäft lag noch immer am Boden, vor allem, seit Gerüchte kursierten, einige der größeren Bäche, an denen die Kresse angebaut wurde, wären verschmutzt und würden die Cholera bergen. Jeden Tag kam Grace mit unverkaufter Kresse nach Hause und musste manchmal den ganzen Tag kämpfen, um wenigstens sechs Sträußchen davon loszuwerden. Lily hatte es zuerst mit dem Verkauf von Kämmen versucht, dann von Streichhölzern, doch während Graces scheues, hübsches Gesicht Passanten des Öfteren dazu bewog, ihr etwas abzukaufen, hatte Lily kein solch gewinnendes Äußeres. Sie hatte die dunklen rotbraunen Locken ihrer Mutter geerbt, dazu aber leider das eckige Kinn und die tiefliegenden Augen ihres Vaters. Ihre Mutter hatte einst ein kleines Porträt von Graces und Lilys Vater gemalt und neben ihrem Bett stehen gehabt, und oft hatte sie angemerkt, wie sehr Lily ihm ähnelte. Das Porträt war allerdings über die Jahre verloren gegangen, wie so viele von ihren Andenken!

Grace hatte inzwischen Mamas Hochzeitshut und -schleier verpfändet, sodann ein Kissen und zwei Decken in einem »Dollyshop« versetzt – so hießen die inoffiziellen Pfandleihen und Trödelläden, die in dem von Armut heimgesuchten Viertel allerorten aus dem Boden schossen.

»Wir kommen problemlos mit einer Decke aus«, hatte sie zu Lily gesagt. »Und wenn es richtig kalt wird, laufen die Dinge ja vielleicht schon wieder besser für uns.«

»Und dann können wir uns neue Decken kaufen!«, hatte Lily fröhlich zugestimmt. »Oder vielleicht kommt ja Papa zurück.«

Grace hatte nicht darauf geantwortet. Sie fand es nicht richtig, Lily in diesem Gedanken zu bestärken, und Grace für ihren Teil hatte jedenfalls schon längst aufgehört, auf Papas Rückkehr zu hoffen. Selbst durch den Verkauf der Sachen war es ihr nicht gelungen, das Mietgeld für die kommende Woche beiseitezulegen, und das war eine weitaus drängendere Sorge als die um einen Mann, der womöglich gar nicht mehr lebte.

Nachdem Mrs Beale gegangen war, blickte sich Grace im Zimmer um. Was könnte sie noch versetzen, um sich und ihre Schwester vor dem Verhungern zu bewahren? Ob sie wohl ohne Schuhe auskämen?

Sie seufzte. Manche konnten das – der Jüngste von den Cartwrights zum Beispiel, ein kleiner Kerl von ungefähr sechs Jahren, schien weder Schuhe noch Kleider sein Eigen zu nennen, denn er war nur außer Haus anzutreffen, wenn einer seiner Brüder *im* Haus war. Einmal, als ihn seine Mutter geschickt hatte, um von Grace eine Scheibe Brot zu erbitten, hatte er mit nichts weiter als einem alten, um die Hüfte geschlungenen Schal vor ihrer Tür gestanden. Nach kurzer Überlegung kam Grace zu dem Schluss, dass sie auf ihre Unterröcke und ihr letztes Kissen wohl noch verzichten konnten, nicht aber auf ihre Schuhe.

Sie spähte zu den beiden kleinen weißen Kärtchen hinüber, die immer noch auf dem Kaminsims standen. Der Gedanke, um Almosen bitten zu müssen, war ihr abscheulich, doch wenn es nicht mehr anders ging, würde sie es tun. Alles, nur nicht im Arbeitshaus enden. Und sie wusste, es gab noch schlimmere Schicksale: Neulich hatte sie, unfähig, den Blick abzuwenden, mit schauriger Faszination die traurigen jungen Frauen angestarrt, die in den Slums rund um die Monmouth Street dem ältesten aller Gewerbe nachgingen … Mädchen mit strähnigem Haar, Schürfwunden und blauen Flecken auf der Haut und einem abgrundtief hoffnungslosen Ausdruck in den Augen. Oh, hoffentlich, so betete Grace im Stillen, hatte der liebe Gott sie nicht ganz vergessen und ersparte ihr und ihrer Schwester zumindest solch ein Schicksal.

Während Grace sich mit Mrs Beale unterhielt, stand Lily mit Alfie Pope auf einem gepflasterten Hof an der Oxford Street und schaute einem Magier bei seiner Vorstellung zu. Der Platz wimmelte von Leuten, denn rundum befanden sich mehrere gut besuchte Läden, zwei Obststände mit bester Ware, eine Schiffsschaukel, wie man sie auf Jahrmärkten findet, und eben, in diesem Augenblick, der Magische Marvo. Vor ihm hatte sich eine Menschenmenge versammelt, in der auch der Herr mit dem Hund stand.

»Schau mal, siehste den Hund da?«, raunte Alfie ihr zu. »Den Beagle?« Er fasste Lily am Arm und zeigte auf den kleinen braun-weißen Terrier, der geduldig neben seinem Besitzer auf dem Kopfsteinpflaster stand. »Der is nämlich entlaufen, weißt du. Du brauchst ihn bloß zu holen und da hinten übern Zaun zu reichen.« Er zeigte darauf. »Da wartet mein Bruder Billy. Der nimmt dir das Hündchen ab und kümmert sich drum, dass es zu seinem rechtmäßigen Besitzer zurückkommt.«

Lily runzelte die Stirn. Sie war müde, nachdem sie den ganzen Tag auf der Straße nach leeren Flaschen gesucht und gerade mal einen Penny verdient hatte, und sie sehnte sich danach, zu Grace zurückzukehren. »Bist du sicher, dass er entlaufen ist?«, fragte sie Alfie. »Der Mann da hat ihn doch an der Leine.«

»Das is nicht sein richtiger Besitzer«, erwiderte Alfie und fuhr sich dabei mit der schmutzigen Hand durch den schwarzen Haarschopf. »Der is geklaut worden. Weißte, der richtige Besitzer, der will ihn wiederhaben und bietet dafür 'ne Belohnung. 'ne saftige Belohnung.«

Lilys Augen leuchteten. »Hat das in der Zeitung gestanden?«

»Ganz genau«, sagte Alfie.

»Ja, und wieso holst *du* ihn dann nicht?«, fragte Lily.

»Weil der Kerl da wie 'n Luchs aufpasst, dass seinem hübschen neuen Hündchen ja keiner zu nah kommt«, erklärte Alfie geduldig. »Bei mir wär der sofort misstrauisch, aber nich bei 'm eleganten jungen Fräulein wie dir.«

Lily strahlte ihn an.

»Du kannst ganz leicht die Leine durchschneiden und …«

»Die Leine durchschneiden?«

»Genau. Ich hab hier 'n scharfes Messer«, sagte Alfie. »Damit schneidest du die Leine durch, hebst das Hündchen hoch und verduftest, bevor der irgendwas merkt. Dann gehste einfach zu dem Zaun da hinten und gibst das Hündchen Billy, und der gibt dir 'n Shilling dafür.«

»Einen Shilling!« Lilys Augen leuchteten.

»Und ob! Leichter kannste dein Geld nicht verdienen. Hier haste das Messer.« Er drückte ihr ein kleines Taschenmesser in die Hand. »Na los, nu geh schon. Und mach fix.«

Lily zögerte keinen Augenblick länger, denn sie

hatte in ihrem ganzen Leben noch nie die Gelegenheit gehabt, einen Shilling zu verdienen. Sie verbarg das Taschenmesser in ihrer Hand, huschte um die Hausecke herum auf den Platz und stellte sich mitten in die Menge, direkt neben das Hündchen. Alle schauten gebannt dem Magier zu, der gerade eine nicht enden wollende Kette von seidenen Taschentüchern aus seinem Jackettärmel zog, lauter verschiedene Farben, eines größer als das vorherige, bis schließlich das letzte so groß wie eine Flagge zum Vorschein kam. Daraufhin rollte er sie alle zu einem Bündel zusammen und warf es in die Luft, wo es sich unter dem Beifall des Publikums in ein weißes Kaninchen verwandelte.

Lily traute ihren Augen kaum. Ein echtes Kaninchen! Sie schaute sich nach Alfie um und zeigte, mit vor Staunen aufgerissenem Mund, auf die Darbietung, doch Alfie schüttelte bloß den Kopf und bedeutete ihr, sich mit ihrem Auftrag zu beeilen. Rasch bückte sie sich, schnitt die Leine durch, nahm das Hündchen auf den Arm und rannte damit vom Platz.

In dem Menschengetümmel dauerte es eine Weile, bis der Hundebesitzer merkte, dass er bloß noch eine schlaffe halbe Leine ohne Hund in der Hand hielt, und zu diesem Zeitpunkt hatte Billy, der zweite Pope-Junge, ihn Lily bereits aus der Hand gerissen.

»Los, gib her!«, rief er, packte hastig den Hund und wollte sich schon umdrehen, um ihn über den nächsten Zaun zu reichen, wo ein weiterer der Brüder bereitstand.

»Und mein Geld?«, fragte Lily.

Billy drückte ihr eine Münze in die Hand, und Lily schaute sie neugierig an. »Ist das ein Shilling?«, fragte sie, denn sie konnte sich nicht erinnern, je schon mal einen gesehen zu haben.

»Klar is das einer!« Billy hielt den Hund hoch über den Zaun, und »Scout« ließ sich mit einem Japser bereitwillig in Georges Hände fallen. Während George, der dritte Bruder, mit dem Hund unterm Arm davonrannte, drehte sich Billy noch einmal zu Lily um und lächelte sie so freundlich an, als könnte er kein Wässerchen trüben. »Das is einer von den neuen Shillingen«, sagte er.

»Ach so«, sagte Lily.

»Die sehn jetzt anders aus, weißt du. Wann haste denn zuletzt ein' gesehen?«

Lily schüttelte den Kopf. »Weiß nicht.«

»Na also, da siehst du's. Das is jedenfalls ein Shilling!«

Plötzlich drang aus der Menschenmenge vor dem Zauberer der Schrei »Mein Hund! Jemand hat meinen Hund gestohlen!«, und die Hälfte der Versammlung löste sich auf, um nach dem Hund zu suchen (und außerdem, weil der Magische Marvo sowieso gleich den Hut herumgehen lassen würde).

Hätten die Leute zum Zaun hinübergeschaut, so hätten sie nur noch gesehen, wie Billy Pope sich daran lehnte und mit dem Messer, das ihm Lily zurückgegeben hatte, in aller Ruhe ein Stöckchen schnitzte, sowie eine verunsichert dreinblickende Lily, die mit ihrem »Shilling« in der Hand nach Hause trottete.

»Das ist kein Shilling!«, stellte Grace fest. »Wer hat dir denn das weismachen wollen?«

»Es ist einer von den neuen«, wandte Lily ein. »Er hat gesagt, es ist einer von den neuen.«

»Wer hat das gesagt? Du hast doch gesagt, du hast ihn auf der Straße gefunden!«

Lily wurde rot. »Billy Pope hat's gesagt.«

Grace schaute ihre Schwester traurig an. Sie fühlte sich unendlich müde. Seit fünf Uhr morgens war sie mit der Kresse unterwegs gewesen und hatte doch nur ein paar Pence eingenommen. Das Geld würde für die Miete beiseitegelegt werden müssen, und nun musste sie entscheiden, ob sie morgen neue Kresse kaufen sollte oder lieber heute Abend etwas zu essen. »Wofür hat Billy Pope dir Geld gegeben?«

Lily tat, was sie immer tat, wenn ihr die Dinge irgendwie zu kompliziert wurden: Sie brach in Tränen aus.

»Lily! Es war doch hoffentlich nichts Unrechtes?«

»Nein, war es gar nicht. Da war ein Hündchen, weißt du, und ein Mann hatte es an der Leine, dem es gar nicht gehörte, und die Pope-Jungen wollten es dem echten Besitzer zurückgeben und dafür eine Belohnung bekommen.«

»Aber was hast du dabei gemacht?«

»Ich hab nur dem Mann das Hündchen weggenommen, der es gestohlen hatte!« Lily zog die Nase hoch. »Ich habe bloß die Leine durchgeschnitten und –«

»Du hast es gestohlen!«

»Ja, aber –«

»Lily, ich hab dir das doch schon mal gesagt: Es gibt viele gemeine Diebe da draußen. Die stehlen auf der Straße einen Hund und warten darauf, dass der Besitzer eine Anzeige in die Zeitung setzt und eine Belohnung verspricht.«

»Und dann?«, fragte Lily bedrückt.

»Dann bringen sie ihm den Hund und behaupten, dass sie ihn aufgelesen haben, als er herrenlos auf der Straße herumlief. Und der Besitzer ist meistens so froh darüber, seinen Hund wiederzuhaben, dass er nicht groß Fragen stellt.« Sie ging zum Fenster, um sich die Münze genauer anzusehen. »Jedenfalls ist das hier bloß ein Halfpenny, der silbern angestrichen wurde – und noch nicht mal besonders gut. Haben sie dir den dafür gegeben?«

Lily nickte.

»Die werde ich mir vorknöpfen. Wenn jemand dich ertappt und festgehalten hätte, dann hätte dich womöglich die Polizei abgeholt. Dann wärst du von mir getrennt worden, ist dir das denn nicht klar?«

Lily ließ den Kopf hängen und machte ein beschämtes Gesicht, doch innerlich fühlte sie sich erleichtert. Es war also nicht ihre Schuld gewesen. Es waren diese Pope-Jungen, auf die war Grace böse, nicht auf sie.

Grace zog ihr Umhängetuch fester um sich, streifte ihren Rock glatt und ging aus dem Zimmer, so aufgewühlt war sie. Doch sie war noch keine fünf Schritte den Flur entlanggegangen, als sie noch einmal nachdachte: Sie müsste es ganz allein mit sechs Pope-Jungen aufnehmen, und da würde sie zwangsläufig den Kürzeren ziehen. Sie ließ sich auf die unterste Treppenstufe sinken. Vielleicht war es ja ihre eigene Schuld. Lily war nun mal leichte Beute für jeden, und eigentlich hätte sie sie gar nicht alleine zum Flaschensammeln losziehen lassen dürfen. Schon als sie noch ganz klein waren, hatte Mama ihr immer eingeschärft, dass sie, Grace, sich als die ältere Schwester betrachten müsse und nicht als die jüngere. »Lily wird wohl immer ein Kind bleiben, fürchte ich«, hatte Mama mehr als einmal gesagt, »und es wird an dir sein, Grace, sie davor zu beschützen, dass andere Leute sie ausnutzen.«

Grace fing an zu weinen. Sie hatte Mama enttäuscht, sie hatte Lily hängen lassen, die Saison für Kresse war vorbei, sie hatten fast nichts mehr übrig, was sie noch hätten versetzen können, und der Winter stand vor der Tür. Was sollte bloß aus ihnen werden?

Hündchen, Kätzchen, Küken und andere Kleintiere
in beliebiger Menge für häusliche Menagerie oder
zur Vervollständigung Ihrer Tierfamilie.
Unsere Spezialität sind zahme und komatöse Tiere.
Wenden Sie sich an Wilsons Eisen- und Haushalts-
warenhandlung, Seven Dials, Holborn.

Kapitel 10

Als die Beales am nächsten Morgen Mrs Macreadys Mietshaus verließen, schenkte Mrs Beale Grace ihr zerschlissenes Schultertuch und die Schürze, denn man hatte ihnen gesagt, dass sie im Arbeitshaus nichts Eigenes würden behalten dürfen. Selbst ihre Kleider würde man ihnen abnehmen, und nachdem sie mit dem Wasserschlauch abgespritzt worden wären, bekämen sie grobe Arbeitshauskleider aus Sackleinen mit einer Nummer auf dem Rücken.

Trotz des zerfledderten Zustands der beiden Kleidungsstücke konnte Grace auf einem Lumpenmarkt noch einen Penny dafür ergattern, und davon, zusammen mit dem bemalten Halfpenny, ein großes

Büschel Brunnenkresse kaufen (wenn auch schon etwas vergilbt, daher der günstige Preis). Sie zerteilte es in fünf kleine Bunde und schaffte es, sie für je einen Penny zu verkaufen. Mit dem Geld machten sich die beiden Mädchen auf den Rückweg zu Mrs Macreadys Mietshaus. Grace hatte es eilig, denn sie hatte noch etwas Wichtiges vor. Der Winter kündigte sich bereits an, und eines der zwei kleinen Fenster in ihrem Zimmer war zerbrochen. Grace hatte vor, an einem Gemüsestand in Neal's Yard eine alte Holzkiste zu erbitten und sich von einem der Straßenhändler aus der Etage über ihnen Hammer und Nägel auszuleihen, um das zugige Loch im Fenster mit Holzbrettern zu verschließen. Dann wäre es zwar noch dunkler in ihrem kleinen Zimmer – die Häuser gegenüber standen nämlich so nah, dass kaum Tageslicht in die Gasse drang –, doch immer noch besser, im Dunkeln zu sitzen als in der Kälte. Und kalt würde es werden in den kommenden Monaten, denn da sie nun nichts mehr besaßen, was sie noch versetzen konnten, mussten sie den Winter ohne Brennholz und Kohlen überstehen.

Als sie sich der Gasse näherten, in der sie wohnten, und Mrs Macreadys Haus bereits in Sichtweite war, fiel Grace die ungewöhnliche Menschenansammlung im Viertel auf – nicht nur die üblichen herumspringenden Kinder, Hausierer, Kesselflicker, fliegenden Händler und Hausfrauen auf dem Weg zum oder vom Markt, sondern auch Arbeiter in Kleidern aus blauem Serge und zwei oder drei Männer in dunklem

Anzug und Zylinder. Sie wandte sich Lily zu, um sie darauf aufmerksam zu machen, doch diese war bei einem Schausteller stehen geblieben, der ein Kätzchen zusammen mit einem jungen Hündchen in einem Käfig hielt – eine der »Happy Families«, die sich seit kurzem großer Beliebtheit erfreuten, Kätzchen zusammen mit Mäusen oder jungen Enten oder Katzen und Hunde im selben Käfig. Kaum dass Lily allerdings ihr Interesse gezeigt hatte, wurde auch schon das Tuch über dem Käfig heruntergelassen, und der Händler verlangte einen Halfpenny, wenn sie die Tiere noch einmal sehen wollte.

Lily eilte zu Grace zurück. »Bloß einen Halfpenny!«, bettelte sie. »Bloß einen Halfpenny, um das süße Kätzchen und Hündchen zusammen spielen zu sehen.«

Grace schüttelte den Kopf. Sie brannte darauf, zu erfahren, warum so viele Leute in ihrem Viertel waren. Sie reckte den Kopf, um die Gasse entlangzusehen. Was war da los im Brick Place?

»Und du kannst sie dann auch sehen, gleichzeitig!«, bettelte Lily weiter.

»Und sogar streicheln, Miss, für einen klitzekleinen Aufpreis!«, rief der Schausteller, ein hagerer Mann in einem mit Draht zugeschnürten Mantel.

»Tut mir leid, es geht nicht. Lily, komm jetzt bitte!« Grace scheuchte den Mann mit einer resoluten, allerdings nicht unhöflichen Geste weg, denn sie wusste ja, dass auch er nur wie alle in London versuchte, das nötige Geld zum Überleben aufzutreiben.

Lily trennte sich widerwillig von den Tieren, gesellte sich zu ihrer Schwester und schaute dahin, wo Grace so angespannt hinstarrte. »Was ist denn da los? Warum hat unser Haus Bretter vor den Fenstern?«

Sie näherten sich Mrs Macreadys Mietshaus. Es war das zweite in einer Reihe von vier aneinandergebauten Häusern, die alle in einem ähnlich heruntergekommenen, reparaturbedürftigen Zustand waren: Zwei hatten keinen Kamin, an mehreren fehlten die Fensterscheiben oder waren die Fensterrahmen zerbrochen, und bei einem fehlte sogar die komplette Haustür. Mrs Macreadys Haus wies außerdem einen enormen Riss im Mauerwerk auf, der diagonal von oben bis unten verlief. Diese vier baufälligen Häuser wurden soeben verrammelt und sämtliche Öffnungen mit dicken Holzplanken zugenagelt, so dass ein Betreten nicht mehr möglich war.

»Was machen die da?«, fragte Lily. »Wie kommen wir denn jetzt hinein?« Beim Gedanken an die paar wertlosen Dinge in ihrer Zigarrenschachtel fing sie an zu weinen. »Ich will meine Schätze wiederhaben!«

»Warte hier«, wies Grace sie an. »Du rührst dich nicht von der Stelle, verstanden?« Dann ging sie auf einen Mann zu, der der Vorarbeiter zu sein schien: Er hatte einen Stapel von Papierkram auf dem Arm und trug den größten Zylinder. »Wir wohnen hier, meine Schwester und ich …«, fing sie an.

»Jetzt nicht mehr«, entgegnete der Mann und befand es nicht einmal für nötig aufzublicken.

Grace fuhr der Schreck in sämtliche Glieder. »Aber was geschieht denn hier? Wir haben doch unsere Miete bezahlt, wir schulden niemandem etwas, wir haben nichts Unrechtes getan –«

Der Mann drückte den Papierstoß an seine Brust und blickte Grace zum ersten Mal an, so überrascht war er von ihrem Tonfall. (Die meisten anderen Bewohner der Häuser hatten lauthals losgeschrien, geschimpft und Verwünschungen ausgestoßen.) »Regierungsbeschluss«, sagte er in einlenkendem Ton. »Die Elendsviertel werden geräumt, verstehen Sie? Anordnung von Prinz Albert. Hier werden bessere Häuser errichtet. Man will nicht, dass euresgleichen zu zwanzigst in einem Zimmer hausen und zu achtzigst oder noch mehr einen Abtritt benutzen.«

»Das heißt, die Häuser werden renoviert?«

»Nicht ganz, Miss. Sie werden abgerissen, und dann werden hier Häuser mit einem Abort im Haus und fließendem Wasser gebaut, und wenn die fertig sind, dann werdet ihr gefragt, ob ihr wieder hier einziehen wollt. Sofern ihr euch das leisten könnt, natürlich«, konnte er sich nicht verkneifen hinzuzufügen.

»Aber wo sollen wir denn inzwischen hin?«

Der Mann zuckte die Achseln. »Haben Sie denn keine Verwandten, zu denen Sie ziehen können?«

Grace machte sich nicht die Mühe, darauf eine

Antwort zu geben. »Aber wo sind all die anderen hin? Die Popes und die Cartwrights und alle?«

»Weiß der Himmel«, erwiderte der Mann. »Vor einer Weile waren sie noch da und rannten hier herum wie die Mistkäfer. Lieber Himmel, einer hatte einen ganzen Zoo in seinem Zimmer – Hunde, Katzen, Eichhörnchen, Vögel, die reinste Menagerie!« Er blickte sich suchend um und deutete dann auf die Treppen vor dem letzten Haus in der Reihe, wo drei zerlumpte Gestalten mit hängenden Schultern herumstanden und schluchzten. »Da sind noch ein paar.«

Grace blickte hinüber, erkannte jedoch niemanden dort. »Und wo ist Mrs Macready?«

»Ist zu ihrem Sohn nach Connaught Gardens hinaus. Wir machen hier nur, was uns aufgetragen wird, verstehen Sie?«, sagte er, um ihr zu zeigen, dass er nichts gegen sie persönlich hatte. »Die hohen Herrn von der Stadt sind ziemlich versessen darauf, die Elendsviertel zu räumen. Sie wollen, dass die ganzen stinkenden, verrotteten Bruchbuden abgerissen werden, weil da Krankheiten drin nisten.«

Grace schwieg einen Augenblick und versuchte, klar zu denken, anstatt einfach in Tränen auszubrechen. »Was ist mit unseren Sachen?«, fragte sie. »Kann ich mit meiner Schwester hineingehen und sie holen?«

»Zu spät, Miss. Das hätten Sie heute Vormittag machen müssen.«

»Aber es hat uns doch keiner was gesagt!« Grace

dachte an ihre letzten paar Habseligkeiten und Kleider, die Kisten, das extra Bettzeug und Lilys Schatzkiste. »Oh bitte«, sagte sie in ernstem Ton zu dem Mann. »Es würde meiner Schwester das Herz brechen, die paar Dinge zu verlieren, die wir noch besitzen.«

»Ich dachte, das ganze Zeug wär längst rausgeräumt«, sagte der Mann. Er stieß einen theatralischen Seufzer aus. »Na gut, ich lasse euch für zwei Minuten rein, in Ordnung? Geht rein, holt die Sachen und kommt sofort wieder raus. Und erzählt bloß keinem, dass ich es war, der euch reingelassen hat.«

Grace dankte ihm überschwänglich, winkte Lily herbei und versuchte ihr zu erklären, was vor sich ging, während der Mann einen Arbeiter beauftragte, eine Planke vom Türeingang zu entfernen und die beiden Mädchen hineinzulassen.

Lily verstand das Ganze nicht. Wie auch? Grace verstand es ja selbst nicht. Aber es würde schon alles in Ordnung kommen, versicherte sie ihrer Schwester, während sie die Treppe zu ihrem Zimmer hinaufstiegen, sie würden bestimmt eine andere Unterkunft finden, auch wenn sie sich vielleicht für eine Weile ein Zimmer mit einer anderen Familie teilen müssten. Und sie hatte von einer Suppenküche gehört, wo man kostenlose Mahlzeiten bekam ... Und vielleicht kam ja von der Gemeinde irgendeine Hilfe für Leute, die ohne Verschulden obdachlos geworden waren. Sie würde James Solent aufsuchen, beschloss sie an Ort und Stelle, und ihn fragen, wie es um ihre Rechte in dieser Sache stand. Er hatte doch gesagt, wenn sie je Hilfe bräuchte, dürfe sie sich an ihn wenden, und auch wenn es ihr peinlich wäre, einen so adretten und gut aussehenden jungen Herrn um Hilfe zu bitten, so würde sie doch nicht zögern, es zu tun, wenn es nicht mehr anders ging.

Im Inneren von Mrs Macreadys Haus war es düster, staubig und still wie in einem Grab – als hätte das Haus sich bereits vom Leben verabschiedet. Lily weinte schon, bevor sie ihr Zimmer erreichten, und als Grace die Tür aufschob, brach auch sie in Tränen aus, denn das Zimmer war vollkommen leer: Bett, Decke, Kissen und die Kisten mit den wenigen Gegenständen, die die Mädchen noch besessen hatten, waren verschwunden. Nur die beiden kleinen weißen Visitenkärtchen auf dem Kaminsims schimmerten hell in der Dunkelheit.

»Wo sollen wir denn jetzt hin?«, fragte Lily und schaute hoffnungsvoll ihre Schwester an, während sie der Strand folgten, die von der Innenstadt zum Stadtteil Westminster hinausführte. Lily hatte zu weinen aufgehört, nachdem Grace ihr versichert hatte (*versprochen*, genauer gesagt, denn das war das einzige Wort, das Lilys Tränen zum Versiegen bringen konnte), dass alles bald wieder in Ordnung käme.

»Wir werden einen jungen Herrn aufsuchen, den ich kenne, Mr James Solent«, sagte Grace. »Er ist ein

Mann des Rechts und sehr clever, und er wird uns helfen.«

James Solent, Susannah Solent … Als Grace im Geiste diese Verbindung herstellte, krampfte sich ihr Herz zusammen. Mein Baby ruht friedlich bei Susannah Solent, sagte sie sich. Doch der Gedanke tröstete sie nicht, sondern löste in ihr erst recht das Bedürfnis aus, zu schluchzen und zu schreien und sich die Kleider zu zerreißen. In ihrem Leben lief einfach alles schief.

Als sie den Beginn der Fleet Street erreicht hatten und die eleganten Türmchen, Giebel und Zinnen des Justizpalasts, der *Royal Courts of Justice*, in Sicht kamen, warf Grace erneut einen Blick auf das Kärtchen in ihrer Hand, fasste sich schließlich ein Herz und sprach einen der livrierten Pförtner an. Auf ihre Frage nach Moriarity Chambers wies er ihr den Weg quer über die Straße und durch einen Torbogen hindurch. An dem Torbogen wurden sie von einem weiteren Mann in Livree gefragt, wohin sie wollten. Grace hielt ihm die Visitenkarte hin, doch in diesem Augenblick fuhr eine kleine Mietkutsche mit lautem Geklapper heran, woraufhin der Pförtner sie durchwinkte, ohne die Karte auch nur gelesen zu haben.

Hinter dem Torbogen öffnete sich eine ganz andere, weitaus vornehmere Welt: Eine gepflasterte Straße führte auf eine weitläufige, parkartige, mit Gras und Bäumen bewachsene Fläche; in der Ferne schimmerte das graue Band der Themse. Männer des

Rechts in schwarzen Talaren und weißen Kragen, manche auch mit grauen Lockenperücken, gingen geschäftig einher. Manche trugen Akten unterm Arm, andere zogen gar ein mit Papierstößen beladenes Wägelchen hinter sich her, und so eilig wie sie es alle hatten, würdigte keiner von ihnen die beiden Mädchen auch nur eines Blickes.

Lily schaute sich staunend um und genoss den ungewohnten Anblick und die friedliche Atmosphäre, die hier herrschte. »Ist Mr Solent einer von diesen lustigen Männern mit Perücke?«, fragte sie.

»Ich weiß nicht«, gab Grace zurück. War er das? Vor allem aber, würde er ihnen helfen? Ja, würde er sich überhaupt an das Versprechen, das er ihr gegeben hatte, erinnern?

Rund um die parkartige Fläche befanden sich großzügig angeordnete, elegante Gebäude, und als Grace näher kam, erkannte sie, dass oberhalb der von Torbogen überwölbten Eingänge Namen standen. Moriarty Chambers war das letzte in einer Reihe von sechs Häusern, deren hohe Fenster auf den Fluss hinabblickten.

»Glaubst du, das waren die Pope-Jungen, die unsere Sachen mitgenommen haben?«, fragte Lily schwatzhaft, während Grace sich darauf vorbereitete, an der Tür zu klopfen. »Ich wette, die waren das, weil einmal, als ich Matthew in unser Zimmer gelassen habe, da hat er die ganze Zeit meine Muschel angeschaut und gesagt, dass er die gerne hätte.«

Grace ersparte es sich, Lily darauf hinzuweisen, dass sie sie schon immer vor den Popes gewarnt hatte und dass Lily die Jungen niemals in ihr Zimmer hätte lassen dürfen. Das spielte nun alles keine Rolle mehr. Sie waren kurz davor, in der Gosse zu landen, und wenn James Solent ihnen nicht helfen konnte, dann hatte sie keine Ahnung, was sie noch tun sollte.

Sie stieg die paar Stufen zur Eingangstür des großen Hauses hinauf und zog an der Klingel.

Nichts rührte sich.

»Klingel noch mal!«, rief Lily von der Straße hinauf. »Darf ich diesmal klingeln?«

Grace überging ihre Frage und zog nach einer angemessenen Pause erneut an der Schnur. Zweimal. Schließlich wurde die Tür von einem älteren Mann in einem Nadelstreifenanzug geöffnet.

»Ja?«, fragte er und mustere Grace mit gerunzelter Stirn. Es war nicht üblich, dass Frauen das geheiligte Areal der »Inns of Court« betraten, wie der Gebäudekomplex hieß, der die Anwaltskanzleien und Quartiere der Londoner Juristenschulen beherbergte. Erst kürzlich waren zwei Prostituierte, in Kleidern, die mehr preisgaben, als sie verhüllten, rotzfrech durch das Haupttor hereinspaziert, nachdem sie mit den Namen einiger höchst respektabler Anwälte um sich geworfen hatten. Wie sie in den Besitz dieser Informationen gekommen waren, war zwar nicht zutage gefördert worden, doch hätten die Sicherheitsvorkehrungen seither eigentlich verstärkt worden sein sollen.

Grace zeigte die Visitenkarte vor. »Ich suche Mr James Solent.«

»Mr Solent ist nicht zu sprechen«, sagte der grau gekleidete Mann hochmütig. »Jedenfalls nicht für euresgleichen.«

»Aber er sagte, ich dürfe mich an ihn wenden. Bitte, können Sie mir nicht sagen, wo ich ihn finden kann?«

»Unter gar keinen Umständen. Haben Sie denn noch nie etwas von der Vertraulichkeit der Justiz gehört?« Er blickte über Graces Schulter hinweg und sah Lily unten auf der Straße stehen. »Verschwindet, alle beide«, sagte er. »Solche wie ihr haben hier nichts zu suchen.«

Grace lief rot an. »Könnte ich wenigstens –« Sie wollte fragen, ob sie vielleicht eine Nachricht für Mr Solent hinterlassen dürfe, doch der Mann vor ihr blickte sie mit solcher Verachtung an, dass ihr die Stimme versagte, weil sie sehr wohl wusste, wofür er sie hielt.

Der Mann scheuchte sie mit einer Handbewegung weg und schlug ihr die Tür vor der Nase zu. Hinterm Fenster blieb er stehen und schaute drohend hinaus, um sicherzustellen, dass sie seiner Aufforderung auch wirklich Folge leistete.

Langsam drehte Grace sich um und ging die Stufen hinunter.

»War das der Mann, der uns helfen sollte?«, fragte Lily.

»Nein! Nein, natürlich nicht.«

»Ist er nicht da?«

Grace schüttelte wortlos den Kopf. *War* er womöglich da gewesen? Sie hatte mehrere Augenpaare hinter den Fenstern hervorspähen sehen. Hatte er sie gesehen und den Mann im grauen Anzug beauftragt, sie abzuweisen? Schämte er sich womöglich ihrer und bereute, dass er ihr seine Hilfe angeboten hatte?

»Was sollen wir jetzt machen?«

»Nun …« Grace rang um ihre Fassung. Jetzt in Tränen auszubrechen, wäre wenig hilfreich, weil dann Lily ebenfalls zu weinen anfangen und so schnell nicht mehr aufhören würde. »Wir versuchen, die Suppenküche zu finden und etwas zu essen zu bekommen, und dann … dann …« Dann würde ihr ja vielleicht irgendetwas anderes einfallen. Ihre Finger berührten die zweite Visitenkarte in ihrer Tasche, und Grace musste an Mrs Unwins Angebot denken, gegen Kost und Logis bei ihr zu arbeiten. Die Frau war ihr unsympathisch gewesen, aber wenn es nicht anders ging, würde sie wohl oder übel bei ihr vorsprechen müssen.

Nachdem sie die Suppenküche endlich gefunden hatten (sie war weit weg auf der anderen Flussseite im Stadtteil Southwark), stellte sich heraus, dass Grace und Lily keine Suppe zustand, da die Bittsteller einen Brief ihrer Heimatgemeinde vorlegen mussten, aus dem hervorging, weshalb sie in diese Notlage geraten waren. Inzwischen waren sie allerdings so hungrig, dass Grace bereitwillig einen ihrer kostbaren zwei Pennys opferte, um für jede von ihnen eine heiße Kartoffel zu kaufen. Sie hatten gerade begonnen, ihr Mahl in einer ruhigen Kirchenbank in der Kathedrale von Southwark zu verzehren, als der Küster auftauchte und sie verscheuchte. So setzten sie sich schließlich auf die Steinstufen, die von der London Bridge herunterführten, was ziemlich ungemütlich war, denn obwohl der Arbeitstag längst vorbei war, waren noch viele Leute auf den Straßen unterwegs, auch zahlreiche Händler, die Schinkensandwichs und Bier anboten, so dass sie bei jedem Bissen von irgendjemandem belästigt wurden, dies oder jenes zu kaufen, oder versehentlich angerempelt oder gar getreten wurden. Grace staunte nicht schlecht über die enorme Menschenmenge, die sich hier tummelte. Was sie nicht wusste, war, dass Mr Charles Dickens eine Mordszene in einem seiner populärsten und berühmtesten Romane just auf diesen Stufen angesiedelt hatte, weshalb dieser Platz nun stets eine bunte Schar von Neugierigen, literarisch Interessierten oder Leuten, die das Gruseln suchten, anzog.

Inzwischen war es dunkel geworden, und nachdem sie mit ihrem Mahl fertig waren, nahm sich Grace vor, einen Schlafplatz für sie zu finden, und zwar auf der Southwark-Seite des Flusses, wo die Preise niedriger waren. In einem Gasthaus, in dem sie anfragte (das Angebot, für vier Pence ein Zimmer mit anderen zu teilen, musste sie als zu teuer abschlagen), verwies man sie an ein altes Lagerhaus direkt an der Themse. Die löchrigen Bretterzäune mit abblätternden Fetzen von Werbeplakaten darauf, die Scherben und der Unrat auf den Straßen und das Geschrei der Raben und Möwen über ihren Köpfen machten die Gegend noch unwirtlicher und trostloser als selbst Seven Dials, doch Grace war entschlossen, weiterzugehen, denn irgendwo mussten sie schließlich schlafen. Das Lagerhaus entpuppte sich als ein wackliges Bauwerk aus Wellblech. Tagsüber wurden hier im Erdgeschoss Tierknochen zu Leim verkocht, und der übelkeitserregende Gestank hing im ganzen ersten Stock, wo man für zwei Pence pro Nacht in kleinen, nur mit Vorhängen notdürftig abgeteilten Parzellen schlafen konnte.

Während die zuständige Frau ihnen ihr »Zimmer« zeigte, fragte Grace, ob sie vielleicht von irgendeiner Arbeitsmöglichkeit in der Gegend wisse.

Die Frau schüttelte den Kopf und lachte bitter. »Glaubst du, ich würde das nicht selber machen, wenn ich was wüsste?«

»Gibt es denn wirklich rein gar nichts? Meine Schwester und ich können hart arbeiten«, fuhr Grace fort. »Gibt es denn in den Lagerhäusern nicht Arbeit beim Verpacken?«

»Nicht für unsereins«, entgegnete die Frau. »Wenn es da Arbeit gibt, dann geht sie an die Männer, weil die Familien zu unterhalten haben. Die einzige Arbeit für Frauen hier in der Gegend ist die altbekannte.«

»Was ist das?«, fragte Lily neugierig, doch die Frau lachte bloß und antwortete mit einer vulgären Handbewegung.

Viele der Schlafplätze waren bereits von denen belegt, die fest hier wohnten, hauptsächlich Fährmänner. Die Nachbarn der beiden Mädchen waren ein Ehepaar mit zwei kleinen Kindern auf der einen Seite und drei kräftige Hafenarbeiter auf der anderen. Nachdem die drei Männer ins nächste Wirtshaus aufgebrochen waren, sanken die beiden Mädchen vor Erschöpfung sofort in Schlaf. Irgendwann nach Mitternacht kehrten die Hafenarbeiter in wesentlich ramponierterem Zustand als bei ihrem Aufbruch wieder zurück, grölten herum, stolperten und polterten durch die Gegend und weckten nicht nur das Paar mit den kleinen Kindern auf, sondern die ganze Etage. Der Ehemann und Familienvater fing eine Schlägerei mit ihnen an, die Kinder weinten, die Frau schrie, und Grace und Lily klammerten sich hinter ihrem Vorhang angstvoll aneinander und wagten nicht, sich zu rühren.

Gegen ein Uhr nachts schienen fast alle auf der Etage auf die eine oder andere Weise in die Schlägerei mit den Hafenarbeitern hineingezogen zu sein, und um zwei ging jemand einen Polizisten holen. Bald war die Ordnung wiederhergestellt, denn inzwischen waren die Hafenarbeiter in trunkene Bewusstlosigkeit versunken, und Grace und Lily sanken in einen unruhigen Schlaf. Als sie um sechs Uhr morgens vom

Entzünden der Siedekessel und dem Lärm der Arbeiter unten im Erdgeschoss erwachten, mussten sie feststellen, dass ihr letzter Penny aus Graces Tasche entwendet und ihnen die Schuhe von den Füßen gestohlen worden waren.

UNWIN BESTATTUNGSUNTERNEHMEN,
MAPLE MEWS, MARBLE ARCH, LONDON

Wir offerieren respektvoll unsere Dienste dem Hochadel, niederen Adel und der allgemeinen Öffentlichkeit. Wir sind ein Familienunternehmen und bieten bis zu achtspännige Trauerkutschen sowie Sargbegleiter, Federnträger, Blumen und Gebinde, Trauerschmuck und Gedenkkarten.

Beerdigungen werden mit äußerster Sorgfalt, Respekt und Rücksicht auf den öffentlichen Anstand durchgeführt.

Kapitel 11

»Also, heute Morgen gibt es ein Seven-Dials-Frühstück«, sagte Grace zu ihrer Schwester, als sie wenig später am Flussufer saßen. Auf dem Fluss wimmelte es von qualmenden Dampfbooten, und in der Luft lag ein Gestank von heißem Öl, verkochten Tierkadavern und irgendetwas noch Unangenehmerem, denn nicht weit von hier befand sich eine Gerberei, in der Tierhäute mit frischem Dung behandelt wurden.

»Ein Seven-Dials-Frühstück? Was ist das?«, fragte Lily gespannt.

»Nur ein Scherz«, sagte Grace. »Es bedeutet ›nichts‹. Überhaupt nichts.«

»Aber wie kann es denn dann ein Frühstück sein? Das verstehe ich nicht.«

Grace drückte ihrer Schwester die Hand. »Das sagt man nur so, Lily. Es soll ein Scherz sein.«

»Mir wäre es lieber, wenn es ein Frühstück wäre.«

Grace seufzte und ließ den Blick auf die tuckernden, keuchenden Boote und die Rauchschwaden über dem Wasser hinausschweifen. Sie spielte mit der schwarz umrandeten Visitenkarte in ihrer Tasche herum, die die Adresse des Bestattungsunternehmens Unwin trug. Sie wusste, dies war ihre letzte Hoffnung. Das Wetter war im Moment recht mild, doch bei Schnee, dickem Nebel und Hagel würden sie auf den Straßen Londons nicht überleben. Sie überlegte, wie sie diese Arbeit wohl Lily erklären sollte, und auch, ob sie – zumal ohne Schuhe – überhaupt respektabel genug aussah, um sich bei Mrs Unwin in so einer Angelegenheit vorzustellen.

Derweil saß Lily mit immer noch tränenverschmiertem Gesicht da und zählte die Schiffe auf dem Fluss. Jedes Mal, wenn sie bei zwanzig angelangt war, fing sie wieder von vorne an, denn weiter konnte sie nicht zählen. Schließlich wurde sie es leid und fragte, was sie jetzt anfangen würden.

»Ich denke gerade an eine Frau, die ich vor einiger Zeit kennengelernt habe«, fing Grace vorsichtig an. »Ihre Familie führt ein Bestattungsunternehmen, und sie meinte damals, ich könnte für sie als Sargbegleiterin arbeiten.«

»Was ist das?«

»Jemand, der bei Beerdigungen mitgeht, ganz in Schwarz gehüllt, und traurig dreinblickt.«

»Kann ich das auch machen?«

»Ja, vielleicht«, sagte Grace. Das konnte doch nicht so schwer sein, einfach herumzustehen und traurig dreinzuschauen? Das könnte doch bestimmt auch Lily fertigbringen? Sie zog das Kärtchen aus ihrer Tasche. »Wir gehen einfach mal hin und finden es heraus, was meinst du?«

Das Bestattungsunternehmen befand sich am Ende der Oxford Street an der Ecke Edgeware Road, ungefähr eine halbe Meile vom eindrucksvollen Marble Arch entfernt, der vor kurzem von seinem bisherigen Platz vor dem Buckingham Palast hierher versetzt worden war. Hier floss der Verkehr in beiden Richtung um den Triumphbogen herum, ein immenses, wirbelndes Chaos und Getöse: Pferdeomnibusse drängten sich Seite an Seite mit Reitern, leichten Mietdroschken, geschlossenen, vierrädrigen Kutschen, schweren Lastkarren und bedächtig dahinrollenden Privatequipagen, alles begleitet von einem ohrenbetäubenden Gehupe, Geschrei, Gewieher und dem Schnalzen der Pferdepeitschen.

Ein kleines, taktvolles Schild an dem Gebäude trug die Inschrift:

Unwin Bestattungsunternehmen
(Besitzer: George Unwin)
Diskretion ist unser Motto.

Es war ein solides, zweistöckiges rotes Backsteingebäude mit einer dekorativen Fassade aus Stuck und kunstvoll behauenem Mauerwerk, das vor gut vierzig Jahren für einen wohlhabenden Industriellen erbaut worden war. Die Unwins hatten es vor etwa zwölf Jahren mit einem Erbe von Mr Unwins Eltern erworben und von einem Wohnhaus in einen Geschäftsbetrieb umfunktioniert. Als das Bestattungsgeschäft immer besser florierte, hatten sie das große Gelände hinter dem Haus samt Stallungen hinzugekauft und nach und nach eine Tischlerei, eine Steinmetzwerkstatt, eine Sarghalle und verschiedene weitere Werkräume eingerichtet. Danach waren die Dachkammern des Hauses zu behelfsmäßigen Schlafzimmern für jene Frauen hergerichtet worden, die im Betrieb der Unwins arbeiteten und eine Unterkunft benötigten, während der Schmied, die Stalljungen und die Tischlerburschen auf dem Heuboden über den Ställen schliefen.

Die vorderen zwei Räume des Hauses dienten dem Empfang und der Beratung der Kundschaft: Dort konnten die Angehörigen auswählen, welche Art von Abschied sie ihrem Verstorbenen angedeihen lassen wollten. In einem Zimmer war eine Wand vollständig mit Holzmustern der Särge ausgekleidet, dazu Beispielen für Namensplaketten aus Messing und Silber, während in dem anderen, größeren Raum (der in einem tröstlichen tiefen Weinrot gehalten war) die intimeren Details besprochen wurden, etwa, welche Art von Matratze, Kissen und Auskleidung der Sarg erhalten sollte. Eine Nische im Raum diente als Büro; dort lagen auf einem schweren Mahagonischreibtisch allerlei Broschüren, aus denen die Kunden Begräbnisgebinde, Marmorstatuen für das Grab, Art und Umfang des Leichenzugs und Pferdegespanns, Sargbegleiter, Federschmuck, Stäbchenträger und ähnliche grundlegende Dinge auswählen konnten. Hinter diesen beiden Empfangsräumen befanden sich verschiedene Arbeitsräume, ein privates Wohnzimmer der Familie und eine Küche. In dem weinroten Zimmer, dem »roten Salon«, wie sie es nannten, loderte winters wie sommers ein wohltuendes Feuer im Kamin, wohl nicht zuletzt zur Beruhigung der Trauernden und um ihnen über den ersten Schock hinsichtlich der Bestattungskosten hinwegzuhelfen.

Alles Erdenkliche, was die von einem Verlust betroffene Familie benötigen konnte, wurde hier geliefert, mit Ausnahme von Trauerkleidung. Zu diesem Zweck wurde der Kundschaft, die herkam, um eine Beerdigung zu arrangieren, wärmstens ein Besuch im Trauerbekleidungskaufhaus von Mr Sylvester Unwin in der Oxford Street ans Herz gelegt. Mr Sylvester Unwin revanchierte sich selbstverständlich für diese Empfehlungen, und so wurden die beträchtlichen

Einkünfte aus den beiden Unternehmen zusammengelegt und geteilt.

Grace hatte natürlich keine Ahnung von dem gewaltigen Umfang des Unternehmens, das sich hinter der glänzenden, schwarz lackierten Eingangstür verbarg, sonst wäre ihre Nervosität vermutlich noch größer gewesen, als sie nun den Türklopfer betätigte. Sie klopfte noch einmal ihren und Lilys Röcke ab, um sie notdürftig von Staub zu reinigen, zupfte ihr Schaltuch über dem Kopf zurecht und schob ein paar widerspenstige Locken darunter. Wenn sie die Hände vor der Brust gefaltet hielte, so könnte sie den Schmutzfleck vorne auf ihrem Kleid verbergen, überlegte sie, und solange sie sich nicht hinsetzte, würde es vielleicht auch nicht auffallen, dass sie keine Schuhe trug.

»Sehe ich einigermaßen passabel aus?«, fragte sie Lily.

»Natürlich.« Lily schaute sie allerdings kaum an, da ihre Aufmerksamkeit ganz von einem nahegelegenen Verkaufsstand für Pasteten in Anspruch genommen war und sie schnuppernd wie ein Hund die Nase in die Luft hielt. »Wenn sie uns als Sargbegleiter arbeiten lassen, kriegen wir dann was zu essen?«

»Ich weiß nicht«, antwortete Grace, die mit ihren Gedanken woanders war. Was, wenn sie nun abgewiesen wurden? Wenn sich diese Visitenkarte als ebenso nutzlos erwies wie die andere? Sie klopfte so leise an die Tür, dass das Geräusch vom Verkehrslärm geschluckt wurde, und musste erneut klopfen, bevor ein

Hausmädchen ihnen öffnete. Das Mädchen wollte gerade höflich knicksen, hielt jedoch bei Graces und Lilys Anblick abrupt inne, denn die beiden waren nicht gerade die Art von Personen, die für gewöhnlich vor der Tür der Unwins standen, und die äußere Erscheinung der beiden verdiente offenbar keine solche Höflichkeitsbekundung.

»Ich fürchte, wir übernehmen keine Armenbeerdigungen«, sagte das Dienstmädchen, das Rose hieß. Immerhin war ihr Ton nicht unfreundlich, denn ihrem Eindruck nach waren die beiden Mädchen keine vulgären Personen.

Grace knickste nun ihrerseits und stupste Lily an, es ebenso zu machen. »Guten Morgen«, sagte Grace. »Wir sind nicht wegen einer Beerdigung hier, sondern würden gerne Mrs Unwin sprechen.«

»Sie wird euch nichts geben«, sagte das Dienstmädchen. »Geht lieber hinten ums Haus herum und seht, ob der Schmied etwas für euch übrig hat. Er sieht zwar furchteinflößend aus, hat aber ein gutes Herz. Bestimmt hat er irgendwo ein Stück Brot oder zwei für euch.«

Kaum war von Essen die Rede, wurde Lily hellhörig und wandte sich an das Dienstmädchen: »Ich hätte Lust auf eine Pastete.«

Das Dienstmädchen verkniff sich ein Schmunzeln. Oh, du lieber Himmel, dachte sie, eine von ihnen ist auch noch einfältig.

Grace lief rot an. »Wir sind nicht hier, um zu betteln«, sagte sie. Sie hielt der Magd die Visitenkarte der Unwins hin. »Mrs Unwin hat mich gebeten, bei ihr vorzusprechen.«

»Oh!« Das Dienstmädchen machte ein erschrockenes Gesicht. »Verzeihung, Miss.«

Während sie Grace und Lily in den kleineren der beiden Empfangsräume führte, legte sie sich im Geiste schon einmal zurecht, was sie den anderen Dienstboten erzählen würde: *Arm wie die Kirchenmäuse, ihr hättet sie sehen sollen! Keine Schuhe an den Füßen* (denn das hatte sie natürlich sofort bemerkt) *und eine von ihnen auch noch einfältig! Aber, jetzt stellt euch das vor, mit einer Visitenkarte der gnädigen Frau!* Sie wies auf ein mit Plüsch bezogenes Sofa. »Bitte, wenn Sie sich setzen mögen, Miss.«

»Nein danke, wir stehen lieber«, sagte Grace, obwohl Lily bereits Platz genommen hatte, sich ehrfürchtig umsah und auf den weichen Polstern auf und ab wippte, so dass bei jeder Bewegung ihres Rocks ihre schmutzigen Füße hervorlugten. Grace war sich bewusst, dass sie ihre Schwester zu einem schicklicheren Benehmen hätte ermahnen sollen, doch sie brachte einfach nicht die Kraft dazu auf. Auch Grace schaute sich in dem Raum um: Vor den Fenstern hingen Seidenvorhänge in einem beruhigenden Grünton, die Wände waren kahl, damit die Musterexemplare der Gedenkstatuen, die in der hauseigenen Steinmetzwerkstatt gefertigt wurden, umso besser zur Geltung kämen. Engel und Putten konnte man in Auftrag geben, halb verfallene griechische Säulen, Obelisken, eine brennende Fackel, eine mit einem Tuch bedeckte Urne oder gar, wenn man sehr reich war, eine prachtvolle Darstellung der personifizierten Hoffnung, die weinend über einen Felsblock gebeugt saß.

Es dauerte eine Weile, bis Mrs Unwin erschien, da sie gerade in einem der Werkräume mit dem Entwurf einer neuen Einnahmequelle beschäftigt war, einem Utensil, das sie auf einem ausländischen Friedhof gesehen hatte: Immortellen – kleine Gebinde aus Trockenblumen unter einer Glaskuppel. Sie legte ihr Versuchsobjekt nur ungern zur Seite, doch als sie sich endlich davon getrennt hatte und den grünen Salon betrat, wäre sie beinahe angewidert zurückgeschreckt. Sie bildete sich nämlich einiges auf ihre untrügliche Nase in Bezug auf die unteren Schichten ein.

Sie versuchte, so flach wie möglich zu atmen. »Ja, bitte?«, fragte sie mit schwacher Stimme.

»Mrs Unwin, danke, dass Sie uns empfangen.«

Das Mädchen beim Fenster hatte gesprochen, und tatsächlich, so stellte Mrs Unwin jetzt fest, bei genauer Betrachtung merkte man ihrem Ton und ihrer Aussprache an, dass sie keineswegs von so derbem Wesen war, wie ihr Aufzug zunächst vermuten ließ. Ihr Gesicht hatte etwas Keusches, einen tiefernsten Ausdruck – und hatte sie dieses Gesicht nicht schon einmal irgendwo gesehen?

»Was willst du?«, fragte Mrs Unwin.

»Verzeihen Sie meine Kühnheit, bei Ihnen vorzusprechen, aber wir sind uns vor einigen Wochen in Brookwood begegnet«, fing Grace an. »Sie waren so freundlich, mir anzubieten, bei Ihnen als Sargbegleiterin zu arbeiten, sollte ich eine Anstellung suchen.«

»Ah.« Mrs Unwin zögerte. Das Mädchen besaß genau das richtige, tragisch anmutende Gesicht, um eine trauernde Familie zu ergänzen, und an jungen Frauen, die diskret und vernünftig genug waren, um im Bestattungsgeschäft zu arbeiten, gab es immer Bedarf (die meisten hegten nämlich eine instinktive Abneigung gegen dieses Gewerbe, weil sie glaubten, es bringe Unglück, inmitten der Toten zu arbeiten). Allerdings wollte Mrs Unwin diesem Mädchen keinesfalls das Gefühl vermitteln, dass sie es brauchen konnte, sonst würde es womöglich mehr verlangen als die paar armseligen Shillinge pro Woche, die sie zu zahlen gewillt war. »Die Dinge haben sich seither ein wenig geändert«, erwiderte Mrs Unwin daher mit einem zögernden Kopfschütteln, als wolle sie sie abweisen. »Das Beerdigungsgeschäft floriert gerade nicht, und wir haben schon einige gute Sargbegleiterinnen.«

»Ich kann auch nähen und sticken«, sagte Grace. »Ich bin gewohnt, sehr hart zu arbeiten.«

Mrs Unwin gab sich weiterhin unentschieden, obwohl eine Sargbegleiterin, die auch noch sticken konnte, extrem nützlich für sie wäre.

»Ich bin sehr geschickt im Umgang mit der Nadel«,

fuhr Grace eifrig fort, als sie sah, dass Mrs Unwin zögerte. »Und ich kann Ihnen versichern, dass ich mich mit vorbehaltlosem Einsatz meiner Arbeit widme. Meine Schwester würde Ihnen mit dem selben Eifer dienen.«

Mrs Unwin richtete den Blick auf das Mädchen auf dem Sofa und sah ein hoch aufgeschossenes, schlaksig wirkendes Geschöpf mit eckigem Kinn und groben Gesichtszügen, das sich die Arme kratzte, als habe es Flöhe. *Diese* hier hatte jedenfalls nicht die Qualitäten ihrer Schwester. Mrs Unwin schüttelte den Kopf. »Tut mir leid, aber selbst wenn ich für dich eine Stelle hätte, deine Schwester könnte ich unmöglich aufnehmen. Sie hätte nie im Leben das Zeug zu einer Sargbegleiterin.«

»Aber ich kann nicht ohne sie herkommen!« Grace blickte Mrs Unwin mit einem Ausdruck der Verzweiflung an. »Sie war noch nie von mir getrennt.«

»Dann tut es mir leid.« Mrs Unwin wandte sich ab und schüttelte erneut den Kopf. Nein, wirklich, sie war doch kein Wohltätigkeitsverein, dass sie gleich zwei Mädchen anstelle von einem aufnehmen konnte.

Und damit wäre die Angelegenheit wohl beendet gewesen, wäre nicht in diesem Augenblick zufällig Mr George Unwin an dem Raum vorbeigegangen, um etwas mit einem der Steinmetze zu besprechen. Als er seine Frau reden hörte, blieb er (in der Hoffnung, es handle sich um wohlhabende Kundschaft) vor der Tür stehen, um etwas mehr zu hören.

Grace bemühte sich vergeblich, ihre Fassung zu bewahren. »Bitte«, sagte sie zu Mrs Unwin, »Sie sind meine letzte Hoffnung. Wir haben keinen Vater mehr, und aufgrund von Umständen, die sich unserer Kontrolle entziehen, haben Lily und ich unsere Behausung verloren. Unser Geld wurde gestohlen, und jetzt, wo der Winter bevorsteht …« Sie brach ab, schlug sich mit der Hand vor den Mund und biss sich auf den Finger, um nicht in Tränen auszubrechen.

Mr Unwin hörte nur die Worte *wir haben keinen Vater mehr* und den Namen *Lily* und stand wie vom Donner gerührt. Es wäre zwar ein ziemlich großer Zufall, aber irgendwo mussten die beiden ja stecken.

»Tut mir leid«, sagte Mrs Unwin brüsk, »aber ihr seid nicht die Einzigen in London, die in schwierigen Umständen leben. Ich kann sie ja nicht alle aufnehmen! Wendet euch doch an eine mildtätige Einrichtung. Oder das Arbeitshaus.«

Als Lily aufging, dass sie gerade abgewiesen wurden, brach sie in lautes Schluchzen aus – gerade in dem Augenblick, als Mr Unwin schwungvoll ins Zimmer trat.

»Verzeih, meine Liebste! Verzeih mir!«, wandte er sich an seine Frau. »Ich kam eben an der Tür vorbei, und da habe ich die letzten paar Worte mitbekommen.«

Mrs Unwin runzelte die Stirn. Angestellte anzuheuern oder zu feuern war eigentlich immer ihre Sache.

»Das ist ja wirklich eine traurige Geschichte, die ich da eben gehört habe«, sagte er an die beiden Mädchen gewandt. »Euer Vater ist tot, sagt ihr, und ihr habt kein Zuhause mehr? Und was ist denn mit eurer Mutter? Ist sie etwa auch tot?«

Grace nickte, noch ganz verdutzt über diese unerwartete Einmischung.

»Unser Papa ist mit dem Schiff fortgefahren, um sein Glück zu machen«, platzte Lily heraus und wischte sich die Nase am Ärmel ab. »Eines Tages kommt er bestimmt zurück, nicht wahr, Grace?«, fragte sie.

»Vielleicht«, sagte Grace leise.

»Und was habt ihr gemacht, als eure Mutter starb?«

»Wir ... wir kamen in ein Waisenhaus«, gab Grace Auskunft und warf Lily einen warnenden Blick zu, ja nicht noch mehr zu erzählen.

»Und wie alt seid ihr beide?«, fragte George Unwin.

»Ich glaube, ich bin siebzehn.« Lily blickte, nach Bestätigung suchend, zu ihrer Schwester auf.

Grace nickte. »Und ich bin fast sechzehn.«

»Und wie lange ist euer werter Vater nun schon fort, Miss ...?«

»Parkes. Wir sind Grace und Lily Parkes«, sagte Grace, und da sie dabei einen mahnenden Blick zu Lily hinüberwarf, damit die endlich mit ihrem Gehopse auf dem Sofa aufhörte, entging ihr der Ausdruck maßlosen Triumphs, der in diesem Moment über Mr Unwins Gesicht huschte. »Unser Vater ist seit über fünfzehn Jahren fort.«

Er habe in seinem ganzen Leben noch nie etwas so Wunderbares gehört, sollte Mr Unwin später zu Mrs Unwin sagen. »Wie traurig, wie furchtbar traurig«, bemerkte er jetzt und musste sich zusammenreißen, um nicht vor lauter Freude zu juchzen. »Findest du nicht auch, meine Liebe?«, sagte er an Mrs Unwin gewandt.

Seine Frau starrte ihn nur an, als wäre er nicht mehr bei Trost.

»Könnten wir es uns nicht leisten, uns dieser beiden jungen Damen aus gutem Hause anzunehmen, als ein Akt der Wohltätigkeit?«

»Der *Wohltätigkeit*?« Schon das bloße Wort war Mrs Unwin zutiefst verhasst, roch es doch nach muffigen Kleidern, Arbeitshaus und Flöhen.

Er deutete auf Grace. »Diese junge Dame könnte doch mit etwas Unterweisung bestimmt eine exzellente Sargbegleiterin abgeben, meinst du nicht?«

»Ja, ich hatte bereits –«

»Und diese da ...« Er zögerte einen Moment, dann fuhr er fort: »Diese da könnte man doch sicherlich auch als irgendetwas anstellen.«

»Und was um alles in der Welt sollte das sein?«, fragte seine Frau.

»Eine Dienstmagd!«, verkündete er. »Und Miss Charlotte braucht doch eine!«

Mrs Unwin blickte ihren Gatten an, als hätte er komplett den Verstand verloren. Es stimmte zwar, dass ihre Tochter Charlotte sechzehn Jahre alt war und bald ein eigenes Dienstmädchen benötigen würde, aber ganz bestimmt nicht dieses schlaksige, einfältig wirkende Mädchen dort. Mr Unwin erwiderte den Blick seiner Frau mit einem Ausdruck, der ihr bedeutete, sie solle ihm einstweilen einfach in allem zustimmen, er werde ihr später schon alles erklären.

Grace presste angespannt die Lippen zusammen. Was Mrs Unwin als Nächstes sagte, würde über ihr Schicksal entscheiden.

»Nun«, lenkte Mrs Unwin ein, »ich schätze, wir könnten deine Schwester in unserem Zuhause in Kensington aufnehmen.« Sie schaute Lily zweifelnd an. »Würde sie da zurechtkommen, ohne dich?«

Grace schob ihre Bedenken beiseite und nickte. »Wir sind es zwar gewohnt, zusammen zu sein, aber solange ich weiß, dass sie in guten Händen ist, und wir uns ab und zu sehen könnten …« Sie berührte Lily an der Schulter und hoffte inständig, dass ihre Schwester jetzt nicht irgendetwas Unangebrachtes sagte oder tat. »Würde dir das gefallen, Lily, die Aufgaben eines Dienstmädchens zu lernen?«

Lily schaute von ihrer Schwester zu den Unwins und wieder zurück. Sie wollte nicht getrennt von Grace leben, doch es schien, als stünde die Möglichkeit zusammenzubleiben nicht zur Wahl. Und alles wäre besser, als noch einmal eine Nacht in dem Lagerhaus zu verbringen.

»Wir könnten dir aber nicht viel zahlen«, beeilte sich Mrs Unwin hinzuzufügen. »Da keine von euch beiden irgendeine Ausbildung besitzt, wäre es ja für euch beide eine Art Lehre. Ihr würdet natürlich Kost und Logis bekommen, und vielleicht jede einen Shilling pro Woche.«

Grace lächelte vor lauter Erleichterung und Dankbarkeit. Sie glaubte sich zu erinnern, dass Mrs Unwin in Brookwood eine Summe von fünf Shilling erwähnt hatte, und zwar für einen einzigen Auftritt als Sargbegleiterin bei einem Begräbnis, aber egal, Hauptsache, sie waren von der Straße weg, hatten ein Dach über dem Kopf und etwas zu essen. Und die Vorstellung, dass Lily Unterkunft, Essen und sogar noch eine Ausbildung als Dienstmädchen erhalten sollte – das war mehr, als Grace je zu hoffen gewagt hätte.

»Wenn ihr euch dann voneinander verabschieden wollt. Ich werde Rose bitten, deine Schwester durch den Park nach Kensington hinüberzubegleiten.« Sie blickte sich um. »Wo sind eure Sachen?«

»Wir schicken später danach«, sagte Grace.

Als Mr und Mrs Unwin sich in einen anderen Raum zurückgezogen hatten, fasste Grace Lily an den Händen. »Du bekommst jetzt eine richtige Chance, die Aufgaben eines Dienstmädchens zu erlernen«, sagte sie. »Tu alles, was man dir aufträgt, arbeite so hart, wie du kannst, und sei immer guten Willens und höflich. Es wird nicht ewig dauern. Wir müssen beide so viel sparen, wie wir können, und hoffentlich sind wir dann eines Tages, bald schon, wieder zusammen.«

Lily küsste ihre Schwester ziemlich aufgeregt auf beide Wangen und versprach, alles gut zu machen. Diesmal war es zur Abwechslung einmal Grace, die weinte.

BARKER'S – DER CLUB FÜR GENTLEMEN MIT NIVEAU

KOLONIALER PRUNK
IM HERZEN DES LONDONER ST.-JAMES-VIERTELS

DER INBEGRIFF VON VORNEHMHEIT UND ELEGANZ
FÜR ALLE, DIE DIE KULTIVIERTEN DINGE DES LEBENS
ZU SCHÄTZEN WISSEN

EXKLUSIVE AUSSTATTUNG EINSCHLIESSLICH HUMIDOR
UND BILLARDZIMMER

Kapitel 12

Mr George Unwin hatte seinem Cousin eine Nachricht mit der dringenden Bitte gesandt, sich mit ihm am Nachmittag auf ein Schnäpschen bei Barker's zu treffen. Als sein Trinkgeselle eintraf, hatte der Bestatter bereits einen doppelten Scotch geleert.

»Was hat das zu bedeuten?«, fragte sein Cousin und wedelte mit der Zigarre vor dem leeren Glas herum. »Gibt es was zu feiern?«

»Und ob!«, sagte George Unwin. »Oh, und ob es was zu feiern gibt.«

»Nun, was ist es? Ein neuer Choleraausbruch in London? Allerorts Massenbegräbnisse?«

»Noch besser!« Er strahlte wie ein Honigkuchenpferd vor lauter Stolz über seine Neuigkeiten. »Ich hab sie erlegt!«

»Wen erlegt?«

»Die zwei Täubchen.«

Sein Cousin machte sich daran, seine Zigarre abzuschneiden. »Wusste gar nicht, dass du unter die Jäger gegangen bist. Und wo gehst du so auf die Pirsch?«

»Nicht *wörtlich*, mein Alter. Ich hab die zwei Erbinnen gefunden!«

»Was?« Er ließ die Zigarre sinken. »Die legendäre Mrs Parkes und ihre Tochter?«

»Beinahe«, erwiderte George Unwin. »Die Mutter sieht sich inzwischen die Radieschen von unten an, und offenbar gibt es noch ein weiteres Kind, von dem der Vater nichts wusste – es kam erst nach seiner Abreise auf die Welt.«

»Hol mich der Teufel!«, rief sein Gegenüber staunend aus.

»Und es kommt noch besser: Zumindest eine der beiden ist schwachköpfig.«

»Das wird ja immer schöner. Und wo stecken die beiden jetzt? Du hast sie doch hoffentlich brav unter Verschluss?«

»Worauf du dich verlassen kannst. Hab sie direkt unter meiner Nase: als Angestellte der Unwin-Familie. Diskretion ist unser Motto, nicht wahr?«

»Wie wahr, mein Lieber, wie wahr!« Mit einem genüsslichen Lächeln auf den Lippen machte er sich wieder an seine Zigarrenzeremonie, schnitt das Ende ab und tippte es ein paar Mal flach auf den Marmortisch. »Prächtig«, murmelte er dazu. »Prächtig. Und ganz zufällig habe ich diese Woche auch etwas Neues in der Angelegenheit herausgefunden.«

George Unwin schaute seinen Cousin gespannt an. Dieser Mann versetzte ihn immer wieder in Staunen. Nicht nur führte er sein Trauerbekleidungshaus, sondern hatte darüber hinaus die Finger in allen möglichen Geschäften: hier eine Fabrik, dort eine Wohltätigkeitsorganisation, edle Weine, Fleischabfälle für Hundefutter, Import und Export, Speichellecker der Reichen, großzügiger Gönner der Armen, und immer bestrebt, von beiden so viel wie möglich an sich zu raffen. Man munkelte, dass er es eines Tages zum Bürgermeister von London bringen würde.

»Der Vater der beiden – dieser Parkes – ist in Übersee verstorben.«

»Sehr gut, sehr gut … Das erleichtert einiges.«

»Und zwar dort, wo er sein äußerst umfangreiches Vermögen gemacht hat, in Amerika nämlich.« Er zog kräftig an seiner Zigarre, um sie zum Brennen zu bringen. »Und was mir durch den Kopf geht, wo du die Erbinnen nun im Sack hast, ist, dass die zehn Prozent Finderlohn doch ein wenig kärglich sind. Schließlich sind wir zu zweit.«

»Du meinst, wir sollten mehr bekommen?«

»Mehr?«, fragte Sylvester Unwin zurück. »Ich finde, wir sollten alles bekommen. Ich finde, du solltest das Mädchen bei dir behalten, in die Familie eingliedern – sie adoptieren, wenn nötig – und dann ganz still und leise in ihrem Namen das Geld kassieren.« Er überlegte einen Moment. »Ja, womöglich musst du sie adoptieren, aber das will schlau eingefädelt werden.«

»Woran denkst du?«

»Nun, es soll doch nicht so aussehen, als hättest du sie erst adoptiert, nachdem du entdeckt hattest, dass sie eine reiche Erbin ist, oder?«

»Natürlich nicht!«

»Also müssen wir die Adoptionsurkunde fälschen und um zehn Jahre zurückdatieren lassen.«

»Und was wird das Mädchen dazu sagen?«

»Nicht viel! Hast du nicht gesagt, sie sei schwachköpfig?«

George Unwin nickte.

»Dann sollte es nicht allzu schwierig sein, ihr – mit ein wenig Geschick – einzureden, dass sie schon seit über zehn Jahren bei euch lebt.«

George Unwin nickte erneut. »In der Tat … in der Tat, das sollte möglich sein. Und was machen wir mit der anderen? Der Schwester?«

»Niemand weiß von ihr, und sie weiß nichts von der Erbschaft. Und das soll auch so bleiben. Vielleicht können wir sie auf eine schöne lange Reise schicken, ohne Rückfahrkarte.«

George Unwin klopfte seinem Cousin anerkennend auf den Rücken. »Ein vorzüglicher Plan«, sagte er. »Ganz vorzüglich! Teufel noch mal, kein Wunder, dass du Sly genannt wirst, alter Schlawiner, der du bist!«

HYDE PARK Der Park »par excellence« und die große Flaniermeile Londons. Drei Stunden lang jeden Nachmittag tummeln sich auf einem besonderen Abschnitt des Kutschwegs, der in diesem Jahr gerade »in Mode« ist, Kutschen dicht an dicht und fahren, kaum schneller als in Schrittgeschwindigkeit, im Kreis herum, nicht ohne dass der gesamte Verkehr hin und wieder ganz zum Erliegen kommt.

Dickens's Dictionary of London, 1888

Kapitel 13

»Jetzt komm schon, beeil dich! Wir müssen quer durch den Park, und ich muss den ganzen Weg wieder zurück.«

Das Dienstmädchen Rose, das bei den Unwins die Tür geöffnet hatte, zerrte Lily ungeduldig an der Hand weiter. Sie hatten den Kutschweg des Parks hinter sich gelassen – er war wie immer überfüllt mit den Fahrzeugen der vornehmen Gesellschaft – und hatten die Reitbahn Rotten Row erreicht, und Lily stand und starrte mit offenem Mund den Damen nach, die in maßgeschneiderten Reitkostümen und mit glänzenden Zylindern auf dem Kopf zu Pferde daherkamen. Wenn sie aneinander vorbeigaloppierten, wünschten sie sich gegenseitig einen guten Tag und hoben zu einem förmlichen Gruß ihren gold- oder silberverzierten Reitstock. Hin und wieder kam auch ein Gentleman mit glänzend polierten Lederstiefeln und klirrenden Steigbügeln dahergeritten, grüßte jede der attraktiven Reiterinnen vernehmlich und lüftete dazu den Zylinder.

»Warum reiten die denn alle mitten am Tag auf ihren Pferden aus?«, fragte Lily.

»Warum?«, fragte Rose zurück. »Weil sie Lust dazu haben, darum.«

»Müssen sie denn nicht arbeiten?«

Rose stieß einen sarkastischen Lacher aus. »Die doch nicht!«

»Sind die alle sehr reich?«

»Das kann man wohl sagen.«

Eine Dame und ein Herr trabten nebeneinander unter den goldbelaubten, allmählich die Blätter verlierenden Bäumen dahin; ihre Pferde hoben die Hufe in vollkommenem Gleichschritt. Rose beobachtete die beiden mit scharfem Blick, denn sie wusste, dass Königin Viktoria und Prinz Albert gelegentlich eine kleine Reitstunde im Park unternahmen. Einmal hatte sie sie schon gesehen und hoffte nun darauf, sie ein weiteres Mal zu erspähen – vor allem Prinz Albert, den sie für einen außerordentlich feschen Mann hielt.

»Sie sind so reich, dass sie nicht zu arbeiten brauchen«, wiederholte sie und versuchte erneut, Lily weiterzuziehen. »Nicht wie du oder ich.« Sie musterte ihre Begleiterin. Was dachten sich ihre Herrschaften bloß, so ein Mädchen aufzunehmen, ohne Schuhe und obendrein schwachköpfig? Die andere machte ja einen recht passablen Eindruck und hatte wohl das Zeug, als Sargbegleiterin dem hohen Standard zu genügen, den die Unwins für Beerdigungen anlegten, aber, also ehrlich, bei der hier waren doch Hopfen und Malz verloren. Ein persönliches Dienstmädchen für Miss Charlotte? Du lieber Himmel, Gott sei Dank musste sie ihr das nicht beibringen!

Mit einer Mischung aus gutem Zureden und Drohungen schaffte Rose es schließlich, Lily von den Reitern wegzulotsen und zum Weitergehen zu bewegen. In den Kensington Gardens gab es allerdings die nächste Stockung, als sie auf die Kindermädchen trafen, die ihre Kinderwagen um den Teich schoben.

»Oh, können wir uns die Babys ansehen?«, bettelte Lily sogleich. »Bitte, bitte. Nur ganz kurz.«

Rose wollte schon verneinen, aber dann gab sie doch nach, weil sie sich nämlich selbst gern die Babys anschaute. Und obendrein traf man dabei manchmal auf spitzenbesetzte königliche Babys, die hier an der frischen Luft spazieren gefahren wurden. Allerdings bereute Rose ihren Entschluss, kaum dass sie den Teich erreicht hatten, denn Lily starrte höchst unverfroren in einen Kinderwagen nach dem anderen, nur um danach missbilligend den Kopf zu schütteln. Was Rose natürlich nicht wissen konnte, war, dass Lily die

Babys mit ihrer früheren Puppe, Primrose, verglich, und jedes Mal zu dem Ergebnis kam, dass sie nicht annähernd so hübsch waren.

»Wir müssen jetzt gehen«, mahnte Rose, nachdem Lily ein halbes Dutzend Babys begutachtet und für unbefriedigend befunden hatte. »Madam weiß sehr genau, wie lange es dauert, durch den Park zu Hardwood House zu gehen, und wenn ich zu spät zurück bin, bekomme ich Ärger.«

»Ich mag Babys«, stellte Lily noch einmal fest, während sie sich weiterführen ließ.

»Mhm«, kam die Antwort.

»Meine Schwester hatte auch eines.«

Rose schaute Lily verblüfft an. Sie konnte doch wohl nicht dieses stille, scheue Mädchen meinen, in dessen Begleitung sie gekommen war? »Bist du sicher?«

Lily nickte und runzelte die Stirn. »Ich glaube schon.«

Rose fragte nicht weiter: Das Mädchen reimte sich offenbar allen möglichen Unfug zusammen.

Hardwood House lag in der wohl elegantesten Straße am ländlichen Rand von Kensington, direkt an einem blühenden, baumgesäumten, umzäunten Platz, zu dem nur die Anwohner Zutritt besaßen. Die Häuser ringsum ragten hoch auf und waren großzügig proportioniert. Zu den Haustüren führten Treppen hinauf, die täglich von einem Dienstmädchen geschrubbt wurden. Die Haustüren selbst glänzten in farbigem Lack, und die Türklopfer und Briefschlitze aus Messing wurden jeden Tag außer sonntags so makellos poliert, dass man sich darin spiegeln konnte.

Lily betrachtete das Haus staunend: Es war vier Stockwerke hoch und eines tief. Als sie noch bei Mama gelebt hatte, hatten sie auch ein ganzes Haus für sich gehabt, daran erinnerte sie sich noch, aber das hatte nur zwei Zimmer oben und zwei Zimmer unten gehabt. Dieses Haus hingegen sah aus, als berge es gut und gerne zwanzig Zimmer – oder womöglich noch mehr, wenn sie gewusst hätte, was für eine Zahl nach zwanzig kam.

»Das ist aber ein sehr großes Haus. Wer wohnt denn da noch drin?«, fragte sie Rose.

»Wer noch? Niemand, nur Mr und Mrs Unwin und Miss Charlotte. Oh, und die Dienstboten natürlich. Aber die zählen ja nicht«, fügte sie hinzu.

»So viele Stockwerke und Fenster nur für sie?« Lily stellte sich auf die Zehenspitzen, um durchs Fenster in den Salon zu spähen, und erhaschte einen flüchtigen Eindruck von weich gepolsterten Sofas und Stühlen, schweren Stoffen, gemusterten Tapeten und mehreren Tischchen, auf denen sich allerlei kunstvolle Gegenstände drängten.

»Ja, nur für sie. Jetzt komm aber, wir gehen hinten herum!«, sagte Rose rasch, da Lily Anstalten machte, die Stufen zur Haustür hinaufzugehen. »Bedienstete benutzen nicht den Vordereingang. Niemals!«

Bei ihrem Blick in den Salon der Unwins hatte Lily, was sie natürlich nicht wusste, eine Zimmereinrichtung auf dem Höhepunkt der zeitgenössischen Mode gesehen: Wände mit gemusterten Tapeten von Mr William Morris, überall Sessel und Tischchen, ausgestopfte Vögel in Glaskugeln, Anrichten mit Porzellanelefanten darauf, Amor-Figürchen, Darstellungen von Königin Viktoria und Prinz Albert, amüsanter Nippes aus dem Ausland und glasierte Blumenschalen mit üppig wuchernden Farnen. Sämtliche Räume oberhalb des Treppenniveaus waren mit dieser Opulenz eingerichtet, doch sobald man eine Tür öffnete, die nach unten führte, galten andere Maßstäbe: Die Dienstbotenquartiere befanden sich in dunklen, mit Steinfliesen ausgekleideten Räumlichkeiten, und der Betrieb der Kochstellen, Spülbecken und Kamine war furchtbar aufwändig und anstrengend. Es gab kein heißes Wasser, die Spülbecken waren aus Blei, und selbst bei hellem Tageslicht benötigte man dort unten Kerzenlicht, um überhaupt zu sehen, was man tat. Die riesige Küche enthielt zwei Feuerstellen mit Bratrosten, einen Ofen für Brot und einen für Pasteten und Gebäck sowie mehrere Kochplatten für Töpfe und Pfannen, doch die Kohlefeuer mussten permanent versorgt werden, wollten von Tagesanbruch bis Feierabend gerüttelt, angefacht und geschürt werden, wenn man nicht Gefahr laufen wollte, dass sie plötzlich inmitten der Vorbereitungen für ein Mahl ausgingen.

Hier unten in der Küche stellte Rose Lily den anderen Hausangestellten vor: Mrs Beaman, der Köchin und Haushälterin, Blossom und Lizzie, den Dienstmädchen, und Ella, der Küchenhilfe.

Die Bediensteten reagierten auf den Neuankömmling unisono mit einer Mischung aus Bestürzung und Erheiterung, rangen beim Anblick ihrer schmutzigen, nackten Füße entsetzt nach Luft, schnüffelten demonstrativ, als Lily sich aus ihrem Schultertuch wickelte, und schauderten unübersehbar, als sie die Flohbisse auf ihren Armen erblickten (die von der Nacht in dem Lagerhaus stammten). Die Einzige, die zumindest ein bisschen angetan war von Lilys Erscheinen, war Ella, die sogleich erkannte, dass sie nun nicht mehr das niedrigste Mitglied in der Haushaltshierarchie war.

Rose, die im Grunde ein recht warmherziger Mensch war, fand es peinlich, wie Lily von den anderen gemustert und begutachtet wurde. Sie schlug Lily vor, doch ein wenig im Garten draußen spazieren zu gehen.

»Was für ein Aufzug!«, rief Blossom, kaum dass die Tür hinter Lily zugefallen war.

»Weiß Gott, was die uns für Ungeziefer ins Haus schleppt – nein, wirklich, die sieht nicht aus, als ob sie je ein Stück Seife in der Hand gehabt hätte!«, empörte sich Lizzie.

Mrs Beamans Busen hob sich unter einem tiefen Atemzug. »Und der gnädige Herr will sie als Kammermädchen für Miss Charlotte einstellen?«, fragte sie, an niemand Bestimmten gewandt. »Er muss den Verstand verloren haben.«

»Die gnädige Frau hat ziemlich verdutzt dreingeschaut, als sie mir auftrug, sie herüberzubringen«, warf Rose ein.

»Also, mal abgesehen von ihrem Aufzug, weiß die denn überhaupt, was die Aufgaben eines Kammermädchens sind?«, fuhr Lizzy mit einem überlegenen Lächeln fort. »War die schon mal irgendwo in Dienst? Kann die einen gefältelten Unterrock bügeln? Kann sie Haare drapieren?«

»Ob die das kann, dass ich nicht lache! Einen Scheißdreck kann die«, sagte Mrs Beaman, und die anderen brachen in schockiertes Gekicher aus.

»Hat der gnädige Herr Anweisungen hinsichtlich ihrer Garderobe gegeben?«, fragte Mrs Beaman. Sie blickte an sich hinunter. Sie selbst und das restliche Hauspersonal trugen dunkelblaue Baumwollkleider mit weißen Leinenschürzen darüber. »Soll sie unsere Livree tragen? Hat sie überhaupt Schuhe?«

»Wo kommt sie überhaupt her?«, wollte Blossom wissen.

Rose zuckte mit den Achseln. »Ich weiß bloß, dass sie eine Schwester hat, die bei den Unwins als Sargbegleiterin eingestellt wird. Ich glaube, sie mussten beide Mädchen nehmen, sonst hätte die andere nicht zugesagt. Mr Unwin wird euch wohl heute Abend mehr erzählen«, fügte sie hinzu, denn die Unwins kehrten jeden Abend in ihr Haus in Kensington zurück.

»Legen die Unwins jetzt gar eine wohltätige Ader an den Tag? Ausgerechnet? Das wär aber was absolut Neues!«, überlegte Mrs Beaman laut, während sie samt den anderen am Fenster stand und kopfschüttelnd beobachtete, wie Lily im Garten herumspazierte, an den Blumen schnupperte, duftende Kräuter zwischen den Fingern zerrieb und die Fülle an Gemüsen bewunderte, die in dem ummauerten Garten wuchs.

Es war traurig, dass sie nun von Grace getrennt leben musste, ging es Lily derweil durch den Kopf, aber Grace hatte ihr ja versprochen, dass es nicht für immer sein würde. Und, immerhin – was es hier alles zu essen gab! Die leuchtend roten Tomaten, die Kürbisse und Zwiebeln und die prallen weißen Blumenkohlköpfe – ganz zu schweigen von den Hühnern, die im Sand herumpickten. Jede Wette, dass hier nie jemand hungrig zu Bett ging! Da sie aus der Not heraus gewohnt war, zu essen, wann immer sich eine Gelegenheit dazu bot, pflückte sie ein paar reife Blaubeeren und steckte sie sich in den Mund. Als Mrs Beaman kräftig an die Fensterscheibe klopfte, um sie zu ermahnen, blickte sich Lily zu ihr um, lächelte und winkte ihr zu.

»So eine Frechheit! Aus der wird nie im Leben ein Kammermädchen!«, stellte Mrs Beaman fest.

»Noch sonst irgendein Dienstmädchen!«, fügte Blossom hinzu.

»Jedenfalls nicht, solange sie nicht gebadet hat«, stellte Lizzie fest und schnüffelte noch einmal an der Stelle, wo Lily gestanden hatte und noch immer der Hauch eines fauligen Gestanks nach gekochten Tierknochen in der Luft hing.

Rose schaute Mrs Beaman an und dachte an die erst jüngst im Haus installierte luxuriöse Warmwasserdusche, das absolut Neueste, was es derzeit gab. »Ob sie wohl –«

»Nein, sie wird ganz gewiss nicht das neue Badezimmer benutzen«, erwiderte Mrs Beaman resolut. »Was für ein Gedanke!«

Rose verabschiedete sich und ging durch den Park zurück zum Geschäftshaus der Unwins, während im Wohnhaus die Diskussionen über die neue Dienstmagd fortdauerten. Nachdem Blossom verkündet hatte, dass sie sich unter keinen Umständen mit jemandem, der so übel roch wie Lily, im selben Raum aufhalten wolle, entschied Mrs Beaman, sie mit einem Penny aus der Haushaltskasse unter Ellas Aufsicht in die öffentliche Badeanstalt von Hammersmith zu schicken, wo sie so gründlich geschrubbt und desinfiziert werden solle, wie es dem Standard eines Dienstmädchens in einem gehobenen bürgerlichen Haushalt entsprach. Bevor die beiden loszogen, trieb Mrs Beaman noch ein paar alte Kleidungsstücke auf, die Miss Charlotte als hoffnungslos altmodisch abgelegt hatte, sowie ein paar alte Schuhe von ihr selbst, deren Sohlen fast vollständig durchgelaufen waren. Auf diese

Art hoffte Mrs Beaman, das Erscheinungsbild des neuen Dienstmädchens zumindest ein wenig zu verbessern und aufzuwerten, bevor es der Tochter des Hauses vorgestellt würde.

»Jetzt, wo sie frisch gewaschen ist, kann sie doch den Nachmittagstee reinbringen!«, drängte Blossom Stunden später die Haushälterin Mrs Beaman.

»Oh ja, bitte!«, sagte Lizzie und zwinkerte dabei Blossom zu. »Wollen wir doch mal sehen, was Miss Charlotte zu ihr zu sagen hat.«

»Ich weiß nicht«, sagte Mrs Beaman. Sie betrachtete zweifelnd Lily, die, obwohl frisch gebadet und neu eingekleidet, noch immer nicht so recht dem entsprach, was man sich von einer Angestellten eines gehobenen Haushalts erwartete.

Sie wirkte irgendwie unbeholfen: die komischen, entenartig abstehenden Füße, der abwesend ins Leere gerichtete Blick und das rotbraune Haar, das, obwohl dreimal gewaschen und mit einem Kamm bearbeitet, noch immer wie ein struppiger, zerzauster Wust aussah. Obendrein stand ihr die Farbe von Miss Charlottes abgelegtem Kleid überhaupt nicht: Das Pastellgrün schien Lilys gerötetes Gesicht noch hervorzuheben, das durch die scharfe Karbolseife aus der Badeanstalt nun erst recht knallrot leuchtete. Dennoch, als es aus dem Salon nach dem Tee läutete, stattete Mrs Beaman Lily kurzerhand mit einer weißen Schürze aus, drückte ihr das Tablett mit dem silbernen Teegeschirr in die Hände und führte sie ins Wohnzimmer, um sie Miss Charlotte Unwin vorzustellen.

Miss Charlotte war sechzehn Jahre alt und hatte dank eines Lebens in Luxus, Bequemlichkeit und Wohlstand die rosige Haut, die glänzenden Augen und üppigen goldblonden Haare, die man sich bei einem jungen Mädchen aus solchen Verhältnissen vorstellte. Außerdem hatte sie eine eigene Schneiderin und eine Garderobe aus den allerneuesten Kleidern und jedem erdenklichen modischen Kinkerlitzchen, auf das eine schicke junge Dame des Jahres 1861 Anspruch zu haben glaubte. Charlotte freute sich schon sehr auf das kommende Jahr, in dem sie in die Gesellschaft eingeführt und Königin Viktoria vorgestellt würde, denn dann würde eine ganze Saison angefüllt mit Tanz, Bällen und prunkvollen Festmahlen folgen, bei denen sie (da war sie sich ganz sicher) der glitzernde Mittelpunkt sein würde. Ihre Mutter hatte ihr für diese Zeit ein eigenes Dienstmädchen versprochen, und so freute sie sich bereits auf eine kecke junge Frau, die nicht nur in der Lage wäre, ihr Haar zu Locken aufzutürmen und einen Spitzenkragen zu reparieren, sondern auch noch wusste, welches Diadem man zu welcher Gelegenheit trug.

Leider war Lily nicht diese junge Frau.

»Miss Charlotte«, sagte Mrs Beaman, nicht ohne eine gewisse Portion sorgsam verhohlener Vorfreude, »darf ich Ihnen Lily vorstellen?«

Sie bedeutete Lily, das Teetablett auf dem nächstbesten Tischchen abzustellen, doch Lily stand bloß mit sperrangelweit aufgerissenem Mund da, bestaunte mit kugelrunden Augen die Fenster, die Wände, den Boden, die Möbel und schnappte ein ums andere Mal vor Entzücken nach Luft. Plötzlich entdeckte sie auf dem Kaminsims einen Porzellankrug mit den vertrauten blauen Vögeln, ließ das Tablett klirrend auf das Tischchen plumpsen und humpelte unter Schmerzen (denn Mrs Beamans Schuhe waren ihr zu klein) darauf zu.

»Das ist genau wie die Teekanne von Mama!«, rief sie aus und kratzte sich vor Aufregung an den Flohbissen auf ihren Armen. »Habt ihr das bei Onkel gekauft?«

Miss Charlotte starrte sie mit maßloser Verblüffung an. Sie sah aus, so beschrieb Mrs Beaman es später, als hätte vor ihren Augen ein Einhorn den Salon betreten, um Gurkensandwiches zu servieren.

»Grace musste nämlich unsere Teekanne versetzen – sie hat einen Shilling dafür bekommen«, plapperte Lily munter weiter und schaute strahlend zu Miss Charlotte hinüber. Sie nahm den Krug in die Hand, woraufhin Mrs Beaman, um eine drohende Katastrophe zu verhindern, rasch um das Sofa herumging und ihn ihr vorsichtig aus der Hand nahm. »Gehst du oft zu Onkel?«, fragte sie Miss Charlotte.

»Mrs Beaman, wer ist diese Person?«, fragte Charlotte mit schwacher Stimme.

Mrs Beaman konnte eine Weile nicht antworten, da sie eine Art Reigen um Lily herum aufführte, um zumindest die kostbarsten Gegenstände vor Lilys neugierigem Zugriff zu schützen oder ihr sacht wieder aus den Händen zu nehmen, was sie zur näheren Begutachtung hochgehoben hatte. Als Lily sich ein wenig beruhigt hatte und bei den schweren Samtvorhängen stehen blieb, um sie zu streicheln wie das Fell eines Tieres, brachte Mrs Beaman schließlich eine Antwort heraus: »Lily ist neu in unserem Haushalt, Miss. Ihr Herr Papa und Ihre Frau Mama haben sie angestellt.«

»Das kann ich kaum glauben. Als was denn?«

»Ich glaube, äh, als Kammermädchen.«

»Und für wen, um des Himmels willen?«

Mrs Beaman hüstelte verlegen. »Für Euch, Miss Charlotte.«

Der Entsetzensschrei, den Charlotte Unwin ausstieß, wurde von ihrem Vater und ihrer Mutter vernommen, die just in diesem Augenblick nach Hause kamen. Mr Unwin eilte flugs in den Salon, erfasste mit einem Blick die Situation und befahl Lily, sofort in die Küche zurückzugehen. Lily kam der Aufforderung auch sogleich nach, jedoch nicht, ohne ihm vorher noch ein strahlendes Lächeln zu schenken und sich einen Keks vom Teetablett zu nehmen.

Mr Unwin bedeutete der Köchin, zu bleiben, und zog – während Mrs Unwin sich bemühte, Charlotte zu beruhigen – einen Zehn-Shilling-Schein aus der

Innentasche seines Jacketts. »Mrs Beaman, vielen Dank im Voraus, dass Sie in einer heiklen Situation Ihr Bestes geben«, begann er.

Mrs Beaman knickste und zwang sich, nicht auf den Zahlenwert der Banknote zu schielen. Allerdings hoffte sie auf eine Pfund-Note.

»Es ist nämlich so: Die neu angestellte junge Person …«

»Lily?«, vergewisserte sie sich. Für fünf Pfund war es jedenfalls die falsche Farbe.

»Lily«, bestätigte er und fuhr fort: »Lily wurde von Mrs Unwin und mir aus Wohltätigkeit aufgenommen. Ihre Schwester wird als Sargbegleiterin bei uns arbeiten und war in Sorge darum, dass auch Lily untergebracht ist, da sie ein wenig … ein wenig …« Da ihm keine passende Formulierung einfiel, wedelte er vage mit beiden Händen vor seinem Kopf herum.

»Ich verstehe, Sir«, sagte Mrs Beaman. Das war ja nun offensichtlich.

»Ich fürchte, ich habe ihrer Schwester versprochen, dass Lily als Dienstmädchen ausgebildet werden könne, aber Sie und ich wissen natürlich, dass sie diese Rolle niemals zu unserer Zufriedenheit würde erfüllen können. Vielleicht könnte sie ja … Stiefel putzen oder etwas in der Art?«

»Vielleicht, Sir«, kam die zögerliche Antwort.

»Ich bin mir sicher, Sie werden eine gute Lösung finden«, fuhr Mr Unwin fort, wobei er den Zehn-

Shilling-Schein auffaltete, »und vielen Dank für Ihr Verständnis. Eine Sache wäre da noch: Mrs Unwin und ich sind – aus rein *wohltätigen* Motiven – sehr interessiert an dieser jungen Person.«

Mrs Beaman zog leicht die Brauen hoch. »Sehr wohl, Sir.«

»Wir wüssten gerne, wie es zugehen kann, dass zwei Mädchen aus gutem Hause so ein hartes Schicksal erleiden. Damit so etwas in Zukunft verhindert werden kann, verstehen Sie.« Er wartete, bis Mrs Beaman zustimmend genickt hatte, und fuhr fort: »Wenn Sie so gut wären, falls sie etwas über ihre familiären Hintergründe erzählt, es an uns weiterzugeben.«

Mrs Beaman versuchte, ihre Überraschung zu verbergen. »Wie Sie wünschen, Sir.«

»Vielen Dank. Und selbstverständlich ist diese Angelegenheit höchst vertraulich und muss unter uns bleiben.«

»Natürlich, Sir.«

Der Geldschein landete endlich in ihrer Hand, Mrs Beaman knickste noch einmal und ging zurück in die Küche, nicht ohne über die Höhe der Banknote gelinde die Stirn zu runzeln. Nur zehn Shilling! Nun, solange noch mehr davon kamen …

Im Salon schloss sich derweil ein gedämpftes Gespräch zwischen den drei Unwins an. Mrs Unwin war inzwischen in die ganze Geschichte einschließlich die zu erwartende Höhe der Erbschaft eingeweiht (und erwog bereits, eine Strandvilla in dem jüngst in Mode gekommenen Badeort Brighton zu kaufen), und nun wurde Charlotte über die Situation in Kenntnis gesetzt. Außerdem erfuhren die beiden von dem neuen Plan, Lily zu »adoptieren«.

Mr Unwin war ein wenig bange hinsichtlich der Reaktion seiner Tochter gewesen, doch wie sich herausstellte, war Charlotte aus demselben Holz geschnitzt wie ihr Vater. Sie war sogleich bereit, das Ihrige dazu zu tun, um Lily davon zu überzeugen, dass sie schon vor Jahren in die Familie aufgenommen worden sei. Angesichts der Aussicht auf ihren eigenen Einspänner in einer schicken Farbe bedurfte es keiner weiteren Überredungskunst.

Barnett's Babybedarf

Für alles, was das Baby braucht.
Wiegen, Stubenwagen, Kinderwagen und Tragekörbe aus hundert Prozent britischer Herstellung.
Lassen Sie auch Ihr Baby ein Barnett-Baby sein!
Beehrt von adliger Kundschaft.

Kapitel 14

Am folgenden Tag ging eine äußerst elegant gekleidete Frau mit einem kleinen Kind an der Hand am Teich in den Kensington Gardens spazieren und blieb neben einem schicken Kinderwagen stehen, um das Baby darin zu bewundern.

»Was für ein hübsches Baby!«, sagte sie. »Ein richtiges kleines Engelchen!«

Mrs Robinson lächelte versonnen und erwiderte: »Das ist er, nicht wahr? Ich weiß ja, Eigenlob ist keine Tugend, aber, nun, mein Mann und ich finden ihn auch absolut hinreißend.«

Die Frau schaute noch einmal das Baby an und dann Mrs Robinson, als vergleiche sie die beiden Gesichter. »Was für hübsche Gesichtszüge. Und ich glaube, er hat Ihre Augen!«

Die Wangen der frischgebackenen Mutter röteten sich vor Freude. »In der Tat, das heißt es öfter.«

Die andere Frau hob ihr kleines Kind ein wenig in die Höhe, damit es in den Wagen sehen konnte. »Sieh mal, das kleine Baby, George! Ist es nicht süß?«

Den kleinen George schienen die Boote auf dem Teich allerdings mehr zu beeindrucken, und so setzte ihn die Frau wieder ab. »Sie haben gar kein Kindermädchen, wie ich sehe.«

Mrs Robinson schüttelte den Kopf. »Meinen Kleinen von jemand anderem versorgen lassen? Niemals! Er ist mir viel zu kostbar!«

»Ganz recht. Ich habe drei Kinder – in ganz gleichmäßigen Abständen – und habe jedes einzelne selbst gestillt.« Sie lächelte ein wenig. »Um ehrlich zu sein, ich hatte Angst, dass meine Babys am Ende die Amme lieber mögen als mich!«

Mrs Robinson lachte.

»Und von wem hat er denn die Farbe bekommen?« Die Frau blickte erneut in den Wagen. »Da sehe ich doch Löckchen unter der Haube! Die rotbraunen Haare stammen wohl von Ihrem Gatten?«

Mrs Robinson zog ein Gesicht, als sei ihr eine unschickliche Frage gestellt worden. »Ja. Ja, allerdings!«, sagte sie in beinahe aggressivem Ton.

Die andere Frau stutzte und überlegte, was sie wohl Falsches gesagt haben mochte. Schließlich nickte sie steif mit dem Kopf. »Dann wünsche ich Ihnen noch einen guten Tag.«

»Guten Tag«, erwiderte Mrs Robinson, ihren barschen Ton gegenüber der Frau bereuend. Trotzdem, wie ärgerlich, dass die Leute auch ständig so ein Aufhebens um Äußerlichkeiten machen mussten, und ob er nun mehr Stanley oder ihr ähnelte, wo sie das doch wirklich nicht das Geringste anging! Sie wusste, was Stanley dazu sagen würde – dass die Leute sich nichts groß dabei dachten, sondern einfach nur freundlich sein wollten. Sie musste wirklich versuchen, sich das immer wieder in Erinnerung zu rufen und sich nicht aufzuregen …

Bedenke, Betrachter, der du dies liest,
Wie rasch alles Irdische verfliesst,
Und sei bereit, wenn der Herr dich ruft,
Gar plötzlich liegst auch du in der Gruft.

Grabinschrift

Kapitel 15

Vier Wochen später stand Grace, zitternd in ihrem Kleid und Mantel aus schwarzem Kreppstoff, vor einer imposanten Kirche mitten in London. Das Wetter wurde jetzt zunehmend kälter, und Krepp – der angesagteste Stoff für Trauerbekleidung, sowohl bei den Angehörigen als auch für die Leichenbegleiter – erwies sich als schlechte Wahl unter solchen Bedingungen, da er den Wind nicht abhielt und obendrein bei der geringsten Feuchtigkeit in der Luft am Körper zu kleben begann.

Grace und das Mädchen, mit dem zusammen sie eingeteilt war, Jane, standen rechts und links vom Kirchenportal und sahen mit ihren schwarzen Schleiern und Stäben mit herabhängenden Trauerfloren aus wie ein Zwillingspaar von Todesboten. Sie waren von der Familie des Verstorbenen gebucht worden, um sechs Stunden lang mit einem Ausdruck herzzerreißenden Schmerzes vor dem Portal Wache zu halten, bis der Trauerzug eintraf und die eigentliche Beerdigung begann. So harrten sie bereits seit sieben Uhr morgens aus.

Es stand eine große, prunkvolle Beerdigung an. Die Familie von Cedric Welland-Scropes, dem Verstorbenen, besaß ein Mausoleum auf dem Kirchengelände, in dem bis zu zwanzig Familienmitglieder Platz finden konnten, und so waren zwei Zeremonien geplant: eine in der Kirche und eine weitere am Grab des Verstorbenen am anderen Ende des Friedhofs. In einem Trauerzug sollte der Verstorbene von seinem Wohnhaus zur Kirche gebracht werden: an der Spitze des Zugs ein Sargbegleiter, der schwarze Straußenfedern vor sich hertrug; die Pferde des Leichenwagens geschmückt mit frisch gefärbten schwarzen Federn, der Sarg in der gläsernen Kutsche von einem fransenverzierten Leichentuch aus schwerem Samt bedeckt und dahinter mindestens zwölf Beerdigungskutschen. Für Beerdigungsbesucher wurden schwarze Seidenschals, Hutbänder und Handschuhe bereitgehalten.

Grace versuchte mehrmals, ein Gespräch mit ihrer Partnerin anzufangen, um sich die Wartezeit ein wenig zu verkürzen, doch Jane, die bereits seit zehn Jahren für das Bestattungsunternehmen arbeitete – seit ihrem neunten Lebensjahr –, nahm ihre Aufgabe äußerst ernst. Es bereitete ihr keinerlei Schwierigkeiten, ununterbrochen einen tragischen Gesichtsausdruck an den Tag zu legen, und manchmal schaffte sie es sogar, ein paar Tränen zu vergießen, indem sie sich einredete, dass sie selbst einen Angehörigen verloren hätte. Von Natur aus ängstlich und zaghaft, wie sie war, sprach sie schon außerhalb der Arbeitszeiten kaum ein Wort, während dieser jedoch überhaupt nichts. Mrs Unwin hatte ihr eingeschärft, dass stumm zu sein die oberste Tugend einer Sargbegleiterin sei, und was Mrs Unwin sagte, war für Jane Gesetz. So gab Grace ihre Bemühungen, Jane in ein Gespräch zu verwickeln, nach einigen vergeblichen Versuchen auf, verfiel selbst in Schweigen und beobachtete die Vorkehrungen für ein Armenbegräbnis keine zehn Meter von ihnen entfernt.

St. Jude's war eine der wenigen Kirchen in London, wo es noch Platz für Leichname gab, und eben schaufelten zwei Leichengräber in einem ungepflegten, überwucherten Teil des Friedhofs ein etwa drei Meter breites Loch aus. Dabei stießen sie unweit der Oberfläche auf einige menschliche Überreste von vorherigen Bestattungen: hier ein Oberschenkelknochen, dort ein Schlüsselbein und einmal sogar ein kompletter Schädel in einem großen Erdklumpen. Ungerührt von ihren makabren Funden, pfiffen sie bei der Arbeit vor sich hin, fluchten ungeniert und rissen munter Witze. An diesem Morgen konnten sie nach Lust und Laune arbeiten, denn da es sich um ein

Armenbegräbnis handelte, waren keine Angehörigen oder Freunde des Verstorbenen zu erwarten, auf die sie hätten Rücksicht nehmen müssen, und für pietätvolles Verhalten bestand somit keine Notwendigkeit.

Neben der Grube stand ein Karren mit einem davorgespannten Maultier. Auf dem Karren lagen drei schlampig verschnürte, längliche Bündel: Selbst ein einfacher Sarg war für die Angehörigen unerschwinglich gewesen, und so wurden die Leichen der Armen in ein grobes Tuch gewickelt, das die Gemeinde bereitstellte. Aus einem der Bündel schauten ein Haarschopf und ein unbedecktes Bein hervor, und Grace schauderte bei dem Anblick. Wenigstens, ging es ihr durch den Sinn, war Mama das schreckliche Los eines Armenbegräbnisses erspart geblieben, denn als sie starb, war noch genügend Geld für ein angemessenes Begräbnis und eine eigene Grabstelle vorhanden gewesen. Ein paar freundliche Nachbarn hatten dies arrangiert, allerdings konnte Grace sich kaum noch daran erinnern. Im Stillen dankte sie Mrs Smith, der Hebamme, für die Anweisungen, die sie ihr gegeben hatte, denn ohne diese und das Fahrgeld nach Brookwood wäre ihr eigenes Baby auch in einem Massengrab wie diesem hier gelandet.

Um die Mittagszeit unterbrachen die Totengräber ihre Arbeit für einen Imbiss und packten ihr mitgebrachtes, in Zeitungspapier gewickeltes Brot und Käse aus. Da sie sich unbeobachtet wähnen konnten, warfen sie das Papier, die Käserinde und die Apfelkerne ungeniert in das ausgehobene Grab. (»Hast du das gesehen?«, raunte Grace empört ihrer Begleiterin zu, doch Jane schwieg beharrlich und starrte pflichtbewusst vor sich hin.) Nachdem die beiden Männer ihr derbes Mittagsmahl beendet hatten, verschwand einer im nahegelegenen Wirtshaus *Fox and Grapes* und kehrte kurz darauf mit einem Krug Bier zurück, das er, zur maßlosen Erheiterung des anderen, auf dem ausgegrabenen Totenschädel abstellte. Als der Krug geleert war, setzten sie ihre Arbeit fort: Das Loch war nun tief genug, die drei Leichname wurden hineingeworfen und mit Erde bedeckt, über die zuletzt noch etwas Kalk gestreut wurde. Dann machten sich die Totengräber auf ins Wirtshaus, um ihren Lohn zu verzechen.

Grace und Jane harrten weiter aus. Das Warten war nicht gerade angenehm, überlegte Grace, denn es bescherte ihr allzu viel Zeit, um sich in Sorgen über ihre Lage und vor allem die von Lily zu ergehen. Ihre Schwester war immer behütet worden, zuerst von Mama und dann von Grace, man hatte ihr wegen ihres einfachen Gemüts immer Nachsicht entgegengebracht und die harten Tatsachen des Lebens von ihr ferngehalten. Wer aber kümmerte sich nun um ihr Wohlergehen? Wurde sie bei den Unwins gut behandelt? Grace hatte Mrs Unwin mehrmals gefragt, wie sich ihre Schwester machte, jedoch als Antwort nur ein vages »So wie man es eben von ihr erwarten kann« erhalten oder eine Bemerkung wie: »Aus einem Ackergaul kann man kein Rennpferd machen« – Aussagen, die nicht gerade dazu angetan waren, Graces Besorgnis zu zerstreuen. Grace würde sich besser fühlen, wenn sie Lily einmal besuchen und sich selbst von ihrem Befinden überzeugen könnte, doch bisher hatte sich keine Gelegenheit geboten, das Haus in Kensington aufzusuchen. Die Unwins genehmigten ihren Angestellten zwar einen relativ freien Sonntag, erwarteten jedoch, dass sie diesen Tag dazu nutzen, in ein öffentliches Badehaus zu gehen, ihre Wäsche zu machen, ihre Strümpfe zu stopfen und Kleider zu flicken, ihre Trauerkleider auszubürsten und zu plätten und morgens und abends den Gottesdienst zu besuchen. Grace hatte sich überlegt, dass der Fußmarsch nach Kensington etwa eine Stunde dauern würde, und sich vorgenommen, am nächsten Sonntag in aller Frühe aufzustehen, bis zum nachmittäglichen Kirchgang all ihre Aufgaben zu erledigen und direkt nach der Messe nach Kensington aufzubrechen.

In den Wochen, die sie nun schon bei den Unwins arbeitete, hatte sie viel gelernt. Die ersten paar Tage war es ihr elend ergangen: Sie hatte sich mit den Gedanken an die jüngsten Ereignisse in ihrem Leben gequält und versucht, sich damit abzufinden, wie ihr Leben von nun an aussehen würde: Sie würde Lily vermissen, sie würde Tag für Tag lange und hart arbeiten – denn wenn es keine Beerdigung gab, an der sie teilnehmen musste, so war sie mit dem Nähen von Leichentüchern, Auskleiden von Särgen und Sticken von Beerdigungsandenken beschäftigt; sie teilte sich ein winziges Zimmer mit Jane, besaß weder Privatsphäre noch ein eigenes Leben. Wenigstens musste sie sich aber keine Gedanken über die Miete machen, rief sie sich immer wieder in Erinnerung, oder darüber, woher das nächste Stück Brot kommen oder ob sie auf den Straßen von London erfrieren würde. Das Leben bei den Unwins war nicht auf dieselbe Weise hart, wie es ihr vorheriges Dasein gewesen war, mit der Drohung des Verhungerns, völliger Verarmung und schließlich des Arbeitshauses ständig vor Augen, sondern insofern, als sie vierzehn Stunden am Tag unter kläglichen Umständen arbeiten musste und niemanden hatte, den sie ihre Freundin nennen konnte.

Auch ein Gefühl, das fast an Heimweh erinnerte, quälte sie. Das ergab zwar keinen richtigen Sinn, wo ihr letztes Zuhause doch nur ein kahles Zimmer in einem heruntergekommenen Haus gewesen war, in dem sie und Lily fast verhungert wären, doch »Heimweh« war das Wort, das ihrem Gefühl von Einsamkeit und völliger Besitzlosigkeit am nächsten kam.

Und an allem war dieser Mann schuld, das wusste sie mit Gewissheit. Der Mann mit nur einer Hand, der des Nachts gekommen war und alles zerstört hatte. Wäre dies nicht geschehen, so wäre sie nicht aus dem Heim weggelaufen; sie wäre mit Lily dortgeblieben, hätte ihre Ausbildung zur Lehrerin abgeschlossen und vielleicht irgendwann eine passable Heirat machen können. Nun aber war solch ein angenehmes, ganz normales Leben in weite Ferne gerückt, und die Zukunft lag düster vor ihr. Denn sie war eine gefallene Frau, und das würde sie immer bleiben.

Durchgefroren und müde von dem langen Stehen, wackelte Grace in ihren billigen schwarzen Stiefeln mit den Zehen, um sie ein wenig warm zu bekommen.

»Ist dir nicht kalt?«, fragte sie Jane, die nach wie vor reglos wie eine Statue neben ihr stand. »Sehnst du dich nicht auch danach, vor einem schönen Kohlenfeuer zu sitzen?«

Jane starrte stur geradeaus.

»Oder unter einem Schirm in der Sonne?«, fuhr Grace schonungslos fort. »Oder in einem Boot über einen See gerudert zu werden, mit einem Picknickkorb neben dir? Oh, bitte, sag was! Sag doch mal was!«

Janes Antwort bestand darin, dass sie ihren Gesichtsausdruck ein winziges bisschen veränderte und zur Straße hin nickte, wo das Geräusch langsam rollender Wagenräder auf Kies und ein dumpfer Trommelschlag das Nahen des Leichenzugs ankündigten. Ganz vorn, direkt vor den berittenen Sargbegleitern, erschien Mr George Unwin, einen reiterlosen Hengst am Zügel führend; in den Steigbügeln steckten umgedrehte Lederstiefel als Symbol für das Ableben des Reiters. Hinter den Sargbegleitern folgten mehrere leere Kutschen, die einflussreichen Familien gehörten; da diese Leute gerade außerhalb von London weilten, hatten sie als Zeichen der Ehrerbietung ihre Landauer geschickt.

Als der Sarg in der Kutsche an ihnen vorbei ins Kircheninnere fuhr, fiel Grace der sorgfältig gefaltete Union Jack über dem mit edlen Fransen verzierten Sargtuch auf, und darauf der gefiederte Dreispitz des hochrangigen Verstorbenen, der Teil seiner Amtskleidung als Bürgermeister von London gewesen war, als er dieses Amt einige Jahre vorher innegehabt hatte. Die Familie hatte angeordnet, dass der Hut und die Flagge zusammen mit dem Sarg beerdigt würden, doch Grace arbeitete inzwischen lange genug bei dem Bestatter, um zu wissen, dass diese Dinge dem Grab auf wundersame Weise entgehen würden, um beim nächsten bedeutenden Begräbnis ihre Auferstehung zu feiern – gegen Bezahlung selbstverständlich, denn beide Gegenstände waren von beträchtlichem Wert.

Diese heimlichen Machenschaften überraschten Grace nicht. Die Unwins waren Gauner, allerdings nicht mehr oder weniger als all die Taschenspieler mit ihren gezinkten Karten, die Pfandleiher, die Vogelfälscher oder Kinderräuber, die die Innenstadt von London bevölkerten. Sie führten also ihren Kunden edelstes Mahagoni für den Sarg vor und verwendeten heimlich billiges Spanholz – und wennschon? Wen störte es, wenn die Namensplaketten am Ende aus Zinn waren anstatt aus dem verabredeten Silber? Was für eine Rolle spielte es, wenn sie den Leichnam entkleideten und ihm seine goldene Uhr abnahmen, anstatt ihn, wie von seinen liebenden Angehörigen gewünscht, in seiner schicken Abendgarderobe zu beerdigen? Das war nicht ihre Angelegenheit, sagte sich Grace. Sie konnte sich nicht auch noch um reiche Leute Gedanken machen, die genug Geld besaßen, um es für prunkvolle Beerdigungen auszugeben. Nicht, wenn sie ihre Arbeit behalten wollte.

Grace hielt den Kopf gesenkt, während im Gefolge des Sargs die Familie und Freunde des Verstorbenen die Kirche betraten. Eine große Anzahl von Leuten, die sich selbst für bedeutende Mitglieder der Gesellschaft hielten, war anwesend, denn der Verstorbene hatte seit seinem Ausscheiden aus der Armee als leuchtendes Beispiel eines guten Bürgers gegolten, hatte Wohltätigkeitseinrichtungen unterhalten, Heime für Bedürftige gegründet und sich sogar selbst in Gefahr begeben, indem er nachts in den Gassen von London Decken verteilte. Um Obdachlose und gefallene Frauen hatte er sich in besonderem Maße gekümmert, hatte unermüdlich daran gearbeitet, sie wieder in die Gesellschaft einzugliedern, sie manchmal sogar in seinem eigenen Haus aufgenommen, um ihnen eine Ausbildung zum Hauspersonal angedeihen zu lassen.

Grace beobachtete unter gesenkten Lidern, wie die Trauernden in Zweierreihen die Kirche betraten: Die Damen, die ihren Schmerz so weit im Griff hatten, dass sie dem Gottesdienst beiwohnen konnten, trugen die neueste Trauermode aus Paris (weite Ärmel, enorme, ausladende Röcke über einer Krinoline aus Fischbein, blickdichte schwarze Schleier vom Kopf bis zu den Füßen). Die Männer waren auf ihre Art nicht minder modisch gekleidet, denn die Fachhändler für Trauerbekleidung wurden nicht müde zu versichern, dass es Unglück brächte, Trauerkleidung im Haus zu behalten; vielmehr sollte für jeden Trauerfall neue Kleidung gekauft werden. Auf diese Weise würden, so pflegte George Unwin zu sagen, die dunklen Wolken der Trauer versilbert.

Als fast alle Trauernden die Kirche betreten hatten, erfasste Grace plötzlich ein seltsames, unangenehmes Frösteln. Als sie später darüber nachdachte, konnte sie nicht mehr genau sagen, welche Sinneswahrnehmung es nun eigentlich ausgelöst hatte. War es die Ahnung eines bestimmten Geruchs gewesen, ein eiskalter Finger, der ihr Rückgrat entlangfuhr, ein plötzlicher Schwindel oder einfach jenes Frösteln, das manchmal mit der Vorstellung beschrieben wird, es gehe jemand über dein Grab? Was auch immer es war, jedenfalls betrat die Person, die es offenbar ausgelöst hatte, als sie an ihr vorbeischritt, das Kirchenschiff und nahm in der letzten Bank Platz. Da nun alle Trauernden in der Kirche waren, konnte Grace es wagen, den Kopf zu heben und dorthin zu blicken: Sie sah den Rücken eines Mannes, der in seinen Fünfzigern sein mochte, in voller, makelloser Trauermontur gekleidet war, in einer lederbehandschuhten Hand ein Gesangsbuch hielt, in der anderen seinen Zylinder. Sie kannte ihn nicht, und ihr fiel nichts an ihm auf, was ihn von den anderen Herren der Trauergemeinde unterschieden hätte.

Vielleicht, so sagte sie sich, als die großen Türen des Kirchenportals zugingen, hatte sie es sich ja nur eingebildet …

Am Sonntag unternahm Grace, wie sie es geplant hatte, einen Spaziergang durch den Park nach Kensington und klopfte an die Hintertür des Unwin-Hauses. Sie hatte eine Weile überlegt, was sie anziehen sollte: Zwar war sie mit neuen schwarzen Stiefeln und den passenden Kleidern für eine Sargbegleiterin ausstaffiert worden (wobei die Kosten selbstverständlich von ihrem Lohn abgezogen worden waren), doch vermutlich wäre sie in schwarzem Schleier und Trauerhut auf der Straße allzu sehr angestarrt worden. Glücklicherweise war Rose so nett gewesen, ihr eine alte braune Samtjacke und einen dazu passenden Hut zu überlassen, und dies über einem schwarzen Oberteil und Krepprock getragen, sah nicht allzu sehr nach Beerdigung aus.

»Die Mistress duldet keine Besuche beim Hauspersonal«, verkündete Mrs Beaman und stand breitschultrig, die Arme vor der Brust verschränkt, im Türrahmen des Lieferanteneingangs. »Nicht ohne Erlaubnis.«

»Ach bitte, könnten Sie um Erlaubnis fragen?«, bettelte Grace.

»Kann ich nicht. Die ganze Familie ist ausgegangen.«

»Aber ich bin Lilys Schwester.« Grace schaute Mrs Beaman mit einem so flehentlichen Blick an wie zu den Zeiten, als sie, dem Verhungern nahe, versucht hatte, ihre Brunnenkresse an den Mann zu bringen. »Bitte, wenigstens einen Augenblick, um mich zu vergewissern, dass es ihr gut geht! Wir waren noch nie vorher voneinander getrennt, und ich wäre Ihnen unendlich dankbar dafür.«

Mrs Beaman musterte Graces ernstes, schönes Gesicht (»Wie einer von diesen Engeln auf einem Denkmal«, berichtete sie Blossom später) und gab nach. »Na gut, aber nur zehn Minuten«, sagte sie und trat aus dem Türrahmen zurück, um Grace einzulassen.

Es überraschte Grace nicht sehr, dass sie in eine eiskalte Spülküche geführt wurde und nicht in die Stube der Bediensteten, wo man ein Dienstmädchen normalerweise an einem Sonntagnachmittag antreffen würde. Lily war dort mit dem Reinigen von Messern beschäftigt: Mit Schmirgelpapier und Schleifpulver schrubbte sie die Klingen, und dies ziemlich heftig, da sie es schon zweimal gemacht hatte, und beide Male hatte Mrs Beaman ablehnend den Kopf geschüttelt und sie wieder von vorn anfangen lassen.

Als Lily Grace erblickte, rannte sie augenblicklich zu ihr, warf ihr die Arme um den Hals und fing so herzzerreißend zu weinen an, dass Grace befürchtete, ihre zehn Minuten würden um sein, bevor sie überhaupt ein Wort wechseln konnten.

»Schhhh ... schhh ... ist es denn so schlimm?«, fragte Grace und wischte ihrer Schwester etwas Schleifpulver von den Schultern. »Bitte, bitte, sag mir, dass es dir gut geht.«

Lily schluchzte noch ein paar Mal heftig, dann ging ihr Weinen in Schniefen über. »Es geht schon.« Sie seufzte tief. »Aber du fehlst mir so!«

»Wie ist es denn hier? Bekommst du etwas beigebracht?«

Lily nickte. »Ich darf die Schuhe putzen und die Messer säubern. Obwohl Mrs Beaman meistens sagt, dass ich es nicht gut genug mache.«

Grace schaute auf Lilys Hände hinunter, die rau und gerötet waren. Es war so, wie sie es im Grunde ihres Herzens geahnt hatte: Lily war nicht die Art Mädchen, das zu einem persönlichen Dienstmädchen taugte, und Mr Unwin hatte das nur vorgegeben, um die Situation zu retten. Wie seltsam das Leben doch spielte! Dass ausgerechnet jemand wie Mr Unwin – ein Pfennigfuchser, wie er im Buche stand, und ein kaltherzig und gefühllos wirkender Mann – nicht nur die Freundlichkeit besessen hatte, Lily anzustellen, sondern dies auch noch auf besonders rücksichtsvolle Art und Weise getan hatte.

»Aber wirst du gut behandelt?«, fragte Grace.

»Ich bekomme genug zu essen«, antwortete Lily

und wischte sich mit dem Ärmel übers Gesicht. »Es gibt jeden Tag Fleisch.«

»Und haben dich die anderen Dienstboten freundlich aufgenommen?«, fragte ihre Schwester weiter, denn dieser Aspekt beunruhigte sie am meisten: dass Lily womöglich von den anderen ausgeschlossen wurde. »Beziehen sie dich in ihre Gespräche mit ein und so?«

»Oh, nicht die Dienstboten!«, erwiderte Lily. »Blossom und Lizzie sind sich dafür viel zu schade. Aber Ella redet manchmal mit mir – und das junge gnädige Fräulein ist sehr nett.«

»Miss Charlotte?«, fragte Grace völlig überrascht. Sie hatte die junge Dame zwar noch nicht kennengelernt, doch unter den Angestellten hieß es, sie sei eine verzogene, selbstsüchtige, oberflächliche Göre.

»Ja, Miss Charlotte. *Sie* mag mich«, erzählte Lily voller Stolz. Plötzlich fiel ihr etwas ein. »Du solltest mal den Salon und das Wohnzimmer sehen! Da steht ein Krug mit blauen Vögeln drauf!«

»Wirklich!«, sagte Grace und streichelte Lilys raue Hände. »Aber wann findet Miss Charlotte denn die Zeit, mit dir zu sprechen?«

»Manchmal kommt sie zu mir, wenn ich allein im Garten bin, oder sie unterhält sich mit mir in der Küche, wenn die anderen oben beschäftigt sind.«

»Tatsächlich?«, fragte Grace. Das wurde immer eigenartiger. »Und worüber redet ihr so?«

»Oh, lustige Sachen. Manchmal erfindet sie Geschichten – so wie du immer.«

»Das ist aber nett von ihr«, sagte Grace. Nun, vielleicht stimmte es einfach nicht, was über Miss Charlotte erzählt wurde.

»Worum geht es denn in den Geschichten?«

»Ach, über Mama und so«, antwortete Lily vage. »Alles Mögliche. Sie interessiert sich nämlich für mich.«

Wie freundlich es doch von Miss Charlotte war, sich mit Lily zu unterhalten, der niedrigsten ihrer Dienstboten, ging es Grace durch den Sinn. »Dann muss sie ja eine echte Dame sein«, sagte sie zu Lily.

Wir erbitten Ihre Gebete für die Seele von
HERRN WILLIAM WILKINS-BOYES-HAIG,
die unser Schöpfer am 25. NOVEMBER 1861 zu sich gerufen hat.
Die sterblichen Überreste werden in den Katakomben der anglikanischen Kapelle auf dem General Cemetery of All Souls, Kensal Green, London, beigesetzt.

Kapitel 16

»Ich bin sicher, Sie wünschen nur das Beste für Ihre liebe verstorbene Mutter, deshalb empfehle ich Ihnen Schwanendaunen von feinster Qualität für die Sargmatratze«, sagte George Unwin.

»Oh«, erwiderte die Kundin. »Wir dachten eigentlich an Wollwatte.«

»Auf keinen Fall!«, rief Mr Unwin aus.

Grace stand in Sargbegleiterinnenpose, mit zum Gebet gefalteten Händen und gesenkten Lidern, und zeigte mit keiner Regung, dass sie auch nur ein Wort davon aufgenommen hatte oder überhaupt ein lebendiges Wesen war. Es war eine Woche nach ihrem Besuch bei Lily in Kensington, und sie war in den roten Salon gerufen worden, um einer Kundin vorzuführen, welche Art von Sargbegleiterin für eine teure Beerdigung erhältlich war.

»Schwanendaunen sind natürlich teuer«, stimmte Mrs Unwin ein, »aber das ist ja auch beruhigend zu wissen, denn man will ja nur das Allerbeste für seine ehrenwerten Eltern, Gott hab sie selig, nicht wahr?«

Die Antwort war ein Seufzer. »Nun, wenn Sie es für notwendig erachten«, sagte die Frau.

»Schwanendaunen also«, hielt Mr Unwin fest.

Sie blieben vor Grace stehen. »Haben Sie sich schon über Sargbegleiter Gedanken gemacht?«, fragte Mrs Unwin.

»Nun, eigentlich nicht ...«

»Das ist Grace, eine unserer pietätvollsten und in sich gekehrtesten Sargbegleiterinnen. Sie kann stundenweise zur Verfügung gestellt werden und mit einem Ausdruck von Verlust und tiefer Trauer vor einer Tür oder am Grab Totenwache halten.«

»Das ist doch bestimmt nicht ...«

»Grace würde sich besonders gut am Grab einer älteren Dame ausnehmen«, sagte Mrs Unwin. »Das würde einen ganz besonders fürsorglichen Eindruck machen.«

»Nun ...«

»Und als Ergänzung zu Grace hätte Ihre werte Mutter sicherlich gerne einen Monat lang eine Kerzenlaterne auf ihrem Grab brennen«, fügte Mr Unwin hinzu.

»Aber wem bringt denn das etwas?«

»Ihrem *Andenken*«, fiel Mrs Unwin in sanft mahnendem Ton ein. »Vergessen Sie nicht, dass alte Menschen die Dunkelheit nicht mögen.«

Und so ging es weiter, bis Grace, nachdem Sargbegleiter, Grabstein und Gebinde endlich ausgesucht waren, in das kleine Nähzimmer zurückkehren durfte, Hut und Schleier ablegte und ihren Stuhl vor das kärgliche Feuer rückte.

Wie rasch man sich doch an alles gewöhnt, ging es ihr durch den Kopf, während sie ihre Stickarbeit von vorhin wieder aufnahm. Wie rasch sie sich damit abgefunden hatte, ohne Lily zu leben, ihr Zimmer mit einer Fremden zu teilen, in den Mauern dieses Gebäudes eingesperrt zu sein und ihr Leben in einer Abfolge von genähten Sargtüchern, besuchten Beerdigungen und fertiggestellten Stickarbeiten zu messen. Wobei das Seltsame daran war, dass sie dieses Leben zwar lebte und sich zunehmend daran gewöhnte, jedoch ständig das Gefühl hatte, es sei gar nicht ihr eigenes, sondern das einer Person, deren Identität sie versehentlich angenommen hatte. Was würde wohl noch geschehen? Wann würde ihr neues Leben beginnen – das, welches sie sich an jenem Tag im Zug nach Brookwood versprochen hatte?

Sie nahm ihre Handarbeit wieder auf. Heute musste sie ein winziges Bild aus menschlichem Haar sticken, mit einer Nadel so fein, dass man sie nicht mehr finden würde, wenn man sie auf der Werkbank ablegte. Das Bildchen sollte einen Grabstein unter einer Trauerweide zeigen und würde in einen kleinen Goldrahmen gesteckt und als Brosche getragen. Die Kundin hatte auch noch den Namen ihres verstorbenen Gatten auf dem gestickten Grabstein haben wollen, doch Mrs Unwin hatte eingewandt, dass dies unmöglich sei, denn der Verstorbene hieß William Wilkins-Boyes-Haig, und selbst wenn jemand diesen Namenszug so winzig hätte sticken können, so wäre er bestimmt nicht mehr lesbar gewesen.

Ehe Grace die Nadel ansetzte, blickte sie sich um und staunte wieder einmal über das enorme Ausmaß des Unwin-Reiches. Durch die verglaste Tür sah sie den Eingang zur Sargtischlerei, wo neben den Tischlern auch noch ein Graveur arbeitete, der die Sargplaketten aus Messing oder (den anspruchsvolleren Kunden dringend empfohlen) aus Silber verzierte. Rechts davon befand sich eine ganz neue Werkstatt mit einer langen Werkbank, an der Mrs Unwin, seit sie entdeckt hatte, welch ein Geschäft mit Trockenblumen zu machen war, einigen Arbeiterinnen zeigte, wie man Immortellen bastelte. Draußen im Hof hörte man die Steinmetze klopfen, und dahinter befand sich eine Schmiede samt Hufschmied und Stallburschen. Unweit von Graces Sitzplatz führte eine Treppe in einen kühlen, abgeschlossenen Raum hinunter, den man hier Gottes Wartesaal nannte. Zwar wurden Verstorbene üblicherweise bei sich zu Hause aufgebahrt, aber meist gab es doch ein oder zwei Leichen, die dort unten auf ihre Beerdigung warteten. In ihrer ersten Woche bei den Unwins hatten zwei eifersüchtige Näherinnen, die befürchteten, Grace werde ihnen bei den Stallburschen den Rang ablaufen, sie über Nacht mit zwei Leichen in dem Kellerraum eingesperrt. Sie hatten gehofft, Grace werde hysterisch reagieren. Doch Grace hatte sich die beiden Leichname ganz ruhig angesehen, hatte an den zwei alten Damen, die friedvoll eingeschlafen waren, nichts Beunruhigendes gefunden und sich einfach auf dem Boden schlafen gelegt. Und Grund zur Eifersucht gab sie den anderen sowieso nicht, da sie auf die Neckereien der Stallburschen gar nicht einging und die meiste Zeit für sich allein blieb. Sie vergaß keinen Augenblick, dass sie ein gefallenes Mädchen war.

Jetzt fädelte sie ihren Faden in die Nadel, rückte ihren Hocker so gut es ging in das Licht, das durch das kleine Fenster hereinfiel, und begann, mit fein säuberlichen, dichten Federstichen den Stamm der Weide zu sticken. Die Blätter würde sie mit winzig kleinen Kettenstichen machen und den Block des Grabsteins mit dichten Steppstichen. Gott sei Dank hatte Mrs Unwin zum Namenszug des Mannes nein gesagt! Obendrein hatte die Witwe bereits zwei Flechtarmbänder aus dem Haar ihres verstorbenen Gatten anfertigen lassen sowie ein Ölgemälde, das nach seinem Tod gemalt worden war. Das sollte doch wohl jedem an Andenken reichen, fand Grace.

Es dauerte fast den ganzen Tag, doch am späten Nachmittag hatte Grace die Stickarbeit für die Brosche fertig und erhielt eine neue Aufgabe: die Initialen des Mannes auf sein Sargkissen zu sticken. Mit weißem Garn auf weißem Leinen zu sticken war zwar weit weniger ermüdend als Stickarbeiten mit menschlichem Haar, doch WWHB waren lauter ziemlich große Initialen, und als die Dämmerung hereinbrach und die Kerze heruntergebrannt war, wurde auch das Weiß auf Weiß zu einer mühseligen Angelegenheit, und Grace wünschte sich sehnlichst, der Name des Leichnams hätte nicht gar so viele ausgefallene Buchstaben.

Um kurz nach acht war sie endlich auch mit dieser Aufgabe fertig. Um diese Zeit ging sie gewöhnlich in die Küche, wärmte sich einen Teller Suppe auf und aß Brot und Käse dazu. Oder sie ging gleich auf das Zimmer, das sie sich mit Jane teilte, und legte sich, nachdem sie sich gewaschen und ihre persönlichen Dinge erledigt hatte, sofort schlafen. An diesem Abend, nach den vielen Stunden, die sie eingesperrt im Haus verbracht hatte, zog es sie jedoch noch nach draußen, und so verließ sie das Unwin-Gebäude, um noch ein wenig in Richtung Edgware Road zu schlendern, sich im Zwielicht der Dämmerung an der Abendluft zu erfrischen und das lärmende, hupende, wiehernde Spektakel des Verkehrs zu bestaunen.

Während sie so dastand, konnte sie dabei zusehen, wie sich das vor Fahrzeugen wimmelnde Netz von Straßen rund um den Triumphbogen im Feierabendverkehr verstopfte – was recht häufig vorkam – und sämtliche Gefährte stehen bleiben mussten. Eine elegante Kutsche kam direkt vor ihr zum Stehen: Die vier Pferde stampften ungeduldig, und ihr Atem bildete Dampfwolken in der kalten Luft. Vor und hinter der Kutsche gingen Diener in purpurroter Livree einher, die Kutsche selber war mit vier Messinglaternen beleuchtet und ihr schwarzer Lack glänzte so makellos, dass Grace sich darin spiegeln konnte. Die Tür zierte eine Art Schild, und Grace beugte sich ein wenig vor, um es genauer zu betrachten. Als sie darauf einen Löwen und ein Einhorn erkannte, ging ihr plötzlich mit heftigem Herzklopfen auf, dass sie gerade das königliche Wappen vor Augen hatte.

Erstaunt richtete sie sich auf, schaute gespannt zum Fenster der Kutsche hinein und sah, auf den brokatbezogenen Bänken der Kutsche einander gegenübersitzend, das berühmteste Königspaar der Welt, Königin Viktoria und Prinz Albert (es bestand kein Zweifel, dass sie es waren, denn Grace hatte schon oft Abbilder der beiden auf Stichen und Ölgemälden bewundert). Viktoria schien etwas auf ihrem Schoß zu betrachten, doch Prinz Albert hatte den Blick auf die dämmrigen Straßen hinausgerichtet.

Graces Blick begegnete dem von Prinz Albert, und sogleich sank sie in einen tiefen Knicks. Als sie sich wieder erhob, sah sie, wie er ihre Geste mit einem Kopfnicken quittierte und sie anlächelte. Sie wurde tiefrot, und da sie nicht wusste, was sie nun tun sollte, knickste sie erneut, und während ihr Knie noch gebeugt war, löste sich der Stau und die königliche Kutsche fuhr wieder an.

Graces Herz schlug rasend schnell. Was für ein schönes, nobles Gesicht! Kein Wunder, dass man der Königin nachsagte, sie sei ganz vernarrt in ihn.

Ein paar Tage später hatte Grace ihre schwarze Sargbegleiterinnen-Kluft anzulegen, um den großen Feierlichkeiten für den eher kleinen Aristokraten beizuwohnen, für den sie bereits so viel Arbeit geleistet hatte: den ehrenwerten Herrn William Wilkins-Boyes-Haig.

Der seit kurzem in Mode gekommene Friedhof Kensal Green in der Nähe von Paddington war angelegt worden wie ein Park. Im Sommer konnten hier die Besucher auf gepflegten Wegen entlangspazieren, die Grabsteine und Statuen bewundern und die Gräber ihrer Verstorbenen besuchen. Grace traf mit drei weiteren Sargbegleiterinnen in einer geschlossenen Kutsche vor dem eigentlichen Leichenzug ein. Als sie in der Auffahrtsallee ausstieg, staunte sie über die prächtigen privaten Mausoleen und die vielen Steinskulpturen. Der Leichnam des ehrenwerten Adligen sollte allerdings nicht in einem Mausoleum, sondern in den Katakomben unter der großen Säulenkapelle beigesetzt werden, und so wurden die vier für die Trauerfeier gebuchten Sargbegleiterinnen von Mr Unwin nach unten geführt und an verschiedenen Stellen des Gangs positioniert, durch den der Sarg mit dem

Leichnam zu seiner letzten Ruhestätte getragen würde. Grace stand an der letzten Station, neben dem Sockel, auf dem der Leichnam ruhen würde.

Während des Wartens versuchte sie, sich nicht von der düsteren Atmosphäre der unterirdischen Gewölbe überwältigen zu lassen, doch das war gar nicht so leicht, denn das Einzige, was sie im Licht der Talgkerzen an der Wand sehen konnte, waren kleine viereckige Wandparzellen mit von Spinnweben überzogenen Eisengittern davor, in denen die Särge ruhten: Särge aus Kiefernholz, Mahagoni, Ulme und Rosenholz, manche mit Namensplaketten, manche ohne, manche mit goldenen Nägeln, manche mit Samt bedeckt und manche noch mit einem längst verwelkten Kranz aus Rosen darauf oder einer einzelnen modrigen Blüte. Mehrere der Särge zierte als Grabbeigabe ein geliebter Gegenstand aus dem Besitz des Verstorbenen: ein Spielzeug, eine Vase, ein schimmlig gewordenes Kissen. So viele Tote, dachte Grace melancholisch, und zum ersten Mal kam ihr der Gedanke, dass es wohl sehr viel mehr Tote auf der Welt geben musste als Lebende.

Zwei Stunden lang stand sie in der fast vollständigen Finsternis, ohne eine andere lebende Seele zu sehen, und kühlte von Minute zu Minute mehr aus, bis sie das Gefühl hatte, selbst zu einer Marmorstatue erstarrt zu sein. Da vernahm sie plötzlich ein höchst seltsames, unheimliches Geräusch, das den steinernen Gang herunterzukommen schien: ein eigenartiges leises Surren, das ihr eine Gänsehaut über den Rücken jagte. (Erst später fand sie heraus, dass das Geräusch keineswegs übernatürlichen Ursprungs war, sondern dadurch entstand, dass der Sarg mittels eines Hydrauliksystems von der ebenerdigen Kapelle in die Tiefe der Katakomben hinunterbefördert wurde.)

Eine Stille trat ein, dann folgte Stimmengemurmel und das schlurfende Geräusch zahlreicher Schritte auf Stein, und wenige Augenblicke später kam ein Geistlicher um die Ecke, gefolgt von acht Männern, die den riesigen Sarg des Adligen trugen. Sie gingen beinahe in die Knie unter der Last, denn da der Verstorbene mit einem ausgeprägten Sinn für seine eigene Bedeutung ausgestattet gewesen war, hatte er die Anweisung hinterlassen, in nicht weniger als vier Särgen beerdigt zu werden. Der innerste war aus Kiefer, dann kam Blei, dann Eiche und zuletzt edelstes Mahagoni. Jeder einzelne davon besaß eigene Schlösser, denn obendrein hatten den adligen Herrn zu Lebzeiten die Angst umgetrieben, sein Leichnam könnte dereinst von Grabräubern entwendet werden. Die Unwins waren diesen kostspieligen Wünschen natürlich nur zu gerne nachgekommen und hofften, dass andere dem Beispiel folgen würden. Vielleicht, so hatte Mrs Unwin ihrem Mann gegenüber spekuliert, würde es ja Mode beim niederen Adel werden, sich in vier Särgen begraben zu lassen, und die beiden waren übereingekommen, diese Tatsache zu erwähnen, wann immer jemand ein teures Begräbnis plante.

Grace wich einen Schritt zur Seite, damit die Sargträger das Eisengitter öffnen und den Sarg an seine letzte Ruhestätte schieben konnten. Im Anschluss daran sprach der Geistliche einen letzten Segen, die Mitglieder des Wilkins-Boyes-Haig-Familienclans verabschiedeten sich von ihrem Verwandten und ließen sich dann von Mr George Unwin langsam durch den Gang zurück zu den Stufen geleiten, die sie wieder an die Oberwelt bringen würden.

Bis auf einen.

»Entschuldigung«, kam es flüsternd, »aber sind wir uns nicht in Brookwood begegnet?«

Grace erschrak und blickte beunruhigt auf. Vor ihr stand Mr James Solent, den Zylinder unterm Arm. Sie spürte, wie sie rot wurde, und war froh, dass er dies dank ihres Schleiers wohl nicht bemerken konnte.

»Wobei es nicht ganz leicht für mich ist, Sie in der Dunkelheit und mit diesem ganzen Tand zu erkennen«, fuhr er fort und deutete dabei auf Graces Schleier, »aber Sie sind es doch, oder? Ich fürchte, ich bin etwas im Nachteil, weil Sie mir Ihren Namen nicht verraten haben.«

Grace fasste sich wieder und knickste. »Ja, ich bin es. Mein Name ist Grace, Sir.«

»Nennen Sie mich doch James, bitte. Geht es Ihnen gut, Grace?«

»Danke, ja.«

»Ich habe oft an Sie denken müssen seit jenem Tag in Brookwood, weil Sie so zart und zerbrechlich gewirkt haben. Ich habe mich gefragt, wie Sie wohl zurechtkommen.«

»Danke für Ihre Besorgnis«, sagte Grace ein wenig steif und dachte daran, wie sie seine Kanzlei aufgesucht hatte und abgewiesen worden war. Sie deutete auf ihre Trauerkleider. »Aber wie Sie sehen, haben sich meine Lebensumstände ein wenig gebessert.«

»In der Tat«, sagte er und zog eine Braue hoch. »Sie scheinen bei jener wachsenden Schar von Gewerbetreibenden untergekommen zu sein, die mit dem Tod Geschäfte machen.«

Grace nickte verlegen, denn er schien dies zu missbilligen.

»Darf ich fragen, wie es dazu kam?«

»Es war, wenn ich so sagen darf, nicht unbedingt, was ich mir gewünscht habe«, sagte Grace leise, »aber meine Schwester und ich mussten unser Zimmer räumen und hatten keine Bleibe mehr. Wir wären auf der Straße gelandet, wenn die Unwins uns nicht beide aufgenommen hätten.«

James schüttelte erstaunt den Kopf. »Entschuldigen Sie meine berufsbedingte Neugier, aber wie kam es denn, dass Sie Ihr Zuhause verloren haben?«, fragte er. »Konnten Sie die Miete nicht mehr bezahlen?«

»Oh doch!«, rief Grace fast ein wenig entrüstet aus. »Aber eines Nachmittags kamen wir nach Hause, und da war das Mietshaus verrammelt. Uns wurde nur mitgeteilt, die Gegend werde saniert.«

James seufzte. »Ich fürchte, so geht es im Moment

in ganz London zu: Geschäftsleute kaufen den Grund und Boden für die Eisenbahn, Büros und Industrie auf. Sie versprechen, neue Häuser zu bauen, doch dazu kommt es dann oft nicht.«

»Das ist doch nicht recht!«, sagte Grace. »Was soll aus all denen werden, die plötzlich ohne Obdach sind? Kann man denn gar nichts dagegen tun?«

»Sehr wenig, fürchte ich. Es gibt noch die Wohltätigkeitsorganisationen, an die man sich wenden kann, und die einen vielleicht aufnehmen.«

»Das hätte ich nicht ertragen«, erwiderte Grace heftig, da er auf das Arbeitshaus anzuspielen schien. »Nachdem das passiert war – nachdem wir unser Zuhause verloren hatten –, kam ich, um Sie um Rat zu bitten«, sagte sie auf einmal, entschlossen, ihn mit der Erfahrung, die sie vor seiner Tür machen musste, zu konfrontieren.

»Wirklich?«

Grace versuchte einzuschätzen, ob er tatsächlich überrascht war oder nur so tat, kam jedoch zu keinem eindeutigen Ergebnis. »Der Mann, der an die Tür Ihrer Kanzlei kam, wies mich ab. Er war sehr schroff.«

»Dann kann ich mich nur dafür entschuldigen«, sagte er, »und Meakers anweisen, Ihnen beim nächsten Mal mit absoluter Höflichkeit zu begegnen. Bitte glauben Sie mir, dass ich …«

Doch bevor er den Satz vollenden konnte, ertönten Schritte im Gang, und Mr Unwin tauchte aus der Dunkelheit auf. Grace, die gebucht worden war, um noch weitere zwei Stunden stumm neben dem Sarg Totenwache zu halten, verfiel sofort wieder in regloses Schweigen, senkte den Blick zu Boden und faltete die Hände vor der Brust. James Solent, der so aussah, als hätte er noch einiges auf dem Herzen, was er Grace gerne mitgeteilt hätte, grüßte Mr Unwin mit einem kurzen Nicken, setzte seinen Zylinder auf und ging davon.

Kapitel 17

Vier Unterhaltungen

Miss Charlotte Unwin hatte noch nie vorher eine Waschküche betreten, und sie hoffte, dass sie das auch nie wieder tun müsste. Nicht nur die Eiseskälte dort drin machte den Raum so ungemütlich, sondern auch das düstere Licht, der Ziegelsteinboden, die hässliche Spüle aus Blei und die faserigen Holzplatten der Arbeitstische. Eine Dame bräuchte gar nicht zu wissen, dass es so einen Raum überhaupt gab, und nur die Aussicht auf ihre eigene Kutsche brachte sie dazu, über die Schwelle zu treten.

»Wie geschickt du bist«, sagte sie zu Lily, während sie ihr dabei zusah, wie sie schwarz verbranntes Fett von den Bratrosten zu schrubben versuchte. »Wie schön sauber du diese … diese *Sachen* bekommst.«

»Ja, Miss«, sagte Lily. Sie fühlte sich immer unbehaglich, wenn Miss Charlotte herunterkam, um sich mit ihr zu unterhalten, denn mit ihren spitzenbesetzten Kleidern und geölten Locken wirkte die junge Miss hier unten ganz fehl am Platze. Heute trug sie einen so weiten Reifrock unter ihrem Kleid, dass sie damit kaum durch den Türrahmen passte.

»Jetzt bist du schon ziemlich lange bei uns, nicht wahr?«, sagte Miss Charlotte und bemühte sich, einen interessierten Eindruck zu machen. Allerdings wurde ihr fast übel von dem Geruch nach Ammoniak und Karbol, und so hoffte sie, nicht allzu lange bleiben zu müssen.

»Ja, Miss.«

»Einige Jahre …«

»Jahre?« Lily runzelte die Stirn und schüttelte den Kopf. Das konnten doch noch keine Jahre sein? »Nein, nicht Jahre, Miss. Ich glaube, es sind ein paar Monate.«

»Nein, nein, Jahre«, wiederholte Miss Charlotte hartnäckig. »Ich habe es dir doch schon mal gesagt. Deine eigene liebe Mutter ist vor zehn Jahren gestorben, als du noch ein kleines Mädchen warst, und meine Mama und mein Papa haben dich aufgenommen, und seither lebst du bei uns. Wir sind ungefähr gleich alt, und ich erinnere mich noch, wie wir als kleine Kinder zusammen gespielt haben.«

Lily zog erneut die Stirn in Falten, fuhr sich mit dem Finger übers Gesicht und hinterließ eine Fettspur auf ihrer Wange. »Nein, ich glaube nicht, dass das stimmt«, sagte sie. Miss Charlotte erfand schon wieder Geschichten. So wie Grace es immer mit Zeitungsmeldungen getan hatte.

»Doch! Meine Mama und mein Papa haben dich

vor zehn Jahren adoptiert«, insistierte Miss Charlotte und lächelte eisern.

»Adoptiert …« Lily wiederholte das Wort verwundert. »Ich glaube nicht, Miss.« Sie war sich nicht einmal sicher, was das genau bedeutete. »Ich habe immer bei Grace gelebt – das ist meine Schwester. Wir haben bei Mrs …« Sie runzelte die Stirn und versuchte, sich zu erinnern. »Mrs Macready gewohnt, in ihrem Haus, und dann, eines Tages, war es auf einmal mit lauter Holzplanken zugenagelt und wir konnten nicht mehr hinein.«

Miss Charlotte riss sich zusammen (die Kutsche würde leuchtend rot sein, überlegte sie, mit goldenen Laternen an den Seiten) und begann von Neuem. »Ach, lassen wir das für den Augenblick gut sein, Lily. Äh, zu deiner lieben Mama. Hast du nicht gesagt, das war in Wimbledon, wo ihr gelebt habt?«

»Stimmt«, sagte Lily. »Aua!«, rief sie aus, da sie sich den Daumen an einem rauen Eisenstück aufgerissen hatte.

»Und kannst du dich noch erinnern, wie das Haus hieß, in dem ihr gewohnt habt?«

»Nein, Miss.« Blut tropfte in die schmierige Spüle, und Lily unterdrückte einen Schluchzer und steckte sich den Daumen in den Mund, damit er zu bluten aufhörte. »Das haben Sie mich schon mal gefragt. Das fragen Sie mich jedes Mal.«

Miss Charlotte lachte munter. »Ach, tatsächlich? Das ist nur, weil ich so gerne Geschichten über deine

Kindheit auf dem Land höre … Aber das war natürlich, bevor du zu uns gekommen bist, damals vor zehn Jahren.«

Lily überlegte einen Moment – jetzt sagte Miss Charlotte das schon wieder. »Nicht zehn Jahre, Miss«, verbesserte sie. »Erst vor ein oder zwei Monaten. Und davor habe ich mit meiner Schwester zusammen Brunnenkresse auf der Straße verkauft. Wir sind immer ganz frühmorgens zum Farringdon Markt gegangen und haben gekauft, was wir uns …«

»Oh!« Ein Ausdruck von Verärgerung glitt über Miss Charlottes Gesicht, den nicht einmal die Vorstellung von einem schneeweißen Pferd, das ihre Kutsche zog, verscheuchen konnte. »Das ist hoffnungslos!«

»Was denn, Miss?«

»Nichts«, gab sie schnippisch zurück. »Und überhaupt, was stehst du da herum und blutest diese ganzen … diese ganzen Eisendinger da voll. Geh und hol dir ein Tuch aus der Küche und mach dich gefälligst sauber.«

»Es ist hoffnungslos!«, sagte Charlotte zu ihrer Mutter. »Ich rede mit ihr, sage ihr immer wieder, dass sie nun schon seit Jahren bei uns lebt, aber sie nimmt es nicht an. Es geht einfach nicht in ihren Kopf.«

»Oje«, seufzte Mrs Unwin, während sie ein Stoffmuster für einen Vorhang befühlte, der von dem neuen Marshall-and-Snellgrove-Geschäft geschickt worden war. »Ich dachte eigentlich, sie wäre dumm genug, *einfältig* genug, um alles zu glauben, was man ihr sagt. Ich habe sogar versprochen, ihr einen neuen Hut zu kaufen, wenn sie mit mir eine Runde ›So tun als ob‹ spielt. Sie sagte zwar, sie würde mitspielen, aber man kann sich einfach nicht auf sie verlassen.«

»Vielleicht stellt sie sich absichtlich so an«, sagte Charlotte. »Vielleicht würde sie sich ein wenig gefügiger zeigen, wenn sie ein paar Nächte in den Keller gesperrt würde.«

»Das bezweifle ich«, erwiderte Mrs Unwin. »So was funktioniert bei den Bediensteten heutzutage überhaupt nicht mehr. Mrs Ormsby hat es versucht, aber ihr Dienstmädchen hat sich, nachdem es wieder herausgelassen worden war, einfach davongemacht und fürchterliche Geschichten über sie erzählt.«

»Wie unverschämt!« Charlotte saß auf dem Sofa und trommelte mit den Absätzen auf den Boden. Sie wusste, dass sie sich kindisch benahm, aber sie wollte jetzt unbedingt endlich diese Kutsche. »Ich habe alles versucht!«

Mrs Unwin trat mit dem Stoffmuster ans Fenster, um es bei besserem Licht zu betrachten. »Hast du wenigstens herausgefunden, wie das Haus hieß, in dem sie gewohnt haben?«

»Nein, weil sie sich nicht mehr daran erinnern kann«, erwiderte Charlotte gereizt. »Aber ich weiß jetzt alles Erdenkliche über Brunnenkresse. Ich könnte schreien, wenn ich nur das Wort Brunnenkresse höre!«

Mrs Unwin legte widerwillig das Stoffmuster beiseite, da sie sich im Moment einfach nicht auf Farben konzentrieren konnte. »Nun«, sagte sie, »dann müssen wir uns etwas anderes einfallen lassen, um sie zu überzeugen. Ich werde mit deinem Vater reden.«

Am folgenden Samstagnachmittag war Mr George Unwin als Erster an dem üblichen Treffpunkt im Barker's Club. Er hatte inzwischen von Lilys Sturheit erfahren, doch ihm war auch keine Lösung für das Problem eingefallen, und so begrüßte er seinen Cousin mit gerunzelter Stirn und einem doppelten Whiskey.

»Wir stecken in der Klemme, Sly«, sagte er, kaum dass der andere Platz genommen hatte. »Das Mädchen macht Schwierigkeiten.«

»Welches Mädchen.«

»Das reiche Täubchen!«

»Ich dachte, sie ist in ihrem Käfig und lernt ihren Text.«

»Oh, fest unter Verschluss ist sie schon – aber sie ist zu einfältig, um die Rolle zu spielen, die wir ihr zugedacht haben. Oder nicht einfältig genug«, sagte er.

»Was soll das heißen?«

»Sie spielt einfach nicht mit. Wir reden ihr die ganze Zeit ein, dass wir sie schon vor Jahren adoptiert haben, aber sie widerspricht jedes Mal. Ich sage dir, der ganze Plan ist gefährdet.«

»Hmmm.« Sylvester Unwin kippte seinen Whiskey hinunter und dachte eine Weile nach.

»Weißt du, ich glaube, wir sollten diese Sache so schnell wie möglich vorantreiben«, fuhr George fort. »Es würde mich nicht wundern, wenn irgendwelche verdammten Gauner genau dasselbe im Schilde führen.«

»Ah, aber die haben das Mädchen nicht, nicht wahr?«

»Was auch immer das wert sein mag«, bemerkte George Unwin mutlos.

»Nein, die haben das Mädchen nicht«, überlegte Sylvester Unwin laut. »Also müssten sie sich einen Ersatz besorgen.«

George Unwin schaute ihn fragend an.

»Jemanden, der ihre Rolle übernimmt«, führte Sylvester Unwin aus. »Und dasselbe könnten wir auch tun.«

»Aber was machen wir mit der echten?«

»Irgendwo wegsperren.« Er lachte heiser. »Weißt du was, wir sperren die beiden Schwestern zusammen weg – vielleicht gibt's fürs Doppelpack einen Sonderpreis.«

»Aber wir können doch nicht einfach so mir nichts, dir nichts Leute verschwinden lassen.«

»Die Einfältige kann ja den Anfang machen – wir streuen einfach das Gerücht, sie sei weggelaufen. Das machen Dienstboten ständig. Und nach einer angemessenen Wartezeit lassen wir die andere verschwinden.«

»Hmm«, sagte George Unwin nachdenklich. »Könnte funktionieren. Aber woher bekommen wir unsere kleine Schauspielerin? Wir bräuchten ein Mädchen, das genauso alt ist und absolut vertrauenswürdig.«

Sylvester Unwin grinste. »Mein lieber Cousin, du brauchst nur in deinem eigenen Haus zu suchen.«

George Unwin starrte ihn an. »Du meinst ...?«

»Ganz genau. Aber wir brauchen so viele Informationen von Lily, wie wir kriegen können: Beschreibungen, Daten, Einzelheiten über Ma und Pa – lauter solche Sachen.«

»Schon unterwegs!«, sagte George Unwin begeistert. Wie üblich war seinem Cousin eine Lösung eingefallen. Allerdings würde er Charlotte wieder mit etwas bestechen müssen.

»Und, was gibt es sonst noch Neues?«, wollte Sylvester Unwin wissen.

»Ich habe einen gefiederten Dreispitz für dich!«

»Wozu um alles in der Welt sollte ich den brauchen?«

»Als ob du das nicht wüsstest! Als ob man dir nicht gesagt hätte, dass du binnen fünf Jahren Oberbürgermeister von London wirst!«

»Oberbürgermeister von London! Ich habe nicht die leiseste Ahnung, wovon du redest«, erwiderte Sylvester Unwin verschmitzt. »Wie käme ich denn zu dieser Ehre?«

»Ein führender Geschäftsmann, jedoch mit einer

sozialen, fürsorglichen Ader«, sagte George Unwin. »So stellst du dich doch nach außen hin dar?« Er zwinkerte mit einem Auge. »Und ganz besonders fürsorglich zu gefallenen Frauen, was?«

Der andere ging nicht darauf ein. »Wie dem auch sei, ich weiß schon, wem du den gefiederten Dreispitz geklaut hast. Ich war bei Welland-Scropes' Beerdigung und habe ihn auf der Totenbahre vorbeiziehen sehen.«

»Du warst da? Ich habe dich nicht gesehen.«

»Ich kam ein wenig spät – hab mich am Schluss noch in die Kirche geschlichen und in die letzte Bank gesetzt. Kannte den Mann zwar nicht persönlich, aber …«

»Aber auf so einer Beerdigung will man gesehen werden, nicht wahr?«

»Wohl, wohl«, sagte Sylvester Unwin. »Und, ja doch, heb mir den Dreispitz auf. Nur für den Fall.«

»Sind Sie Mrs Macready?«, fragte die Frau. Sie war mager und presste sich die Hände auf den Bauch, als ob sie Schmerzen hätte.

»Wer möchte das wissen?«

»Sie kennen mich nicht, aber ich versichere Ihnen, dass ich nichts Böses gegen Sie oder irgendjemand anderen im Sinn habe, Madam.«

Mrs Macready taute ein wenig auf. Sie mochte es, wenn man sie mit »Madam« anredete. »Na gut. Ja, ich bin Mrs Macready.«

»Und Sie hatten bis vor kurzem ein Mietshaus in Seven Dials?«

»Ja. Ein sehr respektables und rechtschaffenes Haus.« Sie seufzte. »Jetzt haben sie es abgerissen.«

»Genau. Das hat man mir gesagt. Zwei junge Mädchen – Schwestern – hatten bei Ihnen ein Zimmer.«

Mrs Macready nickte. »Ich weiß, wen Sie meinen: Grace und Lily. Reizende Mädchen, die beiden. Eine war von etwas schlichtem Gemüt, aber ihre Schwester hat sich rührend um sie gekümmert. Rotbraune Locken und so ein ernstes Gesicht … eine richtige Schönheit war sie.«

»Genau dieses Mädchen ist's, das ich suche. Hätten Sie wohl irgendeine Ahnung, wo ich sie finden kann?«

Mrs Macready schüttelte den Kopf. »Nicht die leiseste, meine Liebe.« Sie überlegte einen Moment. »Die beiden haben Brunnenkresse verkauft. Haben Sie es schon morgens auf dem Farringdon Markt versucht?«

»Das habe ich«, antwortete die Frau und nickte. »Aber seit Monaten hat sie da keiner mehr gesehen.« Ein Ausdruck tiefer Enttäuschung glitt über ihr Gesicht. »Sie waren meine letzte Hoffnung. Meinen Sie, es besteht vielleicht irgendeine Chance, dass Sie die beiden wiedersehen?«

»Nun, eine Chance besteht wohl immer oder nicht?«, erwiderte Mrs Macready in einem Ton, der das Gegenteil zu behaupten schien.

»Falls ja, wären Sie so freundlich, ihr auszurichten, dass Mrs Smith sie dringend sprechen möchte?«

»*Mrs Smith?*«, fragte Mrs Macready nach und zog eine Augenbraue hoch.

»Unter diesem Namen hat sie mich kennengelernt. Ich wohne im Tamarind Cottage in der Sydney Street, zusammen mit meiner Tochter. Können Sie sich das merken?«

»Natürlich kann ich das.« Mrs Macready zögerte einen Augenblick, dann fügte sie hinzu: »Aber Sie sehen ganz mitgenommen aus, meine Liebe. Möchten Sie einen Augenblick hereinkommen und sich ausruhen?«

Mrs Smith schüttelte den Kopf. »Es geht schon. Aber ich wäre Ihnen sehr verbunden, wenn Sie die Adresse niederschreiben könnten, nur für den Fall.«

»Tamarind Cottage in der Sydney Street. Ich werde meinen Sohn bitten, es zu notieren, gleich, wenn ich reingehe«, versprach Mrs Macready und sah der Frau nach, wie sie gebeugt und mit langsamen Schritten die Straße hinunter verschwand.

STEH, WANDERSMANN, UND HÖRE AN,
WAS DIR DIE TOTEN SAGEN,
PACK EIN DEIN SACH, FEIN ALLGEMACH,
DU FOLGST IN ETLICHEN TAGEN.

Grabinschrift

Kapitel 18

Als das Arbeiterkontingent des Unwin-Bestattungsunternehmens am frühen Morgen am Waterloo-Nekropolis-Bahnhof eintraf, waren die Waggons so mit Frost überzogen und die Fenster mit Eiskristallen übersät, dass dem Zug etwas Ätherisches, Jenseitiges anhaftete: ein Geisterzug, der matt in dem von Gaslaternen trüb erleuchteten Bahnhof schimmerte. Grace ging zum Waggon der Bestatter, suchte sich einen Platz am Fenster und stellte sich vor, wie es aussehen musste, wenn der Zug sich durch die kalte Landschaft schlängelte, weiß glitzernd vom Frost und kalt wie der Tod selbst.

Der Zug erreichte die Londoner Vorstädte, näherte sich einem Bahnübergang und stieß ein langes tiefes

Pfeifen aus – ein tieftrauriger Ton. Durchs Fenster sah Grace, dass einige Bauern, die auf den Feldern arbeiteten, ihr Werkzeug abgesetzt und den Hut abgenommen hatten und gesenkten Hauptes standen, solange der Zug vorbeifuhr. Einen Moment lang trat nahezu Stille ein, während der Zug an dem Übergang verlangsamte, ein ängstliches Schluchzen aus der dritten Klasse war zu hören, dann überquerte der Zug die Straße, zischender, heißer Dampf stieg auf, die Räder begannen lärmend zu rattern, und der Zug nahm wieder Fahrt auf.

Kurz vor Brookwood gab es eine letzte dichte Dampfwolke, dann tauchten aus dem Nebel hohe Nadelbäume auf und schließlich ein gepflegtes Backsteingebäude. Es sah so gewöhnlich aus wie irgendeine beliebige Bahnstation auf dem Land, mit dem einzigen Unterschied, dass eine Reihe von Friedhofsmitarbeitern in schwarzen Gehröcken und Zylindern bereitstand, die sich tief verbeugten, als der Zug einfuhr. Während er mit lautem Quietschen der Bremsen zum Stehen kam, packten die Arbeiter der Bestattungsunternehmen ihre Würfelbecher, Karten und Flachmänner mit »einem Schluck zum Aufwärmen« ein, sprangen von dem Waggon herunter und brachten sich für ihren jeweiligen Trauerzug in Stellung. Auch Grace stieg aus und zog ihren Mantel und Schleier zurecht. Ihre heutige Beerdigung versprach, besonders schaurig zu werden, denn die Verstorbene war eine junge Frau, die am Tag vor ihrer Hochzeit bei einem Verkehrsunfall ums Leben gekommen war. Sie sollte in ihrem Hochzeitskleid und Schleier beerdigt werden, und die Hochzeitstorte sollte beim anschließenden Leichenschmaus im Erfrischungsraum des Bahnhofsgebäudes verzehrt werden.

Während Grace darauf wartete, dass Mr Unwin seine letzten Anweisungen gab, nahm sie zum ersten Mal bewusst die Szenerie von Brookwood wahr. Bei ihrem vorherigen Besuch war sie zu sehr von ihrer Trauer erdrückt gewesen, zu verstört von allem, was ihr zugestoßen war, hatte zwar alles gesehen, doch kaum etwas wirklich wahrgenommen. Jetzt sah sie mit klarem und mitfühlendem Blick die Grüppchen von Trauernden, die sich mit kummervollen Gesichtern schweigend und verunsichert über den Bahnsteig bewegten, wie seltsame schwarze Insekten.

Sie fröstelte. Es war ein eisiger Tag, und obwohl sie ein neues Paar dicker, wollener Strümpfe unter ihren schwarzen Röcken und Unterröcken trug, spürte sie die schneidende Kälte. Auch für Lily hatte sie ein paar Strümpfe erstanden, die sie ihr bringen wollte, sobald sich eine Gelegenheit bot. Sie hatte jetzt ihre Schwester seit drei Wochen nicht mehr gesehen und hatte eine Menge zu erzählen, angefangen bei dem Abend, an dem sie den gut aussehenden Prinz Albert in seiner Kutsche erspäht hatte.

Als die Särge der ersten Klasse leise aus dem Waggon geladen wurden, gab Mr Unwin ihr ein Zeichen, sich vor dem Sarg aufzustellen. Auf Wunsch der

Angehörigen hatte Grace in der vorigen Nacht eine schweigende Totenwache am offenen Sarg der Verstorbenen gehalten, damit jene Frauen aus der Verwandtschaft, die sich einer Fahrt zur Beerdigung nach Brookwood hinaus nicht gewachsen sahen, zu Hause von der Toten Abschied nehmen konnten. Die ganze Nacht hatte Grace kniend neben der aufgebahrten Toten zugebracht, und so war sie jetzt nicht nur durchgefroren und hungrig, sondern auch noch sehr müde. (Die Angehörigen hatten dem Bestatter dafür eine Guinee extra bezahlt, von der Grace allerdings nicht nur nichts abbekam, sondern nicht einmal etwas wusste.)

Der mit weißem Samt ausgekleidete Sarg wurde vorsichtig auf den bereitstehenden, von Pferden gezogenen Leichenwagen gehoben, dann setzte sich der Zug in Bewegung und nahm Kurs auf die frostüberzogenen Bäume, angeführt von Grace, die mit gesenktem Kopf und gefalteten Händen vor dem Sarg herging. Ihr folgte der übliche Beerdigungstross: Federnträger, Stäbchenträger und zwei Kinder, die man für den Anlass als Sargbegleiter auf der Straße angeworben hatte; dahinter der Bräutigam des toten Mädchens, die Familien, Freunde, Bedienstete, alle in tiefstem Schwarz und mit Trauerringen und schwarzen Lederhandschuhen, die der Vater der Toten als Beerdigungsgeschenke gestiftet hatte.

Die Trauerreden am Grab schienen kein Ende nehmen zu wollen, denn die beiden Priester – einer von der Kirchengemeinde, in der das Mädchen aufgewachsen war, der andere ein alter Freund der Familie, der sie und ihren Zukünftigen hätte trauen sollen – schienen einander gegenseitig übertrumpfen zu wollen und konnten sich nicht darauf einigen, wer das letzte Wort haben sollte. Erst erging sich der eine in einer Rede über die Allmacht des Todes, dann konterte der andere mit einer Predigt über die Vergänglichkeit des Lebens. Als der Trauergottesdienst endlich zu Ende und ein üppig Maß an Tränen geflossen war, begaben sich die Trauernden in den Erfrischungsraum der ersten Klasse, um ein Stück von dem Kuchen zu verzehren und sich bei einem Schluck Brandy aufzuwärmen, so dass Grace ein wenig Zeit für sich blieb, bevor der Zug nach London zurückfuhr.

Sie ging geradewegs zum Grab von Susannah Solent und fand das Mausoleum vor, das der Vater, wie James Solent ihr damals erzählt hatte, in Auftrag gegeben hatte. Es war ein erhaben anmutendes Bauwerk im ägyptischen Stil, mit einem Pyramidendach, zwei Sphingen, die rechts und links vom Eingang Wache hielten, und glänzenden Türen aus gehämmertem Metall. Grace konnte es sich nicht verkneifen, durch das seitliche Fenster zu spähen, und entdeckte ein Bild von Königin Viktoria und Prinz Albert, einen Miniaturaltar mit einem Kreuz darüber und zwei mit gewirktem Stoff überzogene Gebetsstühle, wie man sie manchmal in Kirchen sah. Dazu gab es insgesamt acht Marmorplatten, von denen jede Platz für einen

Sarg bot, auch wenn momentan nur die unterste belegt war.

Beim Anblick von Susannah Solents Sarg und dem Gedanken an das, was er außerdem enthielt, fing Grace an zu weinen. Die Heftigkeit ihrer Trauer überraschte sie selbst. Sie weinte um ihr verstorbenes Kind, um das ganze Unglück ihres eigenen Lebens und darüber, dass sie von Lily getrennt war. Sie weinte, weil sie keine Zukunft für sich sehen konnte – oder nur eine, die von den Unwins regiert wurde, und diese absolut nicht die Art von Menschen waren, denen sie sich verpflichtet fühlen wollte. Vor allem aber weinte sie, weil sie das Gefühl hatte, ein falsches Leben zu leben, und nicht das, das sie sich selbst versprochen hatte.

Sie blieb stehen, bis sie ihre Tränen wieder unter Kontrolle hatte, sagte ihrem Kind noch ein stilles, trauriges Lebewohl und machte sich auf den Rückweg zum Bahnhof. Dort angekommen, sah sie eine fein gekleidete junge Dame auf dem Bahnsteig stehen und war höchst überrascht, als diese sie ansprach.

»Guten Morgen«, sagte Miss Charlotte Unwin, »und entschuldige, wenn ich so direkt frage, aber kanntest du Miss Solent?«

Grace, die diese Frage völlig unvorbereitet traf, hielt es für das Beste, sich nicht in eine Lüge zu verstricken, für den Fall, dass die junge Dame sie aushorchen wollte. »Nein. Nein, nicht persönlich«, gab sie zu.

»Aber – verzeih bitte – ich sah dich in tiefer Trauer an ihrem Mausoleum stehen.«

Graces Unruhe wuchs, und um Zeit zu schinden, rückte sie ihren Schleier zurecht. »Ich kannte sie zwar nicht persönlich, aber … aber ihre Mildtätigkeit war mir bekannt. Sie wurde doch Prinzessin der Armen genannt, nicht wahr?«, sagte Grace, sich an die Inschrift auf dem silbernen Namensschild erinnernd.

»Oh. Und du …?«

»Ich kam in die Gunst ihrer Hilfe«, sagte Grace. Was ja auch irgendwie stimmte, sagte sie sich. Sie betrachtete die junge Dame näher, die feinste und modischste Halbtrauer in Violett trug; ihr Mantel war aufwändig mit Rüschen und Borten verziert und mit einem weißen Pelzkragen besetzt.

»Entschuldigung, ich hätte mich vorstellen sollen, aber ich war so überrascht, dich hier zu treffen.« Sie lächelte. »Ich bin Miss Charlotte Unwin.«

Grace, die vollkommen verblüfft war und sofort überlegte, wie lange das Mädchen sie wohl schon beobachtet hatte, dachte erst mit einiger Verzögerung daran, zu knicksen.

»Ich bin heute mit meiner Mutter da.« Charlotte Unwin zögerte einen Moment und strengte sich ganz fest an, so freundlich und teilnahmsvoll wie möglich zu wirken. »Sie findet, ich sollte mehr über unser Geschäft erfahren, und wollte, dass ich eine unserer besten Sargbegleiterinnen kennenlerne.«

Grace beschlich sogleich das Gefühl, bespitzelt zu

werden, und so wusste sie nicht, was sie darauf entgegnen sollte.

»Nun hab ich dich erschreckt! Bitte, du brauchst nicht zu verstummen«, sagte Charlotte Unwin. »Ich versichere dir, ich habe keine bösen Absichten.«

Grace räusperte sich. »Nein, bestimmt nicht. Ich habe Sie vorher nicht bemerkt, Miss Charlotte. Waren Sie im Zug?«

»Nein, Mama und ich kamen mit der Kutsche her, und jetzt ist sie am Grab und kümmert sich um die armen Eltern der toten Braut.« Es trat eine Stille ein. »Du heißt Grace, nicht wahr? Und wie lange arbeitest du schon für meine Familie, Grace?«

»Ein paar Monate«, antwortete Grace. »Und ich muss Ihnen dafür danken, dass Sie ein so liebenswürdiges Interesse an meiner Schwester zeigen. Sie hat mir erzählt, wie Sie sich um sie kümmern«, sagte Grace.

»Nicht der Rede wert«, sagte Charlotte Unwin. »Sie ist so eine fleißige Arbeiterin und … und so eine muntere Person, deine Schwester.« Sie lachte kurz auf. »Allerdings bin ich keineswegs ihr einziger Freund.«

Grace schaute sie fragend an. »Sie meinen – die anderen Hausangestellten?«

»Nein, ich meine einen jungen Mann. Einen Verehrer, der für einen unserer Nachbarn als Stallbursche arbeitet.«

»Sie hat einen Verehrer?«, fragte Grace völlig verblüfft.

»Allerdings! Und ich denke, seine Absichten sind ehrenwert.«

Grace schüttelte den Kopf. »Das muss ein Irrtum sein. Meine Schwester ist … ist …« Sie suchte nach einem Ausdruck, um Lilys Naturell zu beschreiben, doch Charlotte Unwin schien zu wissen, was sie meinte.

»Keine Sorge! Der fragliche junge Mann ist ein einfacher Bursche vom Land«, sagte sie. »Ich denke, die beiden passen gut zusammen.«

Grace fiel es schwer, diese Neuigkeit zu glauben. Miss Charlotte musste sich täuschen. Lily konnte doch unmöglich einen Verehrer haben! Sie hatte jedenfalls nichts davon erwähnt, als Grace sie besucht hatte, und es war höchst unwahrscheinlich – oder nahezu unmöglich, genau genommen –, dass sie so etwas für sich behalten konnte.

»Bitte, mach dir keine weiteren Gedanken darüber«, sagte Charlotte Unwin. »Es ist eine angemessene Verbindung, und ich bin mir sicher, deine Familie wird nichts einzuwenden haben.«

»Wir haben keine Familie«, murmelte Grace. Sie war immer noch fassungslos. »Es gibt nur Lily und mich.«

»Oh, natürlich!«, beeilte sich Charlotte Unwin zu sagen. »Entschuldige bitte. Lily hat mir ja erzählt, dass euer Vater fortging und eure Mutter starb. Ihr habt in Wimbledon gewohnt, nicht wahr?«

Grace nickte.

»Eine gute Freundin von mir wohnt unweit von der High Street. Habt ihr dort in der Nähe gewohnt?«

»Ja, nicht weit davon. Mama hatte ein Cottage an der Wiese für uns gemietet – ich kann mich noch vage daran erinnern.«

»Wie reizend! Aber nicht das kleine weiße, wo den ganzen Sommer über lauter Blumen blühen?«

Grace schüttelte den Kopf. »Ich glaube nicht, dass es weiß war. Vor dem Haus stand ein Maulbeerbaum, und danach war es benannt.«

»Ach, wie schön!«, sagte Charlotte Unwin. Allerdings schien es auf einmal, als hätte sie diese spezielle Unwin-Angestellte nun zur Genüge kennengelernt, denn sie sagte, sie müsse nun zu ihrer Mutter zurück, und verabschiedete sich von Grace.

Um nicht mit ihr gehen zu müssen, gab Grace vor, in der entgegengesetzten Richtung noch etwas zu erledigen zu haben, und ging ein wenig unter den Bäumen spazieren, um über das, was Miss Unwin gesagt hatte, nachzudenken. Das konnte doch unmöglich wahr sein, dass Lily einen Verehrer hatte?

Grace versuchte, ein wenig Abstand von diesen beunruhigenden Nachrichten zu bekommen, indem sie die Inschriften auf den Grabsteinen zu lesen begann, doch die schienen alle nur zu sagen, dass unsere Zeit auf Erden kurz war und dass man, ehe man sich's versah, schon wieder abtreten musste, was auch nicht gerade eine aufmunternde Lektüre war. Nach vielen Seufzern über Gräbern von Kindern, die viel zu früh aus dem Leben geschieden waren, machte sich Grace schließlich in den Erfrischungsraum der dritten Klasse auf, um einen Teller heiße Suppe zu essen, denn ihr war inzwischen fast schwindlig vor Hunger. Allerdings durfte sie sich dabei von keinem Unwin erwischen lassen, denn essen oder trinken bei der Arbeit war strikt verboten. Sargbegleiterinnen, fand Mrs Unwin, sollten nicht mehr essen oder trinken, als sie reden sollten, nämlich gar nicht, sondern sollten sich vollkommen ihrer Aufgabe des stummen Gedenkens hingeben, überirdischen Wesen gleich und über menschliche Bedürfnisse erhaben.

Als Grace ihren Schleier zurückschlug, um ihre Suppe zu essen, und sich gerade den zweiten Löffel zum Mund führte, tippte ihr jemand auf die Schulter.

Eine Frauenstimme sagte: »Mein liebes Kind, bist du das wirklich?«

Grace wandte sich um und sah Mrs Macready vor sich, von Kopf bis Fuß in Schwarz gekleidet, was sie weitaus eleganter wirken ließ als jemals zu ihren Zeiten in Seven Dials.

»Ach du liebe Güte! Wer ist gestorben?«, fragte sie mit Blick auf Graces Trauerkleider und setzte sich neben sie. »Doch nicht deine Schwester?«

Grace versicherte ihr, dass es Lily gut ging und dass sie als Dienstmädchen arbeitete (was Mrs Macready mit Verwunderung zur Kenntnis nahm). »Und ich trage nur Trauer, weil ich für die Unwins als Sargbegleiterin arbeite«, fügte sie mit gedämpfter Stimme hinzu, »und daher sollte ich eigentlich mit niemandem sprechen.«

Mrs Macready rang empört nach Luft. »Nein, so was!«

Da sich um diese Zeit kaum noch jemand in dem Raum aufhielt, fuhr Grace fort: »Aber wie geht es Ihnen, Mrs Macready? Ich hoffe doch, niemand Nahestehendes ist gestorben?«

»Ach, ich fürchte doch. Das alte Ehepaar Mr und Mrs Beale«, sagte sie mit einem Seufzer.

Grace stieß einen betroffenen Ausruf aus. »Wie traurig!«

»Sie starben mit nur einem Tag Abstand voneinander, Gott hab sie selig, und die Blindengesellschaft ist für eine Beerdigung dritter Klasse hier draußen aufgekommen.« Ihre Augen schimmerten feucht. »Aber, du meine Güte, was für ein schöner Ort das hier ist, und dann noch mit dem Zug herauszufahren, so ein Genuss! Und zu wissen, dass nur einen Waggon weiter die Adligen sitzen!« Plötzlich hielt sich die alte Dame die Hand vor den Mund. »Aber, jetzt hätte ich es beinahe vergessen – eine Frau hat mich bei mir zu Hause aufgesucht und nach dir gefragt!«

Grace schaute sie überrascht an. »Wirklich?«

»Nun, hm … wie war bloß ihr Name?« Mrs Macready kratzte sich unter ihrem Schleier den Kopf. »Sie wusste, dass du bei mir gewohnt hast, und sagte, falls ich die je träfe, solle ich dir ausrichten, du mögest sie doch bitte aufsuchen. Sie hat mir ihre Adresse hinterlassen … Es war ein ganz gewöhnlicher Name … *Smith*«, rief Mrs Macready schließlich triumphierend. »Ja, genau, sie nannte sich Mrs Smith!«

Grace nestelte an ihrem Schleier herum und ließ ihn wieder herunter, wobei sie hoffte, Mrs Macready würde nicht bemerken, wie ihre Hände zitterten. »Ich glaube nicht, dass ich eine Mrs Smith kenne«, sagte sie und versuchte zu lächeln. »Das klingt mir sehr nach einem falschen Namen.«

»Irgendwo habe ich ihre Adresse aufgeschrieben. Wenn du möchtest, kann ich sie dir zukommen lassen.«

Grace tätschelte der alten Dame die Hand. »Ich denke, das wird nicht nötig sein, Mrs Macready, aber danke. Das hat nichts mit Ihnen zu tun, aber ich habe mit diesem alten Dasein abgeschlossen.«

»Aber natürlich, meine Liebe. Ganz wie du willst«, sagte Mrs Macready. »Womöglich war sie ja auf Geld aus. Man kann nie wissen«, fügte sie noch hinzu.

Grace nickte. Das war auch ihr erster Gedanke gewesen: Dass »Mrs Smith« herausgefunden hatte, dass sie eine feste Arbeit gefunden hatte, und sie nun mit dem Baby erpressen wollte.

»Aber vielen Dank, dass Sie es mir erzählt haben, und ich hoffe, wir sehen uns einmal unter fröhlicheren Umständen wieder«, sagte Grace, drückte flüchtig ihre verschleierte Wange auf die der alten Frau und ging hinaus, um in den Zug zu steigen.

Mitten in der Nacht – oder um vier Uhr morgens, um genau zu sein – erwachte Grace aus tiefem Schlaf und sah Jane am Fenster stehen und in die Dunkelheit hinausspähen.

»Was ist los?«, fragte sie schläfrig.

»Irgendetwas ... aber ich weiß auch nicht, was«, antwortete Jane in einem nervösen Flüstern. »Seit einer Stunde oder mehr läuten die Glocken – hörst du sie denn nicht? Und da sind Leute auf der Straße.«

Jetzt hörte auch Grace die Glocken und setzte sich im Bett auf. Es war ein monotones, tiefes Läuten, das nicht nur von der Kirche ihres Viertels kam, sondern anscheinend auch noch von zahlreichen anderen. »Hast du je schon mal so ein Glockengeläut gehört?«

Jane schüttelte den Kopf. »Vielleicht gibt es Krieg«, sagte sie ängstlich. »Oder ein schlimmes Feuer.«

»Geh und frag jemanden!«, drängte Grace sie. »Sieh mal nach, wer sonst noch wach ist im Haus.«

Doch Jane hatte zu große Angst, und so zündete Grace eine Kerze an, wickelte sich zum Schutz gegen die bittere Kälte in ihre Decke und ging ins Treppenhaus. Unten stieß sie auf zwei Näherinnen, die sich aufgeregt mit einem Steinmetz unterhielten.

»Was ist denn los?«, fragte Grace. »Warum läuten sämtliche Glocken?«

»Wir wissen's auch nicht«, erwiderte eines der Mädchen.

»Wir haben Wilf auf die Straße hinausgeschickt, um was herauszubekommen«, erzählte die andere.

Während sie warteten, ertönte plötzlich von vorn im Haus, wo die Verkaufsräume lagen, ein weiterer Glockenton – die Handklingel, die Mr oder Mrs Unwin manchmal benutzten, um die Angestellten zum Kirchgang zusammenzurufen oder etwas Wichtiges anzukündigen. Grace ging in ihr Zimmer zurück, um Jane zu sagen, sie möge rasch nach unten kommen.

Im vorderen Empfangszimmer war eine der Gaslampen entzündet worden, in deren Schein ein großer Marmorengel einen weichen, flackernden Schatten an die Wand warf. Mr George Unwin erwartete sie, vollständig angekleidet und die Stirn in tiefe Falten gelegt. Er war eben von Kensington eingetroffen und begierig, den Arbeitern die Neuigkeit zu berichten.

Nachdem er um Stille gebeten hatte, fing er an: »Bestimmt fragt ihr euch alle, was vor sich geht.« Ein zustimmendes Gemurmel ertönte, und er fuhr fort: »Es ist meine traurige Pflicht, euch mitzuteilen, dass der Prinzgemahl unserer geliebten Königin diese Nacht verstorben ist.«

Alle Anwesenden rangen kollektiv nach Luft. Ein oder zwei Mädchen fingen an zu weinen. Grace dachte an den Mann mit dem schönen, leidenschaftlichen Gesicht, den sie im Fenster der Kutsche gesehen hatte, und an die ganzen Grabinschriften, die sie erst gestern gelesen hatte. Sie hatten die Wahrheit gesagt: Der Tod lauerte auf jeden, ungeachtet von Rang und Namen.

»Ich wusste nicht, dass er krank war, Sir!«, rief jemand aus.

»Was ist mit der Königin? Das wird sie umbringen.«

Mr Unwin antwortete: »Ich brauche euch wohl kaum zu sagen, was für ein Schlag das für unser Land ist. Eine nationale Katastrophe.«

Wieder ertönte zustimmendes Gemurmel, diesmal unterbrochen von vereinzelten Schluchzern.

»Jedoch …« Mr Unwin brach ab und hustete. »Während dies zweifellos eine Tragödie für uns alle ist, bedeutet es für manche, äh …« Er hielt inne und suchte nach den geeigneten Worten. »Ist es für die einen eine größere Tragödie als für die anderen. Und manche sind womöglich – obwohl ohne Frage ebenso niedergeschmettert wie die anderen – trotzdem … nicht ganz so …« Er brach endgültig ab und gab sein Ansinnen auf, den Arbeitern auf eine taktvolle Weise vermitteln zu wollen, dass er und Mrs Unwin die Angelegenheit bereits erörtert hatten und zu dem Schluss gekommen waren, dass Prinz Alberts Tod eine Renaissance und eine neue Blütezeit im Trauergewerbe auslösen würden, denn sicherlich würde nun die gesamte Nation Schwarz tragen wollen.

»Unser aller Gedanken weilen bei unserer geliebten Königin«, schloss er ehrerbietig.

Es war, stellte Grace zwei Tage später fest, absolut erstaunlich: Die ganze Welt schien über Nacht schwarz geworden zu sein. Läden, Omnibusse, Kutschen, Züge, Bäume, Pferde, Restaurants und Häuser waren mit meterlangen Stoffbahnen aus Bombasin und Krepp dekoriert worden. Hunde trugen schwarze Halsbänder, Katzen schwarze Schleifen und die weißen Babykleider wurden mit grob gerippter schwarzer Seide eingefasst. Als ob die Menschen ihre Treue zu Königin Viktoria und Prinz Albert zum Ausdruck bringen wollten – oder vielleicht den Eindruck erwecken wollten, sie gehörten zur Aristokratie und wären als solche mit der königlichen Familie verwandt.

Gewöhnliche Beerdigungen wurden entweder rasch noch vorgenommen oder bis nach dem Begräbnis von Prinz Albert aufgeschoben, das für den 23. Dezember festgesetzt wurde. Grace, die unbedingt Lily aufsuchen wollte, um herauszufinden, was es mit dem geheimnisvollen Verehrer auf sich hatte, erkannte bald, dass sich dafür so schnell keine Gelegenheit ergeben würde, denn zwei Tage später wurden die Mitarbeiter des Unwin-Unternehmens um sechs Uhr abends erneut von Mr Unwin im roten Salon zusammengerufen. Auch Mrs Unwin war zugegen, in einem äußerst schicken Trauerkleid aus Moiré-Seide, mit einem schwarzen Pelzbolero über den Schultern und einer dreireihigen schwarzen Perlenkette um den Hals. Grace hörte eine der Näherinnen flüsternd zu ihrer Freundin sagen, die Chefin sehe aus wie Gräfin Rotz von Popelsburg.

»Angestellte und Dienerschaft«, begann Mr Unwin geschwollen, »nach dem Ableben des Gemahls unserer geliebten Königin ereilt uns aus dem Buckingham Palast die Nachricht, die Königin wünsche, dass alle im Land angemessen ihre Trauer bekunden.«

Einige der Zuhörer schauten einander verdutzt an.

»Eine *angemessene* Trauer«, wiederholte Mrs Unwin und rückte ihre Kette zurecht, um die allgemeine Aufmerksamkeit darauf zu lenken. Auf genau so eine Gelegenheit – ein bedeutendes, hochrangiges Begräbnis – hatte sie gewartet, um ihre Perlen vorzuführen.

»Zum Gedenken an unseren geliebten Prinz Albert ist ganz Großbritannien aufgefordert, zumindest eine schwarze Armbinde zu tragen«, führte Mr Unwin aus. »Und von all jenen, die über Verbindungen zum Hofe verfügen, wird erwartet, dass sie drei Monate Volltrauer tragen.«

Mrs Unwin bestätigte dies mit einem weisen, traurigen Kopfnicken. Die Unwins besaßen absolut keine Verbindungen zum Hof, doch Mrs Unwin hatte entschieden, dass sie und Charlotte mindestens sechs Monate Trauer tragen, ihre Korrespondenz ausschließlich auf schwarz umrandetem Papier tätigen und das Innere der Familienkutsche für diesen Zeitraum mit schwarzem Bombasin überziehen lassen würden.

»Danach wird für weitere drei Monate eine Phase der Halbtrauer folgen und schließlich der Vierteltrauer«, fuhr Mr Unwin fort.

»Ganz genau.« Mrs Unwin tupfte sich die Augen mit einem schwarz umrandeten Taschentuch ab, während sie im Geiste schon ihre Garderobe aus schmeichelndem Violett und zarten Lilatönen plante.

Während sich seine Frau ganz auf ihre trauervolle Mimik konzentrierte, fuhr Mr Unwin fort: »Was nun die Trauerbekleidung angeht, so werden einige von euch wissen, dass mein Cousin, Mr Sylvester Unwin, Besitzer des Unwin-Trauerbekleidungskaufhauses in der Oxford Street ist.«

Die Arbeiter nickten. Das wussten in der Tat alle.

»Er hat uns um Unterstützung gebeten.« Er machte eine kleine dramatische Pause, um den Satz wirken zu lassen, und fuhr dann fort: »Das Kaufhaus ist von einer Flut von Käufern ebenso wie postalischen Kaufordern überschwemmt worden. Schon frühmorgens um sechs Uhr bilden sich Schlangen vor dem Kaufhaus, und um sechs Uhr abends hört es noch immer nicht auf.«

»Sie haben schon nach Uhrzeit gestaffelte Zutrittskarten verteilt«, warf Mrs Unwin ein, »aber selbst so werden sie des gewaltigen Ansturms nicht Herr.«

»Er kommt gar nicht mit dem Geldeintreiben nach!«, rief Mr Unwin freudig erregt, woraufhin ihn seine Frau unsanft anstupste und er zurückhaltender fortfuhr: »Was ich sagen will, ist: Mr Sylvester Unwin hat um so viele Mitarbeiter aus unserem Haus zu seiner Unterstützung gebeten, wie wir entbehren können. Sie sollen vorübergehend im Kaufhaus in der

Oxford Street arbeiten. Ihr erhaltet eine kurze Unterweisung, wie ein solch exklusives Kaufhaus funktioniert, und jeder von euch wird mit einem erfahrenen Mitarbeiter zusammenarbeiten«, erklärte Mr Unwin. »Hier bei uns werden wir nur ein Skelettgerüst an Personal aufrechterhalten.« Er schwieg einen Moment. »*Skelett*gerüst. Das ist gut, was?«

Es wurde respektvoll gelacht, dann las Mr Unwin die Namen derer vor, die nicht im Kaufhaus arbeiten sollten: Der Hufschmied und seine Lehrlinge, zwei Stallburschen vom Land und ein paar ältliche Näherinnen waren offensichtlich nicht geeignet, adlige Kundschaft zu bedienen. Die jungen Frauen dagegen, einschließlich Grace, sollten ganz früh am nächsten Morgen im Kaufhaus anfangen.

UNWIN TRAUERBEKLEIDUNGSKAUFHAUS
Oxford Street, London
Bekleidung für Voll-, Halb- und Vierteltrauer. Für jede Phase Ihres Kummers der passende Bedarf.
Stoff- und Warenmuster werden postwendend versandt.
Zu unserer Kundschaft zählen Angehörige des englischen und ausländischen Adels.

Kapitel 19

Das Unwin Trauerbekleidungskaufhaus befand sich unweit vom Oxford Circus in Londons berühmter Einkaufsstraße Oxford Street und lag damit ganz in der Nähe von Jay's Trauermodenhaus, der allerersten und bekanntesten Adresse für Kaufhäuser, die sich ausschließlich auf Trauerbekleidung und -zubehör spezialisiert hatten. Zwischen den beiden Geschäften herrschte eine ständige Rivalität hinsichtlich der Frage, welches das umfangreichste – und *modischste* – Bekleidungssortiment und die aristokratischste Kundschaft besaß. Wenn sich von Zeit zu Zeit ein Lord, eine Lady oder ein entferntes Mitglied der Königsfamilie an eines der beiden Kaufhäuser wandte, löste es damit immer automatisch bei dem anderen großen Groll aus.

Grace stellte fest, dass sie sich auf den vorübergehenden Wechsel an einen neuen Arbeitsplatz freute, denn ihr Dasein als Sargbegleiterin war sie allmählich leid: ständig mit gramverzehrtem Gesicht und halb blind umherzugehen und die Menschen nur durch einen schwarzen Schleier zu sehen. Obendrein sahen Kaufhäuser so verlockend aus. Sie war oft genug an welchen vorbeigeschlendert, hatte sich jedoch noch nie in eines hineingewagt, da an den Eingängen streng blickende, uniformierte Männer standen, und wenn man arm oder sonst irgendwie unzulänglich aussah, machten sie einem die Tür nicht auf und versuchten einen mit drohenden Blicken oder Rufen wie »Verschwinde!« zu verscheuchen. Kaufhäuser waren für den niederen Adel gedacht, nicht für Grace und ihresgleichen.

Am folgenden Morgen marschierten zwölf Angestellte des Unwin-Bestattungsunternehmens, angeführt von Mr George Unwin, in Zweierreihe von der Edgeware Road zum Oxford Circus. Als sie um sieben Uhr dort eintrafen, wartete bereits, wie von Mr Unwin vorhergesagt, eine Schlange von Kunden vor der Tür. Ein Großteil von ihnen waren Diener und Kammermädchen, die von ihren Herrschaften Einkaufslisten mitbekommen hatten oder eine Notiz mit der Bitte, ein Schneider des Kaufhauses möge sich persönlich mit den Herrschaften in Verbindung setzen.

Als die Zweierreihe an den riesigen, mit Gaslampen beleuchteten Schaufenstern vorbeizog, bestaunten die Angestellten die Schaufensterpuppen, die die neueste Trauermode trugen und in verschiedenen, beiläufig wirkenden Situationen arrangiert waren. Eine Puppe stieg gerade anmutig eine Treppe herab, eine andere blickte kummervoll durch ein offenes Fenster, eine dritte las, vor einem Kaminfeuer sitzend, einen Abschiedsbrief. Jede der Schaufensterszenen erzählte eine eigene Geschichte, stellte Grace bewundernd fest. Die Unwin-Mitarbeiter gingen an dem Geschäft vorbei, bogen in eine Seitengasse und betraten das Kaufhaus durch einen Personaleingang auf der Rückseite. Die Räumlichkeiten hier hinten waren recht schäbig, führten jedoch direkt in den Laden selbst, wo die Neuankömmlinge mit ehrfürchtigem Staunen die weichen Tapeten und Vorhänge, die vielen Gaslampen, die dicken Teppiche und die überall sichtbare Opulenz betrachteten. Sogar ein Flügel stand unweit vom Haupteingang, auf dem besinnliche Musik erklingen sollte, um den Kummer der Kundschaft zu lindern.

Das hieß es also, reich zu sein, ging es Grace durch den Sinn, als sie sich umblickte. Nicht nur Essen und eine Unterkunft zu haben, sondern obendrein mit luxuriösem Staat und einer Fülle von Besitztümern zu leben, und so viele Kleider sein Eigen zu nennen, wie man wollte, … durch Geschäfte wie dieses hier zu schlendern und einfach auf Sachen zu deuten, woraufhin das Kammermädchen losrannte, um sie zu erstehen.

Mr Sylvester Unwin war von seinem Cousin unterrichtet worden, dass Grace Parkes, die Schwester der kostbareren Lily, vorübergehend im Kaufhaus mitarbeiten würde, doch das hatte diesen keinen Moment lang beunruhigt. Der geplante Betrug an den Parkes war für ihn eine separate Sache. Außerdem sagte er sich, dass die Unwins den beiden Schwestern (die vermutlich beide nicht besonders helle waren) sowieso schon einen gewaltigen Gefallen taten, indem sie sie bei sich anstellten und ihnen eine Bleibe boten. Was für ein Leben hätten sie denn sonst zu erwarten gehabt? Wie wären sie mit so einem Vermögen umgegangen? Früher oder später hätte es ihnen ja doch jemand abgeknöpft. Da war es doch besser, sie wussten von vornherein nichts von ihrem Besitz. Und so redete er sich sein Gewissen rein.

Bevor das Kaufhaus seine Türen öffnete, stand Mr Sylvester Unwin auf halber Höhe der breiten, geschwungenen Treppe, die zur Abteilung Schuhe und Accessoires hinaufführte, und ließ den Blick zufrieden über sein altes und neues Personal schweifen. Die Arbeiter aus dem Geschäft seines Cousins würden natürlich nicht selbstständig Kunden bedienen, durften sich aber nützlich machen, indem sie den Kundinnen versicherten, wie wunderbar ihnen ein Kleidungsstück stand, Bahnen von braunem Packpapier abrissen, Päckchen verschnürten und Rechnungen und Quittungen von und zu den Kassen trugen. Und die Kassen klingelten von morgens bis abends, dachte er selbstzufrieden. Noch nie hatten sie einen solchen Ansturm erlebt. Natürlich war es schlimm, dass Prinz Albert in der Blüte seines Lebens hingerafft worden war, aber zumindest was den Besitzer von Londons erstem Trauerbekleidungshaus und seinen Cousin anging, hatte das auch seine guten Seiten.

Sylvester Unwin wartete, bis unter den unten Stehenden vollkommene Stille eingekehrt war, wünschte dann allen hochtrabend einen guten Morgen und verkündete, dass er ein paar wichtige Dinge zu sagen hätte, vor allem den Neuankömmlingen.

»Es ist eine noble und ehrenwerte Aufgabe, jemandem in seiner Stunde der Not und Verzweiflung Trost und Linderung spenden zu können«, hob er an. »Prinz Albert war ein von allen geliebtes Mitglied unserer königlichen Familie, und indem sein Land angemessen trauert, bekundet es ihm seinen Respekt und hilft unserer Königin durch ihre dunkelste Stunde. Zögert daher nicht, zu diesem Zweck einer Kundin die eine oder andere kleine Extraverzierung zu ihrer Trauerkleidung anzuempfehlen, als besonderen Ausdruck ihrer persönlichen Anteilnahme. Wenn ein Herr ein schwarzes Hutband für seinen Zylinder wünscht, schlagt ihm dazu noch schwarze Handschuhe oder Gamaschen vor. Wenn eine Dame Handschuhe verlangt, bietet ihr zusätzlich einen Schleier, einen Trauerring aus Gagat oder einen schwarzen Hut an.«

Er räusperte sich. »Wenn ihr auf diese Dinge hinweist, vergesst nicht, zu erwähnen, dass Trauerbekleidung nach dem Todesfall nicht über längere Zeit aufgehoben werden soll, denn der Brauch sagt – und wer wären wir, um da zu widersprechen? –, dass es Unglück bringt, Trauerkleider für den nächsten Todesfall aufzubewahren.«

Grace erschrak über das, was sie da hörte – wo doch halb London kaum das nötige Geld hatte, sich das nächste Essen zu leisten, ganz zu schweigen von einer neuen Garnitur Trauerkleidung jedes Mal, wenn ein Familienmitglied starb! Zum ersten Mal betrachtete sie ihren neuen Arbeitgeber mit voller Aufmerksamkeit und sah einen Mann in schwarzem Frack und Schuhen, die wie dunkles Glas glänzten, einem Hemd, das so schneeweiß war, dass es direkt von der Näherin kommen musste, und schwarzen, butterweichen Lederhandschuhen. Sylvester Unwin bildete sich einiges auf seine äußere Erscheinung ein.

»Selbstverständlich«, fuhr er fort, »wird nicht jeder, der in den nächsten Tagen unser Geschäft betritt, sich für das Gedenken an Prinz Albert einkleiden wollen. Manche werden einen Trauerfall in der eigenen Familie haben. Für diesen Fall denkt daran: Den Angehörigen zu modischer Volltrauerbekleidung zu verhelfen, erlaubt ihnen, sich auf das Wesentliche zu konzentrieren, und lindert ihren Schmerz. Bei meiner Wohltätigkeitsarbeit werde ich oft gebeten, verwitweten Damen beizustehen, und betone dann immer wieder, dass sie es dem glorreichen Andenken an ihren verstorbenen Gatten schuldig sind, sich in die besten Trauerkleider zu hüllen, die sie sich leisten können.«

In diesem Stil ging es noch eine Weile weiter, doch Grace fiel es schwer, sich auf Mr Unwins Worte zu konzentrieren. Da war etwas an seiner Erscheinung, das ihr aufstieß, das ihr fast widerwärtig war, doch sie konnte den Finger nicht darauf legen, was es war. Erneut betrachtete sie ihn aufmerksam, fand jedoch nichts Auffälliges. An der Oberfläche sah er absolut respektabel aus. Lag es dann vielleicht an seiner Haltung, oder war es etwas in seinem Gesicht mit der geröteten Portwein-Nase oder einfach nur seine ölige Art und die vielen scheinheiligen Hinweise auf seine wohltätige Arbeit, die ihn ihr so zuwider machten?

Plötzlich klatschte Mr Unwin mitten im Satz in die Hände und deutete auf Grace.

»Du da! Was habe ich gerade gesagt?«

Grace lief feuerrot an und schüttelte den Kopf, um zu sagen, dass sie es nicht wüsste, woraufhin Mr Unwin seinerseits in einer Parodie ihrer Geste den Kopf schüttelte. Das festangestellte Personal quittierte es mit Gelächter.

»Ist das deine Antwort, wenn meine Kunden dich etwas fragen – einfach den Kopf zu schütteln?«, fragte Mr Unwin. Genüsslich die Situation auskostend, kam er die Treppe herunter und blieb vor ihr stehen. »Kannst du auch nicken?«

Die unmittelbare Nähe zu Mr Unwin empfand Grace beinahe als erdrückend: sein massiger Körper, die physische Kraft, ein süßlich scharfer Duft, der ihm anhing.

»Ob du auch nicken kannst, habe ich gefragt!«, wollte er erneut wissen, legte eine Hand auf ihren Kopf und bewegte ihn auf und ab.

Grace war so verängstigt, dass sie gegen ihren Willen nickte.

»Ah!«, ergötzte sich Mr Unwin. »Sie kann also nicken!«

Er drehte sich um und nahm wieder seine erhabene Position auf der Treppe ein. »Ihr seht, man muss immer aufmerksam sein, was der Kunde sagt! Egal ob ihr euren ersten Kunden bedient oder den achtzigsten, seid wach und seid mit eurer Aufmerksamkeit dabei! Ihr dürft euch keine Gelegenheit entgehen lassen, etwas zu verkaufen.«

Grace blickte zu ihm hinauf und bemühte sich, die Mischung aus Furcht und Abscheu, die sie ihm gegenüber verspürte, zu verbergen. Dieser Geruch, dieser beißende süßliche Geruch ... Wo war ihr der nur schon mal begegnet?

Und dann fiel es ihr ein: bei der Beerdigung von Cedric Welland-Scorpes, als jener Mann an ihr vorbeiging, der als Letzter die Kirche betreten hatte. Und vielleicht auch schon vorher einmal, obwohl sie nicht hätte sagen können, wo genau.

Ihr blieb auch keine Zeit, noch länger darüber nachzugrübeln, denn die Unwin-Angestellten wurden nun eingeteilt. Grace wurde einer jungen Frau zugeteilt, deren Namensschild sie als Miss Violet auswies. Sie war einige Jahre älter als Grace und selbst auf ihre Weise hübsch genug, um sich nicht an Graces Schönheit zu stören. Miss Violet war eine von insgesamt fünf Empfangsdamen, denen die Aufgabe zukam, die Kundinnen zu begrüßen, ihre Wünsche entgegenzunehmen und, bereits wenn sie das Geschäft betraten, einzuschätzen, welchen Rang und Status sie hatten. Mr Unwin wünschte nämlich, dass Kunden, die ganz oben auf der sozialen Leiter standen, von Angestellten bedient würden, die in der Hierarchie des Kaufhauses ähnlich weit oben angesiedelt waren.

Grace war noch nie zuvor einer jungen Frau wie Miss Violet begegnet: Sie war klug und gebildet, trug das dichte, lockige Haar kurz geschnitten (und hatte glänzend rote Lippen, die wohl nicht nur natürlichen Ursprungs waren). Sie gehörte zu einem neuen Schlag von weiblichen Büro- und Ladenangestellten, die sich nicht damit begnügten, zu Hause zu sitzen und auf einen Mann zu warten, der um ihre Hand anhielt, sondern die selbst in die Welt hinauswollten und eine berufliche Karriere verfolgten. Grace fand sie auf Anhieb sympathisch.

»Deine Aufgabe ist ganz leicht«, erklärte Miss Violet ihr, »du brauchst nur die Kundinnen dorthin zu begleiten, wo ich es dir sage. Das kann eine Abteilung sein oder auch ein bestimmter Verkäufer oder eine Verkäuferin aus einer Abteilung. Hin und wieder könnte es auch sein, dass ich dich bitte, einen sehr bedeutenden Kunden zu Mr Unwin persönlich zu führen.«

Grace nickte, konnte jedoch nicht verhindern, dass ihr bei der bloßen Nennung des verhassten Namens ein Ausdruck von Furcht über das Gesicht huschte.

Miss Violet tätschelte ihr die Schulter. »Lass dich nicht von ihm aus der Ruhe bringen«, sagte sie. »Sly ist ein grober Kerl, der sich jeden Tag irgendjemanden zum Schikanieren aussucht – manchmal auch mehrere, wenn er besonders grässlich ist.«

»Er heißt Sly?«

»Sylvester eigentlich, aber Sly ist sein Spitzname, und das passt auch, weil er nämlich ein hinterlistiger Schlawiner ist«, bemerkte Miss Violet schmunzelnd. »Aber jetzt führe ich dich im Geschäft herum und zeige dir, wo die einzelnen Abteilungen sind.«

Grace war beinahe überwältigt von der schieren Menge an Waren in dem Kaufhaus. Miss Violet führte sie vorbei an Röcken und Oberteilen, Miedern und Mänteln, Boas und Hüten, Schals und Stolen, Schürzen, Schuhen und Regenschirmen, und ihr schwirrte schon der Kopf, bevor sie überhaupt die Männerabteilung erreicht hatten.

»So viele Kleider, und alles in Schwarz!«, rief sie aus und fand es richtiggehend erleichternd, als sie die Abteilung für Halbtrauer erreichten, in der Grau, Violett und zartes Lila dominierten.

»Wir haben so viel Ware vorrätig, weil Mr Unwin es nicht duldet, dass uns ein Geschäft durch die Lappen geht«, erklärte Miss Violet. »Ich bin überzeugt, dass es ihm jedes Mal einen Stich gibt, wenn jemand unser Geschäft verlässt, ohne seine Geldbörse geöffnet zu haben.« Neben einer größeren Nische, die mit Vorhängen diskret abgeteilt war, blieb sie kurz stehen. »Eine neue Abteilung«, sagte sie mit gedämpfter Stimme. »Trauerunterwäsche.«

»Unterwäsche!«, wiederholte Grace fassungslos.

Miss Violet schmunzelte. »Ganz genau. Die Damen müssen doch zeigen, dass sie bis in die intimsten Tiefen ihres Gewandes leiden.«

»Und müssen all diese Kleider ebenfalls schwarz sein?«, fragte Grace, während sie versuchte, um den Vorhang herumzuspähen.

Miss Violet schüttelte den Kopf. »Nein. Die können aus weißem Batist mit Borten aus schwarzer Spitze sein oder aus weißem Leinen mit durchgezogenen schwarzen Bändern«, gab sie flüsternd zur Antwort.

Sie kehrten in die Eingangshalle zurück und blieben neben dem Flügel stehen, Miss Violets üblicher Position, von der aus sie sich die betuchtesten Kunden herauspickte und sie persönlich in Empfang nahm. Nachdem Grace erleichtert festgestellt hatte, dass Mr Unwin nirgends mehr zu sehen war, fing sie an, das Ganze zu genießen – auch wenn sie sich zuallererst wünschte, Lily hätte hier sein können, um dies alles auch zu sehen.

Der Tag verging für Grace in einem Nebel aus Gesichtern und Kaufwünschen. Am frühen Vormittag kamen vor allem Dienstmädchen, Hausdiener und die ärmeren Leute in den Laden, doch bis zur Mittagszeit hatten sich auch die mittleren Schichten aus ihren Häusern gewagt und kamen, um ihre Liebe zu Prinz Albert durch die Ausgabe beträchtlicher Geldsummen unter Beweis zu stellen. Gegen drei Uhr stellte sich dann eine weitere Bevölkerungsgruppe ein, nämlich jene Angehörigen der Oberschicht, die nicht schnell genug gewesen waren, um sich die Dienste eines privaten Schneiders zu reservieren, und die nun, auf dem Weg zum Tee mit Freundinnen oder Tanten, im Kaufhaus vorbeischauten. Es gab eine ganze Menge solcher feiner Damen – so viele, dass der Fahrdamm vor dem Geschäft sich in ein Meer von stampfenden, wiehernden Pferden sowie kleinen und großen, offenen und geschlossenen, ein- und mehrspännigen Kutschen verwandelte, und zu allem Überfluss kam auch noch eine Herde Schafe hinzu, die ein Schäfer mit Hilfe seiner zwei Schäferhunde zum Billingsgate Markt trieb. Dieses ganze Verkehrschaos bewirkte, dass ein paar Damen auf der anderen Seite der Oxford Street strandeten und ihre Dienstmädchen mit schriftlichen Anweisungen für das Kaufhaus losschickten, sich in den tobenden Verkehr hinauszuwagen und im Anschluss an den Einkauf ohne ihre gnädige Frau nach Hause zu kommen.

Während sich draußen mehrere solcher Dramen abspielten, fiel Grace ein Gedränge vor den Ladentüren ganz in ihrer und Miss Violets Nähe auf. Im

Lauf des Tages hatten die uniformierten Männer an den Türen das Kaufhaus mehrfach für kurze Zeit wegen Überfüllung schließen müssen, und zunächst dachte Grace, dies wäre eben wieder der Fall. Bald bemerkte sie jedoch, dass die Türsteher versuchten, einem stattlichen, bärtigen Gentleman aus der wartenden Menschentraube ins Ladeninnere zu verhelfen.

Miss Violet blickte, von Grace auf das Geschehen aufmerksam gemacht, zu den Türen und murmelte: »Ach, du lieber Himmel!« Dann stürzte sie auch schon, ein erregtes »Los, Miss Grace!« aus dem Mundwinkel zischend, auf den Herrn zu, der eben durch die Türöffnung stolperte, um ihn zu begrüßen.

Grace setzte sich in Bewegung. Ihr fiel auf, dass die Leute draußen ihr Gedränge in den Laden vorübergehend aufgegeben hatten und sich stattdessen die Nasen an den Scheiben plattdrückten, um jede Regung dieses neuen Kunden zu beobachten.

»Guten Tag, Sir!«, begrüßte ihn Miss Violet und machte einen viel tieferen Knicks als alle bisherigen. Grace tat es ihr sofort gleich. »Dürfen wir Sie in eine bestimmte Abteilung führen? Was für Einkäufe wünschen Sie heute zu tätigen, Sir?«

»Ein paar verdammte Trauerflore und schwarze Krawatten!«, antwortete der Mann, während er seinen Zylinder abnahm. Er hatte ein von tiefen Falten durchzogenes Gesicht, einen angegrauten Bart und zurückweichenden Haaransatz, doch seine leuchtend blauen Augen wirkten jung. Er wedelte mit der Hand in Richtung der Warenauslagen. »Entschuldigung, wenn ich so direkt bin, aber ich habe für diesen ganzen Trauerzinnober nichts übrig!« Er schwieg einen Moment und schien sich wieder etwas zu fassen. »Aber selbstverständlich sind meine Empfindlichkeiten in dieser Angelegenheit für Sie nicht von Belang, und so muss ich mich bei Ihnen für meine Übellaunigkeit entschuldigen.«

»Dazu besteht absolut keine Notwendigkeit, Sir!«, murmelte Miss Violet.

Der Mann lächelte ein wenig. »Ich war gerade mitten auf einer Lesereise in Liverpool, als ich es hörte, und musste zehn Vorstellungen absagen und nach London zurückkehren. Warum das alles, das weiß nur der Himmel! Das ganze Land scheint ja völlig verrückt geworden zu sein vor Kummer.«

»In der Tat, so sieht es aus, Sir«, sagte Miss Violet mit einer Geste zu den Menschenmassen vor der Tür. »Aber das tut mir leid wegen Ihrer Lesereise«, fuhr sie fort. »Und wenn ich es mir erlauben darf hinzuzufügen, Mr Dickens: Meine Familie und ich sind ganz begeistert von *Große Erwartungen*.«

Grace schnappte – allerdings nur im Stillen – vor lauter Aufregung nach Luft. Sie war froh, dass ihre Arbeit als stumme Sargbegleiterin sie darin geschult hatte, ihre Gefühle zu verbergen, sonst hätte sie womöglich mit sperrangelweit aufgerissenem Mund dagestanden.

»Meine Mutter und ich streiten uns immer, wer zuerst die neue Folge lesen darf, sobald die Zeitung ins Haus flattert«, fuhr Miss Violet fort. »Und mein Bruder hat aus Solidarität mit den Uhren in Miss Havishams Haus seine Taschenuhr auf zwanzig Minuten vor neun angehalten und will sie erst wieder aufziehen, wenn er das Buch zu Ende gelesen hat!«

»Prächtig! Prächtig! So was hört man gern«, erwiderte Charles Dickens lächelnd und sichtlich besänftigt, während Grace seinen Namen der Liste all jener Dinge hinzufügte, von denen sie Lily unbedingt erzählen musste.

Würden Sie Ihren kleinen Liebling auf etwas anderes betten wollen als auf **WÄSCHE VON DORLING'S?**

Komplette Babyausstattung ab 21 Shilling, einschließlich Babykleidern, Morgenjäckchen, Hemdchen und Schaltüchern, alles mit reizendem Spitzenbesatz.

Die neuesten Artikel für Ihr Baby – täglich neue Lieferung.
Bekleidung für Alltag, besondere Anlässe und Trauerfälle.
Paketlieferungen zum nächsten Tag.

DORLING'S in der Chamber Street, Manchester.

Kapitel 20

Mr und Mrs Robinson samt Baby kamen erst am späten Nachmittag in das Kaufhaus, als Miss Violet und Grace – wie auch alle anderen Angestellten – schon ziemlich erschöpft waren. Nichtsdestotrotz ging Miss Violet sogleich auf sie zu, um sie zu begrüßen, und konnte nicht widerstehen, dem fröhlich lächelnden und vor sich hin gurgelnden Kind, das Mrs Robinson trug, den Kopf zu streicheln.

»Was für ein süßer Kleiner!«, sagte sie und winkte Grace heran, damit sie ihn ebenfalls bewunderte.

Mr und Mrs Robinson strahlten die beiden an. »Wahrscheinlich ist man ja als Eltern voreingenommen, aber er ist wirklich hübsch, nicht wahr?«, sagte der Vater des Kindes.

»In der Tat, das ist er«, bestätigte Grace lächelnd, während sie dem Kleinen einen Finger hinhielt.

»Nun, wie können wir vom Unwin-Kaufhaus Ihnen heute behilflich sein, Sir und Madam?«, fragte Miss Violet.

»Wir brauchen tatsächlich Ihren Rat«, sagte Mrs Robinson. »Unser Kleiner wird am Sonntag getauft. Wir wollten damit ja warten, bis er ein halbes Jahr alt ist, aber jetzt, mit dem Tod Prinz Alberts, wünschten wir, wir hätten das nicht getan. Ein Mitglied des Hochadels wird bei der Taufe zugegen sein, wissen Sie, ein hoher Gentleman, der mit der Familie meines Mannes bekannt ist, und nun befürchten wir, dass er verstimmt sein könnte, wenn wir nicht in Volltrauer sind.«

»Und wenn wir dies sind, heißt das, dass das Baby es dann auch sein muss?«, fragte Mr Robinson. »Wir haben ein Taufkleid, das noch aus dem Besitz meiner Urgroßmutter stammt, aber nun wissen wir nicht, ob es in Ordnung ist, wenn er dieses trägt.«

»Nun, Sir und Madam, ich denke, mit diesen Überlegungen sind Sie in unserer Baby-Abteilung bestens aufgehoben«, sagte Miss Violet. »Die Mitarbeiterinnen kennen die Gepflogenheiten genau und können Ihnen sicherlich Auskunft geben.«

»Und wo finden wir die Abteilung?«

»Miss Grace wird Sie hinbegleiten«, sagte Miss Violet, und Grace führte die Herrschaften durch das Gedränge zu der gewünschten Abteilung, nicht ohne unterwegs ein Lächeln nach dem anderen mit dem Baby auszutauschen.

BEGRÄBNIS
SEINER KÖNIGLICHEN HOHEIT
DES
PRINZGEMAHLS

Ohne den großen Pomp und Prunk üblicher Staatsbegräbnisse, jedoch mit allen Zeichen des Respekts sowie der Feierlichkeit, die seinem hohen Rang und seinem tugendhaften Vorbild gebührten, wurden gestern die sterblichen Überreste des Gemahls unserer Königin an der letzten Ruhestätte der Monarchen Englands, der Royal Chapel of St. George's in Windsor, beigesetzt.

The Times

Kapitel 21

»Tut mir leid, Schätzchen, aber sie ist nicht da.«

Grace stand am Hintereingang des Unwin-Hauses in Kensington und starrte Mrs Beaman verständnislos an. »Sie meinen, meine Schwester macht gerade einen Botengang?«

»Nein. Ich meine, dass sie weg ist. Abgehaun. Durchgebrannt.«

»Die Unwins haben sie entlassen?«

»Nein.« Die Köchin redete, als hätte sie es mit jemand Begriffsstutzigem zu tun. »Ich sag doch, sie ist abgehaun. Weggerannt.«

Grace schluckte und hatte Mühe, weiterzusprechen. »Wann war das?«

»Oh, das muss jetzt gut und gern ein paar Tage her sein. Eine Woche gar schon.«

»Aber wo ist sie denn hin?«

»Wohin? Was weiß ich? Sie hat uns keine Visitenkarte geschickt!«, sagte Mrs Beaman.

»Aber sie kennt doch gar niemanden! Wo sollte sie denn hingehen?«

»Weiß der Himmel!«

»Aber warum? Bitte sagen Sie mir doch, was Sie wissen … Ich kann mir nicht vorstellen, weshalb sie weglaufen würde. Waren die Unwins unfreundlich zu ihr?«

Mrs Beaman schien das Ganze ein wenig unbehaglich zu werden. »Unfreundlich? Wie kämen sie denn dazu! Die haben sie doch richtig gut behandelt, nein, wirklich.«

»Kann ich dann vielleicht mit den anderen Dienstmädchen sprechen – mit Lizzie oder Blossom? Vielleicht haben die ja irgendeine Ahnung, wo sie hin…«

»Wir haben jetzt neue Dienstboten«, unterbrach die Köchin. »Ganz neues Personal. Die Mistress wollte es so. Wir haben jetzt Ethel, Maud und Charity. Die kennen sie gar nicht. Die waren noch kaum zwei Minuten da, bevor sie ausgeflogen ist.«

Grace schwieg einen Moment. »Mrs Beaman, haben Sie irgendeine Ahnung, wo meine Schwester hingegangen sein könnte? Hat sie gesagt, dass sie Heimweh nach mir hat? Ist sie vielleicht bloß weggelaufen, um zu mir zu kommen?« Grace malte sich im Geiste aus, wie Lily zur Edgeware Road gegangen war und dort erfahren hatte, dass Grace im Geschäft in der Oxford Street arbeitete, und sich dann womöglich nicht durch die riesigen Glastüren des Kaufhauses getraut hatte.

Die Köchin schüttelte den Kopf. »Ich glaube, die Herrschaften nahmen an, dass sie wohl mit einem von den Stallburschen von dem großen Haus da drüben durchgebrannt ist.«

»Welchem großen Haus?«

Mrs Beaman deutete mit einer vagen Handbewegung die Straße hinauf. Es war ihr nicht wohl dabei, diese Geschichte auf Mr Unwins Anweisung hin in Umlauf zu bringen. »Mich darfst du nicht fragen. Ich hab das bloß gehört. Mrs Unwin hat gesagt, sie hätte sie mehrmals dabei erwischt, wie sie zum hinteren Fenster raus mit dem Burschen geredet hat.«

Grace traten Tränen in die Augen. »Aber warum hat mir denn niemand etwas gesagt? Warum hat mir niemand Bescheid gesagt, dass sie weggelaufen ist?«

»Wahrscheinlich wollten sie nicht, dass du dir Sorgen machst«, erwiderte Mrs Beaman und fing an, die Tür zuzumachen. »Mit dem ganzen Kummer, den alle gerade sowieso schon haben.«

»Aber sie ist meine Schwester. Ich kann sie nicht verlieren. Sie ist die einzige Familie, die ich habe!«

»Falls sie mir begegnet, sag ich ihr, sie soll sich bei dir melden«, waren Mrs Beamans Abschiedsworte.

Graces Verzweiflung hatte sie jedoch zutiefst berührt, und nachdem sie die Tür geschlossen hatte, musste sie erst einmal tief durchatmen und sich wieder fassen, bevor sie sich imstande sah, zu ihren Haushaltspflichten zurückzukehren.

Es war der Tag von Prinz Alberts Begräbnis, und im Großteil der Britischen Inseln war das Leben komplett zum Stillstand gekommen. Die Ladenbesitzer hatten die Hoffnung gehegt, dass der im Dezember generell schwache und seit dem Tod des Prinzen gänzlich erlahmte Handel sich vor der Weihnachtszeit wieder etwas beleben würde, doch es schien, als sei Weihnachten dieses Jahr vom Kalender gestrichen, und niemand war zu festlicher Stimmung aufgelegt. Vor allem in London und Windsor – in der dortigen St. George's Kapelle sollte die Beerdigungsfeier stattfinden – herrschte eine zutiefst bedrückende Atmosphäre: Die Läden blieben geschlossen, jegliche Arbeit ruhte, in den Privathäusern waren sämtliche Vorhänge vorgezogen und die Straßen waren nahezu menschenleer. Wer sich dennoch im Freien zeigte, trug, egal ob von hohem oder niedrigem Stand, irgendein Symbol der Trauer an seiner Kleidung, und in den großen Kirchen im ganzen Land läuteten die Totenglocken.

Selbstverständlich blieben an diesem Tag auch das Unwin-Bestattungsinstitut und das Unwin-Trauerbekleidungskaufhaus geschlossen. Grace und die anderen Kaufhausangestellten hatten die sechs Tage davor pausenlos von früh bis spät gearbeitet, und trotz ihrer Sorge um Lily war Grace am Abend immer zu erschöpft gewesen, um noch den langen Fußmarsch im Dunkeln zum Kensington-Haus der Unwins zu unternehmen und nach ihrer Schwester zu sehen.

Nun stand sie nach ihrem Gespräch mit Mrs Beaman zutiefst verstört vor der verschlossenen Hintertür des Hauses. Wie konnte denn Lily einfach weglaufen, ohne ihr etwas zu sagen? War das überhaupt möglich? Lily machte zwar manchmal dumme Sachen, doch nie hatte sie auch nur die geringste Neigung gezeigt, mit jungen Männern zu flirten oder auf deren Flachsereien einzugehen. Und dass sie womöglich gar einen gut genug kennengelernt hätte, um mit ihm durchzubrennen – nein, das war einfach nicht vorstellbar!

Grace ging seitlich um das Haus herum zur Straße zurück. Die Fassade des Unwin-Hauses war mit allem erdenklichen Trauerstaat dekoriert: Ein Lorbeerkranz mit schwarzem Band hing an der Tür und die Hecken vor dem Haus waren mit schwarzem Musselin bedeckt. Wäre die Eingangstür geöffnet worden, so hätte ein Betrachter sehen können, dass der Spiegel in der Diele von schwarzen Stoffbahnen eingerahmt war, ebenso wie eine Tafel mit dem königlichen Wappen (das bei den Unwins eigentlich überhaupt nichts zu suchen hatte) – als ob die Familie mit Prinz Albert eng verwandt gewesen wäre.

Die Vorhänge des Salons an der Vorderseite des Hauses waren natürlich zugezogen, bewegten sich jedoch ein wenig, als Grace vorbeiging, und plötzlich sah sie das Gesicht eines jungen Mädchens zu ihr herausspähen. Der Blick des Mädchens begegnete ihrem, dann bewegte sich der Vorhang erneut, und das Gesicht war verschwunden. Grace war sich absolut sicher, dass es sich um Charlotte Unwin gehandelt hatte. Etwas an ihrem Gesichtsausdruck, an der hastigen, verstohlenen Art ihres Verschwindens vom Fenster ließ Grace erst recht nachdenklich werden. Sie war sich sicher, dass man ihr hinsichtlich Lilys Verschwinden eine Lüge aufgetischt hatte. Niemals würde ihre Schwester einfach weglaufen, ohne es ihr zu sagen.

Sie musste zur Polizei gehen und Lily als vermisst melden, überlegte Grace, hatte allerdings kein gutes Gefühl dabei, denn die Polizei und die Armen Londons lagen notorisch im Streit miteinander, und sie konnte sich nicht vorstellen, dass ein Polizist ihr tatsächlich helfen würde. Aber was konnte sie sonst tun? In der *Times* eine Vermisstenanzeige aufgeben, sofern sie das Geld dafür aufbringen konnte – aber Lily konnte ja nicht einmal lesen. Da wäre es vielleicht doch eine bessere Idee, James Solent um Rat zu fragen. Grace hatte vor kurzem an ihre letzte Begegnung mit ihm denken müssen und daran, wie ernst es ihm anscheinend damit gewesen war, ihr helfen zu wollen. Genau, als ein Mann des Rechts würde James Solent bestimmt wissen, was im Falle einer vermissten Person zu unternehmen war.

Aber wann sollte sie ihn aufsuchen? An diesem Tag, wo ganz England trauerte, war er sicherlich nicht bei der Arbeit, und am folgenden Tag war Heiligabend, und da wäre seine Kanzlei ganz bestimmt auch nicht geöffnet. Sie könnte ihn also frühestens am Tag nach Weihnachten erreichen, und bis dahin konnte Lily weiß Gott wo sein.

Von einer nahen Kirche erklang die Totenglocke, und Grace zitterte, teils wegen des bedrückenden Klangs dieses Geläuts, teils aus schierer Kälte.

»Lily, wo du auch bist«, flüsterte sie, »gib auf dich acht.«

Für ABENDGESELLSCHAFTEN in der Stadt und
auf dem Land besucht Sie persönlich Mr Henry Boot
mit seiner ausgiebigen Sammlung von ZAUBERTRICKS
– eine brillante und verblüffende neuartige Séance.
Gehobene Unterhaltung garantiert!

Kapitel 22

Am Weihnachtstag verteilten die Unwins unter all jenen in der Edgeware Road, die nicht zu ihren Familien heimkehrten, einen Plumpudding, doch Grace war so in Sorge um Lily (Ob sie wohl genug zu essen hatte? Ob sie es warm hatte? Wurde sie womöglich gegen ihren Willen festgehalten?), dass sie einfach keinen Appetit verspürte und ihre Portion schließlich unter den Stallburschen aufgeteilt wurde.

Am zweiten Weihnachtsfeiertag, an dem es Brauch war, die Bedürftigen zu beschenken, erhielten die Arbeiterinnen des Unwin-Unternehmens zwei Leinentaschentüchlein und ein Stück groben Stoff für eine Arbeitsschürze; die Männer erhielten Taschentücher und eine winzige Flasche Whiskey. Verteilt wurden diese Geschenke von Miss Charlotte Unwin – mit rosigen Wangen, nach Parfum duftend und in einen langen Pelzmantel gehüllt –, die sie daran erinnerte, was für ein Glück es doch für sie sei, für die Unwins arbeiten zu können, und sie aufforderte, dafür zu beten, dass ihnen dieses Glück auch weiterhin beschieden sei.

»Darf ich vielleicht fragen, ob Sie irgendetwas von meiner Schwester gehört haben?«, fragte Grace mit dem Mut der Verzweiflung, als Miss Charlotte ihr das Geschenk überreichte.

»Ich? Ob ich etwas von deiner Schwester gehört habe?« Miss Charlotte machte kugelrunde Augen. »Nein, natürlich nicht. Was für eine eigenartige Vorstellung!«

»Ich dachte nur, irgendjemand könnte vielleicht etwas von ihr gehört haben«, sagte Grace kleinlaut, »und da Sie doch ein so freundliches Interesse an ihr gezeigt haben …«

Miss Charlotte schüttelte den Kopf. »Ich habe kein Wort von ihr gehört, noch würde ich so etwas erwarten. Ich habe dir doch schon gesagt, dass sie ein wenig überfreundlich zu einem jungen Mann war, nicht wahr?«

Grace nickte.

»Nun, da hast du es.«

»Habe ich … was?«

»Da siehst du mal, dass einem Mädchen, dass sich seinen Ruf in der gesitteten Gesellschaft ruiniert, manchmal nichts anderes mehr übrig bleibt, als zu verschwinden.«

»Ich glaube nicht, dass sie –«, wollte Grace einwenden, doch Miss Charlotte hatte sie einfach stehen lassen und eilte bereits davon, um zur Mittagszeit in einem Hospital für vaterlose Mädchen wollene Unterhemden zu verteilen.

In dieser Nacht tat Grace kein Auge zu. Wenn sie ihre Schwester nicht so gut gekannt hätte, wenn sie und Grace nicht seit jeher immer zusammengehalten hätten, wenn diesem ganzen Unwin-Unternehmen nicht irgendetwas Unlauteres anhaften würde – ja, vielleicht hätte Grace dann diese Geschichte geglaubt und würde sich jetzt nicht alle möglichen düsteren Erklärungen zusammenreimen. Aber warum sollte irgendjemand ein Interesse daran haben, Lily zu entführen? Was sollte denn damit zu gewinnen sein? Grace wälzte diese Fragen in ihrem Kopf und warf sich dabei seufzend und grübelnd im Bett hin und her, bis selbst die sonst so stoische Jane sich beschwerte.

In den frühen Morgenstunden glaubte sie jedoch plötzlich, auf eine fürchterliche Erklärung gestoßen zu sein: Das ganze Bestreben der Unwins galt dem Anhäufen von Geld, und dafür gab es eine unfehlbare Methode. Hatten sie etwa ihre arglose, unbedarfte Schwester beiseitegeschafft, um sie als Prostituierte arbeiten zu lassen?

Man hörte immer wieder von solchen Geschichten – und gar nicht einmal so weit weg. Sogar Mrs Macready hatte ihr einmal von so einer Ärmsten erzählt, die in dem heruntergekommenen Keller des Nachbarhauses für genau diesen Zweck festgehalten worden war. »Nicht mal um ein wenig frische Luft zu schnappen, durfte sie raus«, hatte sie erzählt. »Und kaum zu essen hat sie bekommen, und krank und immer angekettet war sie. Irgendwann ist die arme Frau gestorben. Als sie ihre Leiche gefunden haben, hatte sie überall Rattenbisse ...« Ja, je länger Grace darüber nachdachte, desto mehr fürchtete sie, dies müsse die Erklärung sein.

Vier weitere Tage verstrichen, bis Grace eine Gelegenheit fand, die Inns of Court aufzusuchen. Da sie fürchtete, erneut von Mr Meakers abgewiesen zu werden, gab sie einem Straßenjungen einen Halfpenny, damit er an die Tür der Kanzlei klopfte und eine Nachricht für Mr James Solent überbrachte. Es dauerte ungefähr eine halbe Stunde, bis er erschien. Sie setzten sich zusammen auf eine Bank auf dem Gelände, und Grace suchte verlegen nach den richtigen Worten, um ihm von ihrem Verdacht zu berichten.

»Grace, ich ... Können wir nicht du sagen? Ich versichere dir, dass alles, was du mir erzählst, unter uns bleibt«, sagte er, ihr Zögern spürend. »Als wir uns kennenlernten, habe ich dir versprochen, dir zu helfen, wenn ich kann, und ich würde mich nach wie vor freuen, wenn ich die Gelegenheit dazu hätte.«

Grace presste die Lippen zusammen. Wie sollte sie nur so einen schrecklichen Verdacht äußern?

»Bist du in Umstände geraten, für die du dich schämst?«, fragte er sanft. »Vielleicht kann ich dir etwas Geld leihen, wenn dir das hilft, dich vor einer Versuchung zu bewahren.«

»Nein, nein! Das ist es nicht!«, rief Grace hastig aus und schüttelte dazu den Kopf. »Nicht ich!«

»Arbeitest du immer noch für die Unwins?«

Sie nickte, und dann brach es aus ihr heraus: »Es geht um meine Schwester – sie ist verschwunden!«

»Verschwunden?«, fragte James. »Von wo?«

»Sie hat für die Unwins in ihrem Privathaus in Kensington als Dienstmädchen gearbeitet«, erzählte Grace. Auf einmal verließ sie ihr Mut, und sie fing an zu weinen, bevor sie hinzufügte: »Und letzte Woche war ich dort, um sie zu besuchen, und da hieß es plötzlich, sie sei fort.«

»Verstehe. Und als du gefragt hast, wohin, was hat man dir da gesagt?«

»Dass sie sich mit einem jungen Mann angefreundet hätte und wahrscheinlich mit ihm weggelaufen sei.«

»Und du glaubst nicht, dass das stimmt?«

»Das kann nicht stimmen!« Grace schüttelte heftig den Kopf. »Meine Schwester würde niemals weglaufen, ohne mit mir zu reden. Sie … sie ist ein einfaches Mädchen und manchmal recht leichtgläubig, aber sie würde nicht einfach so verschwinden.«

»Aber es wäre doch nur allzu verständlich, wenn sie jemanden kennenlernt und …«

»Das würde sie nie tun!«, brach es aus Grace heraus. »Meine Schwester ist ein sehr zurückhaltendes Mädchen. Und sie mag Männer generell nicht sehr, weil sie einmal … weil wir beide einmal in einem Heim eine Erfahrung …« Grace konnte den Satz nicht zu Ende bringen. Sie schluckte angestrengt und versuchte, die Erinnerung an ihr qualvolles Erlebnis zu verdrängen. Eine Weile konnte sie nicht sprechen.

»Nun«, sagte James. »Dann lass uns überlegen, was für andere Erklärungen es geben könnte. Ich bin nicht gerade ein Bewunderer von Leuten im Bestattungsgewerbe – schon gar nicht den Unwins, die mehr als alle anderen ihr Geschäft damit zu machen scheinen –, aber warum sollten sie mit dem Verschwinden deiner Schwester etwas zu tun haben?«

Grace blickte ihn an. »Ich befürchte, dass sie sie zu unmoralischen Zwecken entführt haben«, sagte sie und wurde dabei feuerrot. »Ich habe gehört, dass es Häuser gibt, in denen Frauen festgehalten werden, um die Bedürfnisse der Männer zu befriedigen. Vielleicht halten sie sie gegen ihren Willen in so einem Haus fest.«

James Solent schüttelte sogleich den Kopf. »Nein, nein. Ich bin sicher, dass es das nicht ist, denn selbst die Unwins haben einen Namen zu verlieren und würden keinesfalls riskieren, mit so etwas Skandalösem in Verbindung gebracht zu werden.« Er überlegte eine

Weile. »Es ist beunruhigend, wenn Menschen, denen wir nahestehen, sich von uns entfernen, aber ich bin mir sicher, deiner Schwester geht es gut, und sie wird zu gegebener Zeit mit dir Kontakt aufnehmen.«

Grace schwieg und kämpfte mit den Tränen. Sie war sich so sicher gewesen, dass James ihr helfen würde, aber er schien nicht zu verstehen.

»Danke, dass du mir zugehört hast«, sagte sie, als sie sich wieder unter Kontrolle hatte. »Ich muss jetzt zurück, bevor die Unwins bemerken, dass ich nicht da bin.«

»Lässt du es mich wissen, wenn du etwas von ihr hörst?«

»*Falls* ich etwas von ihr höre«, sagte Grace. »Wobei ich nicht weiß, wie ich eine Nachricht von ihr bekommen sollte, wo Lily doch nicht einmal ihren eigenen Namen schreiben kann –«

»Deine Schwester heißt Lily?«, fragte James plötzlich aufhorchend.

»Ja. Habe ich das noch nicht gesagt?«

James neigte den Kopf zur Seite und blickte Grace gespannt an. »Sie heißt nicht rein zufälliger- und höchst unwahrscheinlicher Weise Lily Parkes?«

Grace nickte. »Doch. Woher wusstest du das?«

»Lily Parkes!«, wiederholte James mit lauter Stimme. »Ist das zu glauben! Und du bist ihre Schwester.«

»Das bin ich.«

»Und deine Mutter – deine Mutter ist tot, hast du mir, glaube ich, erzählt. Und wie hieß sie?«

»Mamas Vorname war Letitia.«

James stieß einen fassungslosen Ausruf aus. »Und dein Vater hieß Reginald?«

»Ja«, antwortete Grace überrascht. »Aber ich vermute, dass auch er tot ist. Ich habe ihn nie kennengelernt – ich kam erst auf die Welt, nachdem er schon fort war.« Dann fügte sie noch hinzu: »Er wusste gar nichts von meiner Existenz.«

James atmete tief durch. Dann fasste er Grace an beiden Händen und blickte sie eindringlich an. »Grace Parkes, du musst dich auf einen ziemlichen Schock gefasst machen.«

Grace brach in Tränen aus. »Lily ist tot! Du hast gehört, dass sie tot ist?«

»Nein, ganz und gar nicht! Ich weiß nichts über deine Schwester – außer der Tatsache, dass die gesamte Londoner Anwaltschaft über sie spricht.«

»Über meine Schwester?«

»Über sie spricht, nach ihr sucht, Spekulationen über die gesuchte Lily Parkes und ihre Mutter anstellt.«

»Aber warum denn das?«

»Und über dich werden sie auch bald sprechen, sobald bekannt wird, dass du die andere noch lebende Erbin von Reginald Parkes bist.«

Grace schaute James verwirrt an. »Was hat das alles mit meinem Vater zu tun?«

»Bevor ich es dir erkläre«, fuhr James fort, »würde es dir etwas ausmachen, mir zu erzählen, wie es zu deiner Anstellung bei den Unwins kam? Weil ich nun nämlich nichts anderes mehr vermuten kann, als dass *sie* hinter Lilys Verschwinden stecken.«

Grace sah ihn bestürzt an. »Es war an dem Tag in Brookwood, als wir uns begegneten. Mrs Unwin sah mich auf dem Bahnsteig stehen und fragte mich, ob ich als Sargbegleiterin für sie arbeiten wolle.«

»Und was hast du zu ihr gesagt? Entschuldige, dass ich so pingelig bin, aber das gehört zu meiner Ausbildung. Ich brauche die Fakten und muss sicher sein, dass sie stimmen.«

Es hatte eben angefangen zu schneien. Dicke Flocken fielen sanft auf sie nieder, und Grace wischte sich die glitzernden Kristalle von ihrer Samtjacke, während sie sprach. »Nun, ich bedankte mich bei ihr und sagte ihr, ich hätte kein Interesse. Als sich dann unsere Umstände verschlechterten und Lily und ich auf der Straße landeten, sah ich keine andere Möglichkeit mehr, als mich an sie zu wenden. Ich fragte Mrs Unwin, ob sie uns beide anstellen würde, doch sie sagte, das könne sie nicht, und wir waren eigentlich schon am Gehen, als Mr Unwin ins Zimmer kam und sagte, sie würden mich als Sargbegleiterin einstellen und Lily aus Wohltätigkeit eine Stellung in ihrem Haushalt anbieten.«

»Oh, aber natürlich! Und ich wette, zu diesem Zeitpunkt kannte er bereits eure Namen.«

»Ich glaube, ich hatte sie erwähnt. Aber was hat das jetzt mit allem anderen zu tun? Warum hast du nach meinem Vater gefragt? Was hat er denn getan?«

»Was er getan hat?« James machte mehrmals den Mund auf und wieder zu und musste plötzlich aufstehen, um seiner Gefühle Herr zu werden. »Was er getan hat?!«, fragte er noch einmal. »Er ist in Übersee gestorben und hat euch sein komplettes Vermögen hinterlassen, das hat er getan! Du und deine Schwester, ihr seid vermutlich die reichsten jungen Damen in ganz London!«

Eine endlos lange Weile konnte Grace weder sprechen noch irgendein Glied rühren. Sie stand so reglos da, dass der Schnee sich auf der Krempe ihres schwarzen Huts niederließ und ihn mit einem Hermelinpelz umrandete.

Schließlich sagte sie: »Du machst dich wohl lustig über mich, und das ist nicht nett von dir.«

»Nein, ganz und gar nicht. Ich verspreche es hoch und heilig«, sagte James tiefernst und setzte sich wieder.

»Ein Vermögen?«, fragte Grace. »Ein Vermögen, sagst du?«

»Ganz genau. Ein königliches Vermögen, habe ich sagen hören.«

»Und bist du ganz sicher, dass es meine Schwester Lily Parkes ist, die gesucht wird?«, fragte Grace. Ihr war ganz schwindlig geworden.

»Absolut sicher. Das Erbe ist für deine Mutter und Lily bestimmt, doch da dein Vater nichts von deiner

Existenz wusste und deine Mutter tot ist, bist auch du eine direkte Erbin.« Er brach in schallendes Gelächter aus. »Wir haben uns in der Kanzlei oft genug die Zeitungsannonce angesehen und endlos darüber spekuliert, wo das Mädchen und ihre Mutter geblieben sein könnten, so dass ich die Einzelheiten in- und auswendig kenne.«

»Dann wissen also die Unwins das alles auch«, sagte Grace.

»Ich denke schon.«

»Und Lily ist *nicht* mit einem jungen Mann durchgebrannt.«

»Bestimmt nicht. Die Unwins halten sie vermutlich irgendwo versteckt und trimmen sie für ihre Zwecke.«

»Oh, Lily!«, brach es aus Grace heraus.

James überlegte zwei volle Minuten lang schweigend, während der Schnee auf sie herabfiel. Bevor er weitersprach, nahm er Graces Hand in die seine. »Ich werde Rat einholen, was zu tun ist«, sagte er. »Aber in der Zwischenzeit bleibst du bei den Unwins, beobachtest genau, was alles vor sich geht, und verhältst dich ganz still und stumm.«

»Das Letztere dürfte mir nicht schwerfallen«, sagte Grace trocken.

»Aber bitte sei vorsichtig. Die Unwins zusammengenommen sind eine sehr mächtige Familie. Der Cousin …«

»Sylvester Unwin?«

»Ja, genau. Er ist äußerst reich, gnadenlos ehrgeizig

und ohne Zweifel ein Gauner – aber es heißt, er soll Bürgermeister von London werden. Wenn man sich mit ihm anlegt, hat man einen mächtigen Gegner.«

»Glaubst du, er hat auch damit zu tun?«

»Ganz sicher. Die Unwins machen alles zusammen.«

»Aber bestimmt … bestimmt weißt du doch, wie man sie aufhalten kann? Es muss doch irgendeinen Weg geben?«

Er schüttelte den Kopf. »Es tut mir leid, wenn ich bei dir einen falschen Eindruck von der Bedeutung meiner Position erweckt haben sollte«, sagte er. »Tatsächlich bin ich das jüngste Mitglied unserer Kanzlei und besitze dort ungefähr so viel Einfluss wie ein x-beliebiger Streichholzverkäufer auf der Straße.«

Grace brachte tatsächlich ein kleines Lächeln zustande.

»Nein, diese delikate Angelegenheit verlangt nach einer List. Ich werde mich einem der älteren, erfahrenen Anwälte unserer Kanzlei anvertrauen und um seinen Rat bitten.«

»Wie kann ich erfahren, was vor sich geht? Soll ich wieder hierherkommen?«

Er überlegte kurz. »Kannst du das Haus abends für kurze Zeit verlassen?«

»Schon möglich«, sagte Grace.

»Dann müssen wir einen Treffpunkt ausmachen. Kennst du den Briefkasten am Ende der Edgeware Road?« Als Grace nickte, fuhr er fort: »Ich komme jeden Abend gegen acht Uhr daran vorbei. Ich könnte dort meinen Heimweg unterbrechen und auf dich warten.«

»Das könnte aber lange dauern, weil ich nie weiß, ob ich aus dem Haus kann.«

»Dann bin ich eben jeden Abend eine Stunde lang dort, so lange, bis du kommst«, sagte James. »Und dann entscheiden wir gemeinsam, wie es weitergeht.«

Grace schaute ihn an und sagte mit zitternder Stimme: »Ich weiß nicht, wie ich dir danken soll.«

»Es ist mir eine Ehre und ein Vergnügen«, sagte er. »Dies ist ein sehr berühmter Fall, der mir vielleicht helfen wird, meinen Namen in der Anwaltschaft bekannt zu machen. Außerdem …«

Grace blickte zu ihm auf.

»Außerdem …«, sagte er noch einmal, drückte ihr dann einfach die Hand und schaute sie lächelnd an, bis Grace vor Verlegenheit errötete und den Blick abwenden musste. »Wenn du Zeit findest, geh zum Somerset House, um Geburtsurkunden für dich und deine Schwester ausfertigen zu lassen. Und, was noch wichtiger ist, besorge dir eine Heiratsurkunde eurer Eltern.« Er holte ein paar Münzen aus seiner Tasche. »Die Urkunden kosten jeweils einen Shilling.«

»Ich kann doch kein Geld von dir nehmen!«

»Keine Widerrede«, sagte er und blickte sie mit augenzwinkernder Strenge an. »Ich werde dir fünf

Shilling leihen, so lange, bis du in den Besitz deines Vermögens gekommen bist. Danach kannst du sie mir zurückzahlen – von mir aus auch mit Zinsen, wenn du magst.«

ABSONS RIECHSALZ
Stellt die weiblichen Lebensgeister wieder her.
Berühmt für seine anregende, belebende Wirkung
bei allen Störungen des Blutes.
Hilft gegen Kopfschmerzen, Gallenleiden, Zittern und alle anderen
Unpässlichkeiten des weiblichen Geschlechts.
Die besondere HEILKRAFT der PILLEN:
Magische Wirkung auf die lebenswichtigen Organe.

Kapitel 23

Am folgenden Nachmittag und nur eine halbe Meile weiter die Straße entlang, saß Miss Charlotte Unwin in Begleitung ihrer Eltern in einem imposanten, holzgetäfelten Büro den zwei Senior-Partnern der renommierten Anwaltskanzlei Binge und Gently gegenüber, um das Familienerbe der Parkes für sich zu reklamieren.

Miss Charlotte, die ihren neuen Familienhintergrund sorgfältig einstudiert hatte, sah heute ein wenig verändert aus. Nicht so sehr, dass die Nachbarn misstrauisch geworden wären, sondern nur um ein paar kleinere, vorübergehende Maßnahmen, die man später wieder rückgängig machen konnte. Da die Unwins nicht wussten, ob es außer den beiden Schwestern noch jemanden gab, der über die äußere Erscheinung der Parkes-Eltern Auskunft geben konnte, hatten sie sich bemüht, Miss Charlottes Äußeres etwas mehr dem Typ von Lily und Grace anzunähern: Ihr sonst rosiger Teint erschien dank einer großzügigen Schicht Gesichtspuder nun ein wenig blasser, und ihr Haar war mit einer Mischung aus Glycerin, Rotwein und Rosenwasser behandelt worden, damit es etwas dunkler wirkte. Verstärkt wurde dieser Effekt noch durch einen künstlichen Schopf kupferroter Locken, der in ihrem Haar befestigt worden war und jedes Mal auf und ab hüpfte, wenn sie aufgewühlt in Tränen ausbrach – was ziemlich oft der Fall war.

»Mein Liebes, ich weiß ja. Solch ein Schock!« Ihre Mutter brachte ein Fläschchen mit Riechsalz aus ihrer Krokodillederhandtasche zum Vorschein und wedelte Charlotte damit unter der Nase herum. »Aber du wusstest doch schon immer, dass du adoptiert wurdest, nicht wahr?«

Charlotte schniefte unter Tränen.

»Und jetzt werden wir zusammen mit diesen beiden hilfsbereiten, gelehrten Herren ganz ruhig die erforderliche Prozedur hinter uns bringen«, fuhr sie fort und schenkte zunächst Mr Binge und dann Mr Gently ein zuckersüßes Lächeln. »Und danach können wir beide vielleicht zusammen auf eine große Reise gehen.«

»Können wir vielleicht den Ort besuchen, wo mein richtiger Papa gelebt hat?«, fragte Charlotte weinerlich.

»Vielleicht, wir werden sehen«, antwortete ihre Mutter. »Alles zu seiner Zeit.«

»Wie schnell können wir das Geld bekommen?«, fragte George Unwin, wofür er von seiner Frau einen vorwurfsvollen Blick erntete. »Unsere Tochter ist sehr empfindsam«, beeilte er sich hinzuzufügen, »und es wäre wünschenswert, wenn die Dinge so schnell wie möglich wieder zur Normalität zurückkehren. Sie sollte nicht zu viele Störungen ihres gewohnten Alltags erdulden müssen.«

»Selbstverständlich«, sagte Mr Gently, »aber Sie werden verstehen, dass angesichts der beträchtlichen Summe, um die es hier geht, gewisse Formalitäten unumgänglich sind.«

»Charlotte ist so ein zartes Geschöpf«, warf Mrs Unwin ein, »deshalb müssen wir darauf bestehen, dass in dieser Angelegenheit so wenig wir nur irgend möglich an die Öffentlichkeit dringt. Je weniger Leute davon wissen, umso besser. Und was die Zeitungen angeht, und dass sie womöglich unsere Identität herausfinden könnten – also, Gott bewahre!«

»Ganz recht«, stimmte George Unwin ein. »Die Vorstellung, dass unsere Kunden, Kollegen und Nachbarn alles herausfinden könnten, ist einfach entsetzlich.«

»Wir werden unser Möglichstes tun, um dies zu verhindern«, versicherte Mr Binge.

»Allerdings spricht die ganze Stadt über den Fall«, warf Mr Gently ein. »Angesichts *solch* eines ungewöhnlichen und aufregenden Vorfalls und der enormen Geldsumme, um die es geht.«

Mr Unwin konnte sich gerade noch beherrschen, sich nicht die Lippen zu lecken. »Was geschieht nun als Nächstes?«

Mr Gently richtete den Blick auf die Papiere auf seinem Schreibtisch und schob sie ein wenig hin und her. »Sie sagen, Sie haben die Adoptionsurkunde für Ihre Tochter zu Hause?«

»Oh, selbstverständlich! Selbstverständlich!«, rief Mr Unwin aus.

»Wir haben sie nur nicht gleich herausgesucht«, fiel seine Frau ein. »Als der Cousin meines Bruders uns auf die Anzeige hinwies – das war erst gestern Abend –, haben wir beschlossen, gleich heute Morgen als Erstes hierherzukommen.«

Dies entsprach – wie die meisten Dinge, bei denen die Unwins ihre Finger im Spiel hatten – nicht ganz der Wahrheit. Zwar war Sylvester Unwin tatsächlich am Vorabend kurz vorbeigekommen, allerdings mit neuen Nachrichten aus seinen geheimen Kanälen, wonach noch eine weitere Fraktion in diesem Augenblick dabei sei, eine junge Dame auf ihre Rolle zu trimmen, um in der Sache vorstellig zu werden und das Erbe zu kassieren. Vor diesem Hintergrund hatten die Unwins beschlossen, nicht erst die gefälschte Adoptionsurkunde aus Sylvester Unwins korrupten

Quellen abzuwarten, sondern sofort bei Binge und Gently vorzusprechen, um der anderen Partei zuvorzukommen.

»Wir selbst haben den *Mercury* nicht abonniert«, erklärte George Unwin. »Wenn Mr Sylvester Unwin uns die Annonce nicht vorgelesen hätte, hätten wir es womöglich nie erfahren.«

Mr Gently richtete die Augen auf Charlotte, die unter seinem prüfenden Blick zu zittern anfing und erneut in Tränen ausbrach. Dies geschah zum einen als Strategie, um von der Befragung abzulenken, zum anderen in Nachahmung von Lilys häufigen Weinanfällen, nicht zuletzt aber auch, da sie selbst fürchterliche Angst hatte, etwas Falsches zu sagen und dadurch ihre Kutsche samt eigenem Kutscher zu verspielen.

Nachdem sie an der Riechflasche geschnuppert, sich mit dem Spitzentaschentuch behutsam die Nase abgetupft und sich wieder halbwegs erholt hatte, fragte Mr Gently sie: »Wären Sie so nett, mir noch einmal von Ihren frühesten Kindheitserinnerungen zu erzählen, Miss Charlotte? Wir werden jemanden hereinbitten, der Ihre Aussage mitschreiben wird.«

Charlotte schien darüber ein wenig erschrocken, versprach jedoch, ihr Möglichstes zu tun, und so erschien ein Angestellter mit einem eigenen Hocker und einem Stoß Notizpapier. Er setzte sich in respektvollem Abstand von den ausladenden Schreibtischen der Anwaltspartner, während die neue Lily Parkes tief seufzte und den Blick in die Ferne richtete.

»Es ist nur so, dass ich mich leider an so wenig aus meinem früheren Leben erinnern kann«, fing sie an.

»Wie war zum Beispiel das Haus, in dem Sie gelebt haben? Können Sie sich daran vielleicht noch erinnern?«

»An unser Haus kann ich mich schon noch erinnern. Es war ein hübsches kleines Cottage mit einem Maulbeerbaum im Garten, nicht weit von einer Windmühle. Und ich hatte ein kleines, weiß gestrichenes Zimmer im oberen Stock, mit einem Bettgestell aus Messing.«

»Und Ihre Mutter? Können Sie sich an ihren Namen erinnern?«

»Natürlich. Sie hieß Letitia«, sagte Charlotte mit gut gespielter Traurigkeit. »Und sie hatte dunkles Haar wie ich und war sehr hübsch. Aber an Vater kann ich mich gar nicht mehr erinnern.«

»Natürlich nicht!«, fiel Mrs Unwin rasch ein. »Sie war ja kaum älter als zwei, als er fortfuhr.«

»Mama hatte aber so ein kleines Bildchen von ihm auf ihrem Nachttisch stehen.«

»Und gab es irgendetwas Auffallendes an seinem Äußeren?«

Charlotte zögerte. »Das Bildchen war wirklich *sehr* klein. Aber Mama sagte immer, ich sähe ihm sehr ähnlich.«

»Und Sie haben in dem Haus mit dem Maulbeerbaum gewohnt …?«

»Ganz allein. Und Mama sagte immer, dass Papa

eines Tages zu uns zurückkehren würde und wir dann ganz reich wären. Dort haben wir gewohnt, bis … bis …« Und da verzerrte sich ihr Gesicht aufs Neue zu einem sich anbahnenden Tränenausbruch.

»Bis ihre Mutter starb«, vervollständigte Mr Unwin rasch den Satz. Er hatte das Ganze nun schon so oft beim Einstudieren miterlebt, dass er die ständigen Heulanfälle seiner Tochter allmählich leid war. »Und dann haben Mrs Unwin und ich – da wir keine eigenen Kinder bekommen konnten – von dem armen kleinen Waisenkind gehört und es zu uns genommen.«

»Wir haben dich behandelt wie unser eigenes, mein Liebling!«, sagte Mrs Unwin, woraufhin Mutter und Tochter sich selig in die Augen blickten.

»Aber warum haben Sie ihren Namen geändert?«, wollte Mr Binge wissen. »Das Kind war … wie alt – fünf oder sechs Jahre? Bestimmt war sie doch an den Namen Lily gewöhnt?«

»Aber ich habe ihn nie gemocht!«, rief Charlotte mit gepeinigtem Blick aus.

»Und, ehrlich gesagt«, führte Mrs Unwin aus, »ich fand schon immer, dass Lily ein Dienstbotenname ist. Wir hielten es für das Beste, dem Mädchen einen richtigen Neuanfang zu ermöglichen.«

»Aber könnten Sie uns vielleicht sagen«, fragte Mr Unwin, »wie Charlottes Vater zu so einem Vermögen gekommen ist?«

»Guano«, sagte Mr Binge bloß.

Alle drei Unwins machten fragende Gesichter.

»Vogel-, äh, -kot«, erklärte Mr Gently. »Eine große Menge davon, die er auf den Galapagosinseln entdeckte.«

Mrs Unwin war so entsetzt über diese Information, dass sie Mr Gently kaum in die Augen blicken konnte. »Aber wozu braucht denn jemand so etwas?«, fragte sie schwach.

»Als Dünger«, erklärte Mr Gently. »Ein äußerst wertvoller Handelsartikel. Er stieß buchstäblich auf einen ganzen Berg davon.«

Mrs Unwin wandte sich mit einem Ausdruck von Ekel ab.

»Können Sie uns vielleicht sonst noch irgendetwas erzählen, Miss, ähm, Charlotte?«, fragte Mr Binge.

Charlotte betete alles herunter, was sie von der echten Lily und von Grace erfahren hatte: das Teeservice mit den blauen Vögeln, der Hochzeitshut, Mamas gestickte Segenssprüchlein und die mit Samt ausgekleidete Ringschachtel fanden Erwähnung. Nachdem sie zu sprechen aufgehört hatte und der Schreiber entlassen worden war, teilten die Anwälte den Unwins mit, dass alles seine Ordnung zu haben schien.

»Und wenn Sie noch die Adoptionspapiere vorbeibringen könnten, sobald es Ihnen möglich ist, ich denke, dann können wir die Formalitäten recht bald zum Abschluss bringen«, fügte Mr Binge hinzu.

Damit erhoben sich die beiden Herren, verabschiedeten sich mit einer Verbeugung von den Unwins und sprachen ihnen ihr Beileid über das Ableben von Lilys echtem Vater sowie ihre Glückwünsche zur Erlangung seines Vermögens aus, was die Unwins in eine gewisse Unsicherheit darüber stürzte, welche Miene sie nun an den Tag legen sollten, während sie die Kanzleiräume verließen, um zu Hause eine Flasche edlen Champagner zu öffnen.

Die Herren Anwälte Binge & Gently der gleichnamigen Kanzlei geben bekannt, dass die junge Dame, nach der seit mehreren Monaten gesucht wurde, sich nun gemeldet hat. Regelmäßige Leser unserer Zeitung werden sich erinnern, dass gewisse Personen gesucht wurden, da Nachrichten von großer Tragweite für sie vorlägen. Es kann nun berichtet werden, dass die besagte junge Dame von einer Londoner Familie gewissen Rangs adoptiert worden war.
Ihre Adoptivfamilie hat darum gebeten, anonym zu bleiben, damit die junge Dame sich in der Gesellschaft zeigen könne, ohne ungebührliches und aufdringliches Interesse auf sich zu ziehen. Die Familie weist darauf hin, dass Bettelbriefe grundsätzlich nicht berücksichtigt oder beantwortet werden.

The Mercury

Kapitel 24

Zur verabredeten Zeit stand Grace an dem Briefkasten am oberen Ende der Edgeware Road und las im Licht einer Straßenlaterne den Zeitungsartikel, den James Solent ihr mitgebracht hatte. Als sie fertig war, blickte sie verzweifelt zu ihm auf.

»Das sind die Unwins, nicht wahr? Die sind es doch, die behaupten, sie hätten Lily adoptiert.«

James nickte. »Ich habe ein paar Erkundigungen

eingeholt, von einem Freund, der als Anwaltsgehilfe bei Binge & Gently arbeitet, und ja, ich fürchte, sie sind es.«

»Sie haben das Geld für sich beansprucht. Dann haben sie also gewonnen!«, sagte Grace. Sie hatte natürlich gewusst, dass es zu schön wäre, um wahr zu sein: dass Geschichten, in denen arme Mädchen plötzlich reich wurden, nur in den Märchen vorkamen, die sie Lily früher erzählt hatte.

»Ich würde nicht so weit gehen, zu sagen, dass sie gewonnen haben«, erwiderte James. »Allerdings sind sie im Moment zweifellos im Vorteil.«

»Aber meine Schwester!«, rief Grace bestürzt aus. »Ich kann es kaum glauben. Weshalb sollte sie bei so etwas mitspielen? Wie haben sie sie nur überreden können, zu sagen, sie wäre von ihnen adoptiert worden?«

»Für Geld?«, schlug James vor. »Oder vielleicht haben sie ihr Juwelen oder sonst irgendeinen Firlefanz versprochen.«

Grace schüttelte sofort den Kopf. »Lily zeigt kein Interesse an solchen Dingen«, sagte sie. »Und sie hängt zu sehr an mir – und ich an ihr –, als dass eine von uns je vorgeben würde, die andere existiere gar nicht.«

»Aber irgendetwas hat sie dazu gebracht, zu lügen.«

»Sie ist nicht mal imstande, eine Lüge einigermaßen glaubwürdig zu erzählen. Selbst eine Vierjährige käme ihr im Nu auf die Schliche!«

»Hmm.« James überlegte eine Weile. Dann sagte er: »Vielleicht haben sie das ja selbst herausgefunden …«

Grace schaute ihn fragend an. Sie verstand nicht, worauf er hinauswollte.

»Vielleicht«, fuhr er fort, »haben sie festgestellt, dass Lily die Geschichte nicht mitspielen würde, und haben jemand anderen an Lilys Stelle auftreten lassen.«

»Du meinst – eine Schauspielerin?«, fragte Grace.

»Eine Schauspielerin, genau. Jemand, der ihre Rolle übernimmt, während Lily selbst aus dem Verkehr gezogen wird.«

»Aber natürlich!«, sagte Grace, und auf einmal war ihr alles klar. »Sie brauchen gar keine Schauspielerin zu engagieren – sie haben ja ihre Tochter!«

»Die Unwins haben eine Tochter?«

Grace nickte. »Ein Mädchen ungefähr im selben Alter wie meine Schwester. Bestimmt haben sie sie an ihrer Stelle auftreten lassen.«

»Du kennst das Mädchen?«

»Ja. Sie war äußerst liebenswürdig zu mir. Oh!« Grace schlug sich die Hand vor den Mund. »Deshalb also hat sie mir so viele Fragen über meine Mutter und deren Umstände gestellt. Und Lily hat mir erzählt, dass sie sich ihr gegenüber genauso freundlich und interessiert gab.«

»Oh, diese durchtriebenen Unwins!«, sagte James. »Sie hat versucht, euch über eure Vergangenheit auszuhorchen. Alles über eure Familie zu erfahren, was sie konnte.«

»Aber sie schien so außerordentlich nett zu sein …«

James lächelte bitter. »Wenn es um Geld geht, kann Freundlichkeit auch auf Bestellung eingesetzt werden.«

»Denkst du, dass …« Grace zögerte, holte tief Luft und begann erneut. »Denkst du, dass es meiner Schwester gut geht? Sie haben sie doch nicht … sie haben ihr doch wohl nichts angetan, oder?«

James schüttelte den Kopf. »Das glaube ich wirklich nicht. Sie gehen vielleicht so weit, jemanden zu entführen und wegzusperren, aber selbst die Unwins würden sich nicht auf einen Mo…« Er unterbrach sich mit einem Husten. »Auf etwas noch Schlimmeres einlassen.«

Ein wildes Hupkonzert brach plötzlich in dem um sie herumflutenden Verkehr los, und Grace und James schwiegen eine Weile.

Als der Lärm abgeebbt war und sie sich wieder verständigen konnten, sagte Grace: »Was kann man denn tun? Es muss doch irgendeine Möglichkeit geben.«

James nickte. »Ich werde morgen mit Mr Ernest Stamford sprechen, dem ehrwürdigen Oberhaupt unserer Kanzlei, und ihm die ganze Geschichte unterbreiten.«

»Gibt es irgendetwas, was *ich* tun kann?«, fragte Grace angespannt.

»Halte einfach nur Augen und Ohren offen. Bekommst du je mit, wenn Leute bei dem Bestatter aus und ein gehen und worüber gesprochen wird?«

»Manchmal«, sagte Grace.

»Dann wäre es ja vielleicht möglich, dass du etwas hörst. Mein Freund, der Anwaltsgehilfe, hat mir erzählt, dass die Unwins noch die Adoptionsurkunde für Lily vorlegen müssen.«

»Aber die gibt es gar nicht!«

»Genau. Sie werden also eine Fälschung anfertigen lassen, aber die muss echt aussehen, und das wird ein wenig dauern. Falls du diese entwenden könntest, wenn sie geliefert wird …«

»Aber lassen sie dann nicht einfach eine neue machen?«

»So leicht geht das nicht. Und inzwischen gewinnen wir Zeit, um noch mehr herauszufinden und unsere Darstellung des Falls zu untermauern.«

Grace schwieg einen Moment. »Aber haben wir denn wirklich eine Chance gegen Leute, die so hinterlistig sind wie die Unwins?«, fragte sie. »Wer wird mir denn glauben – wenn meine Aussage gegen die von jemandem steht, der schon als der nächste Bürgermeister von London gehandelt wird?«

»Die Wahrheit ist auf deiner Seite«, sagte James, »und darauf müssen wir vertrauen.«

»Ich werde tun, was ich kann«, sagte Grace leidenschaftlich. »Ich werde durch Schlüssellöcher spähen und Unterhaltungen belauschen und nach Boten Ausschau halten, die ins Haus kommen.«

»Aber du musst vorsichtig sein«, sagte James und fasste Graces Hand. »Vergiss nicht, dass die Unwins unter ihrer Fassade von Respektabilität vollkommen skrupellos sind. Sie dürfen nicht den geringsten Verdacht hegen, dass du über alles Bescheid weißt.«

»Ich werde aufpassen«, sagte Grace.

James lächelte, beugte sich zu ihrer Hand hinunter und drückte einen Kuss darauf, bevor er sie wieder losließ.

Grace wusste nicht, was sie von dieser galanten Geste halten sollte, und so beschloss sie, gar nicht erst darüber nachzudenken. Die Unwins, das Erbe, Lilys Verschwinden – das alles reichte bei weitem, um ihre Gedanken zu beschäftigen. Da war für nichts anderes mehr Platz.

James beließ den *Mercury* nicht bei Grace, sondern legte ihn auf einem Stapel Müll neben einem Laternenpfahl ab, wo ihn ein Obdachloser aufsammelte und als Isolierung gegen die bittere Kälte unter seine Jacke schob. So entging Grace die kleine Annonce in der Rubrik Personenanzeigen:

»Mrs Smith« sucht dringend »Mary«. Zuletzt gesehen in Westminster Bridge Road, London, SW, am 7. Juni 1861. Wenn Datum und Adresse Ihnen etwas sagen, bitte kontaktieren Sie: Chiffre Nr. 236, The Mercury, *London, betreffs einer Sache von großer Wichtigkeit.*

Kapitel 25

»Ich hatte an Kiefer für den Sarg meines lieben Gatten gedacht«, sagte die Witwe.

»Das kann nicht Ihr Ernst sein!«, erwiderte George Unwin, als wäre er bis ins Mark getroffen. »Kiefer! So ein lausiges, minderwertiges Holz! Für einen geliebten Ehemann kann ich es überhaupt nicht befürworten.« Er schüttelte nachdenklich den Kopf. »Wenn er Ihnen sehr lieb und teuer war, dann, fürchte ich, kommt nur polierte Eiche in Frage. Wenn ihm natürlich in Ihrem Leben keine so große Bedeutung zukam …« Er ließ den Satz unvollendet, wie einen stummen Vorwurf, in der Luft hängen.

Es war ein paar Tage, nachdem Grace die erstaunliche Nachricht von dem Erbe erhalten hatte, und wieder einmal stand sie im roten Salon und wartete darauf, als lebendes Modell einer gewissenhaften Sargbegleiterin vorgeführt zu werden, die als Teil des festlichen Rahmens für einen Abschied aus diesem Leben gebucht werden konnte.

Die Frau seufzte. »Es ist leider so, dass ich mich hinsichtlich der Ausgaben momentan in gewissen Schwierigkeiten befinde.«

»Die Ausgaben sollten hierbei keine Erwägung sein«, erwiderte Mr Unwin und schüttelte traurig den Kopf.

»Haben Sie schon einmal den Nekropolis-Zug in Betracht gezogen?«, warf Mrs Unwin ein. »Einige unserer fortschrittlicher eingestellten Witwen sind ganz begeistert davon – und er kann sich als durchaus sparsam erweisen.«

»Ein Zug?«, fragte die Witwe. »Ganz bestimmt nicht. Mein Mann konnte die lärmenden Dinger nicht ausstehen.« Sie seufzte erneut. »Nein, was das Sargholz angeht …«

»Madam!«, sagte Mr Unwin. »Ich würde meine Ehre als verantwortungsvoller Bestattungsunternehmer verletzen, wenn ich zuließe, dass Sie irgendetwas Geringeres als polierte Eiche wählen.«

»Ach Gott, nun denn, vielleicht …«

Grace, die dies alles mit anhörte, wusste nicht, ob sie über George Unwins Verschlagenheit laut losschimpfen oder seine Cleverness bewundern sollte.

Da heute keine Beerdigung anstand, hatte sie erneut an einer Brosche aus menschlichem Haar gestickt (diesmal in Form eines Lorbeerkranzes auf Seide), bis Mrs Unwin ihr aufgetragen hatte, Hut und Trauerbänder anzulegen und in Trauerpose im roten Salon zu warten. Als die Unwins nun mit der Witwe in den anderen Raum gingen, um die Frage nach dem Holz zu klären, nahm Grace die Gelegenheit wahr, sich gründlich im roten Salon umzusehen, den sie ansonsten nur selten betreten durfte. Sie sah einen massiven

Mahagonischreibtisch, ein paar lederbezogene Stühle und einen hohen Schrank, der ein wenig offen stand. An der Wand über dem Schreibtisch hingen zwei Regale, eines dicht gefüllt mit Akten, auf denen die Namen der Kunden von vergangenen Begräbnissen standen, das andere mit Zeitschriften zum Bestattungswesen sowie mehreren Bibeln. Den Schreibtisch zierten Brieföffner, Tintenfass und fünf Holzfächer, in denen die Unterlagen zu bevorstehenden Begräbnissen lagen. Es gab keinerlei Hinweis auf einen großangelegten Plan, Lily Parkes um ihr Erbe zu betrügen. Genau genommen erschien das Ganze, im kalten Licht eines Londoner Nachmittags betrachtet, als zu absurd, um wahr zu sein.

Grace grübelte zuerst darüber nach, verbrachte dann weitere zehn Minuten damit, sich still um Lily zu sorgen, und schließlich kehrten die Unwins mit der niedergeschlagen wirkenden Witwe wieder in den Salon zurück.

»Wenn Sie lieber eine Kutsche als den Zug nehmen möchten, dann würden zwei Pferde für die Kutsche allerdings ein wenig kümmerlich wirken«, sagte Mrs Unwin gerade. »Das würde – verzeihen Sie, wenn ich so frei bin – doch eine gewisse Gleichgültigkeit der Hinterbliebenen gegenüber dem Verstorbenen zum Ausdruck bringen.«

Die Witwe protestierte murmelnd.

»Letztes Jahr hat eine Witwe aus Ihrer Straße ihren Gatten in einer von vier edlen Pferden gezogenen

Kutsche ins Paradies geleiten lassen. Mit ihren Federbüschen und wehenden Mähnen verliehen sie dem Leichenzug eine höchst festliche Note, nicht wahr, Mr Unwin?«

»Vollkommen! Denn sie symbolisierten die große Liebe, die die Frau ihrem verstorbenen Gatten entgegenbrachte.«

»Oh Gott, nun denn. Wenn Sie wirklich meinen ...«, lenkte die Witwe ein.

Mrs Unwin drehte sich zu Grace um. »Und wo wir gerade beim Trauerzug sind«, fuhr sie fort. »Haben Sie schon an Sargbegleiter gedacht?«

Grace atmete sacht ein und stand wie eine Wachspuppe mit gefalteten Händen da.

»Habe ich nicht«, erwiderte die Witwe. »Mir war nicht klar, dass so etwas notwendig sein könnte.«

»Sargbegleiter sind bei Bestattungen der gehobenen Gesellschaft höchst gefragt«, führte Mrs Unwin aus. »Sie können Umhang und Kapuze tragen oder so wie Grace gerade einen schwarzen Hut und herabhängende Bänder – die Bänder symbolisieren die vergossenen Tränen.«

»Verstehe«, sagte die Witwe und starrte Grace kummervoll an. »Aber ich denke doch ...«

»Für gewöhnlich bucht man ein Paar davon«, fuhr Mr Unwin geschmeidig fort. »Rechts und links von einem Portal wirkt das sehr tragisch. Ich denke, Sie stimmen mir zu, dass Grace hier ein zutiefst herzzerreißendes Gesicht hat.«

Die Witwe seufzte tief und schnäuzte sich in ein schwarz eingefasstes Taschentuch, gab jedoch ihre Einwilligung zu zwei Sargbegleiterinnen. Grace wartete darauf, nun entlassen zu werden, da sie noch an der Brosche zu arbeiten hatte und diese gerne noch bei Tageslicht fertigbekommen wollte. Die Witwe wurde zur Haustür begleitet, und Rose hatte die Tür kaum hinter sich geschlossen, als plötzlich ein kräftiges Klopfen ertönte.

Rose öffnete erneut die Tür und setzte zu einer höflichen Begrüßung an, kam jedoch nicht dazu, denn der Besucher war Sylvester Unwin höchstpersönlich, der sofort in die Diele stürzte und im roten Salon erschien.

»Ich habe es, George!«, rief er und hielt dabei einen braunen Umschlag hoch. »Worauf wir gewartet haben!«

Grace wurde heiß und kalt. Das war die Urkunde. Sie musste es sein.

Grace wurde sogleich entlassen, doch anstatt in das kleine Nähzimmer zurückzukehren, blieb sie in dem schmalen Korridor stehen, der die Verkaufsräume im Vorderhaus mit den Werkräumen im hinteren Teil des Gebäudes verband.

»Eine gute Fälschung?«, hörte sie George Unwin fragen.

»Vom Feinsten. Diese Leute haben sich ihre Sporen mit dem Fälschen von Banknoten verdient!«, antwortete sein Cousin.

Man hörte, wie ein Umschlag geöffnet wurde, und Grace stellte sich mit klopfendem Herzen vor, wie das Dokument herausgezogen wurde.

»Für mich sieht es bestens aus«, hörte sie George Unwin nach einer kurzen Pause sagen.

»Aber wie es tatsächlich aussehen sollte, da kann man nur raten!«, warf seine Frau ein.

Es folgte eine Stille, in der, so vermutete Grace, alle die Urkunde durchlasen.

»Wann bringst du sie hin?«, fragte der Cousin.

»Nach Geschäftsschluss heute Abend«, gab George Unwin zurück.

Mrs Unwin stieß ein entzücktes Kichern aus. »Aber, wisst ihr, sie sollte nicht ganz so neu aussehen«, sagte sie. »Immerhin soll sie doch einige Jahre alt sein. Verknittere sie ein wenig. Reib ein bisschen Ruß aus dem Feuer drauf.«

»Weise Worte!«, stellte George Unwin gut aufgelegt fest. »Da hast du's mal wieder. Die Frauen denken eben an alles.«

Es folgte eine weitere kurze Stille, als ob das Dokument wieder in den Umschlag gesteckt würde, dann schlug George Unwin einen Umtrunk im privaten Wohnzimmer der Unwins vor. Mrs Unwin sagte, das werde sie den Männern überlassen – sie müsse ihre Arbeiterinnen überwachen –, woraufhin Grace blitzschnell den Korridor hinunterhuschte und um die Ecke verschwand.

Sie ging geradewegs zu dem kleinen Nähzimmer,

hängte ihren Hut und Umhang auf und nahm ihre Stickerei zur Hand. Es war vielleicht ganz gut, dass vier der Unwin-Angestellten noch im Kaufhaus in der Oxford Street arbeiteten, denn so war die einzige weitere Person im Zimmer Jane, die geduldig Initialen auf ein Sargkissen stickte und nicht einmal aufblickte, als Grace zurückkam.

Grace saß eine Weile still mit ihrer Stickerei in der Hand da und überlegte. Was sollte sie jetzt tun? Konnte sie James informieren? Aber wie? Und wenn es gelänge, was würde er ihr auftragen?

Und dann kam ihr schlagartig die Antwort, die sie am meisten fürchtete: Er würde ihr auftragen, die Urkunde zu stehlen!

Unwillkürlich schüttelte sie den Kopf. Nein, so etwas würde sie nicht wagen!

Aber wenn sie es nicht täte, meldete sich eine andere Stimme in ihr, wollte sie dann vielleicht tatenlos zusehen, wie jemand anderes das Vermögen stahl, das ihr eigener Vater erwirtschaftet hatte? Wollte sie tatenlos zusehen, wie Charlotte Unwin Lilys Identität annahm – und ihre Schwester womöglich nie wiedersehen? Wollte sie hinnehmen, dass die Unwins sich ungestraft auf ihre Kosten bereicherten?

Nein! Nichts davon! Aber genau das würde geschehen, wenn sie nichts unternahm. Sie musste es wenigstens versuchen, selbst wenn der Versuch fehlschlagen sollte …

Einmal zu diesem Entschluss gekommen, war ihr

schnell klar, dass sie sofort handeln musste, da sie sonst erneut den Mut verlieren würde. So legte sie ihre Stickerei ab, vergewisserte sich mit einem Blick auf Jane, dass diese nicht einmal ihre Rückkehr wirklich registriert hatte, und verließ erneut das Zimmer. Sie ging den Korridor entlang, lauschte kurz an der Tür zum roten Salon, um sicher zu sein, dass sich niemand darin befand, und huschte hinein.

Oh, ganz ruhig, sagte sie sich und atmete tief aus: Der braune Umschlag lag immer noch auf dem Schreibtisch. Mit acht raschen Schritten war sie dort, zog das dicke weiße Papier heraus und las die oberste Zeile: *Adoptionsbestätigung der Grafschaft Middlesex.* Weiter unten war in Tinte Lilys Name eingefügt sowie die Namen Letitia und Reginald Parkes als Lilys leibliche Eltern.

Es war also tatsächlich so, wie sie es vermutet hatten! Oh, diese hinterhältigen Unwins!

Sie verschwendete keine weitere Zeit damit, noch mehr zu lesen, sondern faltete die Urkunde zusammen (den leeren Umschlag ließ sie geistesgegenwärtig in seiner vorherigen Position auf dem Schreibtisch liegen) und steckte sie unter ihr Mieder. Eben wandte sie sich wieder zur Tür – als sie mit blankem Entsetzen die Stimme von Sylvester Unwin vernahm, wie er Rose anwies, eine Karaffe mit Portwein in den roten Salon zu bringen. Zu Graces Unglück hatte Sylvester Unwin beschlossen, hierher zurückzukehren, wo das größere Feuer im Kamin loderte.

Als sie die verhasste Stimme vor der Tür hörte, erstarrte Grace, doch dann sah sie, dass es nur einen Ort gab, wo sie sich verstecken konnte: Rasch zog sie die Tür des großen Wandschranks auf, schlüpfte hinein und hielt mit zitternden Fingern die Tür von innen zu.

Durch den winzigen Türspalt sah sie, wie Sylvester Unwin gefolgt von Rose das Zimmer betrat. Das Dienstmädchen staubte schnell den Kaminsims ab, ging wieder hinaus und kam einen Augenblick später mit einem Tablett zurück, auf dem eine Karaffe mit einer satten roten Flüssigkeit stand. Sylvester Unwin verlor kein Wort des Dankes, sondern zog seine Jacke aus, hängte sie an den Kleiderständer, goss sich ein Glas Portwein ein und zog sich einen bequemen Sessel vor den Kamin.

Grace atmete so flach, wie es ihr möglich war, doch sie fühlte sich ganz schwach vor Angst. Sie biss sich fest auf die Lippe, um klar bei Sinnen zu bleiben, und redete sich im Geiste zu, dass sie dies überstehen, dass sie gewinnen könne – sie musste nur ganz still halten, bis er wieder hinausging …

Allerdings schien Sylvester Unwin kein Bedürfnis zu verspüren, den Raum so bald wieder zu verlassen. Stattdessen fing er an, es sich richtig gemütlich zu machen. Grace blieb nichts anderes übrig, als ihm zuzusehen, wie er sich in seinem Sessel breitmachte, die Beine von sich streckte, die Brust wölbte – von sich eingenommen, selbst wenn er einfach nur dasaß.

Einen Moment später zog er auch noch seine Stiefel aus und beugte sich vor, um sie neben den Kamin zu stellen. Dann zog er seine Handschuhe aus, erst den rechten, dann den linken, und ließ sie zu Boden fallen. Er drehte sich ein wenig zur Seite, um sich eine Zigarre aus der Jackentasche zu angeln, wodurch seine linke Hand deutlich zu sehen war, und erst jetzt sah Grace zu ihrem maßlosen Staunen und Entsetzen, dass seine ganze linke Hand ein Apparat aus Metallplatten und Nieten war, die mit Bändern an seinem Armstumpen befestigt waren.

Und in diesem Augenblick wurde ihr alles klar: der Grund, weshalb der Geruch nach Zigarrenrauch und Haaröl eine unterbewusste Kette von Erinnerungen in ihr ausgelöst hatte, die sie lieber nicht hatte weiterverfolgen wollen; der Grund, weshalb ihr Körper jedes Mal vor Abscheu aufschrie, wenn er in ihrer Nähe war. Sylvester Unwin war der Mann in der Kirche bei der Welland-Scropes-Beerdigung gewesen, dessen bloße Gegenwart ihr schon einen Anflug von Übelkeit bereitet hatte. Sylvester Unwin war der Mann, der sie in jener Nacht im Heim aufgesucht hatte …

Kapitel 26

Diesmal biss sich Grace so fest auf die Unterlippe, dass sie Blut im Mund schmeckte und beinahe würgen musste. Hundert Fragen und Empfindungen durchzuckten sie, so dass sie sich kaum noch unter Kontrolle halten konnte. Sie verspürte den Drang, aus dem Schrank zu stürmen und auf Sylvester Unwin einzuschlagen, ihn anzuschreien und mit Beschimpfungen zu überschütten. Sie wollte am liebsten den Brieföffner packen und ihm ins Herz stoßen! Wie sie gelitten hatte wegen dieses Mannes. Er hatte ihr die Unschuld geraubt, die Vergangenheit gestohlen und die Zukunft zerstört – und jetzt hatte er einen Plan geschmiedet, um das Erbe zu entwenden, das ihrer Familie rechtmäßig zustand. Weshalb sollte solch ein Mann weiterleben dürfen? Sie wollte ihn nur noch auf der Stelle umbringen.

Dennoch war sie sich, wie sie so im Dunkeln stand und nur mit aller Mühe ihren Zorn im Zaum halten konnte, der Aussichtslosigkeit ihrer Situation bewusst. Sie durfte jetzt nicht ihrem unmittelbaren Drang nachgeben. Sie besaß weder die Körperkraft noch die Kühnheit dazu und fürchtete viel zu sehr die

Folgen, die dies für sie hätte. Ein Mann seiner Größe und Kraft könnte sie in einer Sekunde überwältigen. Und außerdem, selbst wenn sie ein Messer oder gar eine Pistole in der Hand gehabt hätte – einem anderen Menschen kaltblütig das Leben zu nehmen war eine gewaltige, eine fürchterliche Tat. Dazu war sie nicht fähig!

Ihr Herz pochte ihr in den Ohren, während sie darum kämpfte, die Kontrolle über sich zu bewahren und mucksmäuschenstill zu stehen. Sie musste jetzt ruhig bleiben, hellwach sein und auf ihre Gelegenheit zur Flucht warten. Nur wenn sie es schaffte, ungesehen aus diesem Zimmer zu gelangen, hatte sie noch eine Chance, die Unwins zu besiegen.

Unterdessen wähnte sich Sylvester Unwin vollkommen allein im Zimmer und klopfte mit seiner mechanischen Hand die Zigarre auf der Tischplatte auf. Im Kopf überschlug er die zu erwartende Geldsumme, die ihnen durch den Betrug winkte. Das gesamte Erbe belief sich auf hunderttausend Pfund, hatte ihm jemand gesagt. Ein anderer hatte von hundertfünfzigtausend gesprochen. Selbst wenn er mit seinem Cousin halbe-halbe machte, wäre das noch eine enorme Summe. Ausreichend für ein neues Trauerbekleidungsgeschäft in einer der großen Industriestädte, Manchester oder Birmingham vielleicht …

Beim Gedanken an die zu erwartende Summe und das Mittel, durch das sie sie erlangen würden, wandte er sich plötzlich zum Schreibtisch um, wo der Brief lag. Er starrte den Umschlag ein paar Sekunden lang an, dann schob er sich auf seinem Stuhl, der über Rollen verfügte, ein Stück näher an den Tisch heran und streckte die Hand danach aus.

Grace erstarrte das Blut in den Adern.

Er schaute hinein, stutzte, schaute noch einmal und stieß, fassungslos, einen Fluch aus. Er warf den Umschlag zu Boden und erging sich in den wildesten Verwünschungen. Er suchte den Boden ab, zog Schreibtischschubladen auf und rannte schließlich, wüste Flüche und Schimpfwörter ausstoßend, aus dem Zimmer.

Grace zögerte keine Sekunde. Sie schlüpfte aus dem Schrank, verließ den roten Salon und kehrte in das kleine Nähzimmer zurück, das jetzt leer war. Sie nahm ihre Stickerei wieder zur Hand und saß einen Moment ganz still, während ihr Verstand damit kämpfte, das Ausmaß dessen zu verarbeiten, was sie eben gesehen und entdeckt hatte.

Er war es also gewesen. Natürlich! Hatte sie das nicht die ganze Zeit schon gespürt? Er war jene Gestalt in der Kirche bei der Beerdigung des hohen Würdenträgers gewesen, jener Mann, dessen Präsenz ein Frösteln in ihr ausgelöst hatte. Und in seinem Geschäft – sie hatte ihn zwar nicht direkt wiedererkannt, doch etwas tief in ihrem Inneren hatte sich an das Entsetzen erinnert, das seine Gegenwart auslöste. Der Geruch von scharfem Tabak und parfümierter Haarpomade war seiner gewesen. Diese Aura des Bösen war seine …

Grace vernahm Geschrei irgendwo in der Tiefe des Gebäudes. Rasch bückte sie sich über ihre Stickerei und hörte, wie das Papier unter ihrem Mieder knisterte. Die Urkunde! Sie musste sie so schnell wie möglich loswerden. Aber wohin damit?

Das Feuer wäre die beste Lösung, aber da es schon auf den Abend zuging, glommen nur noch drei kümmerliche Kohlen im Kamin – es fehlte die Flamme, die das dicke Papier rasch zu Asche verbrannt hätte. Außerdem wäre es doch sicherlich besser, sie aufzuheben – um sie als Fälschung enttarnen zu lassen. Vielleicht in ihrem Zimmer, unter der Matratze? Grace erhob sich bereits, setzte sich jedoch im nächsten Augenblick wieder hin. Ganz bestimmt würden die Unwins die Zimmer der Angestellten durchsuchen lassen – und das von Lilys Schwester als Allererstes. Sie würden überall suchen. Doch dann fiel ihr eine mögliche Ausnahme ein: Ob sie wohl in »Gottes Wartesaal« suchen würden?

Sofort eilte sie die Steinstufen vom Nähzimmer in den kühlen Kellerraum hinunter, in dem an diesem Tag die beiden Leichname der Herren Truscot-Divine und Mayhew aufgebahrt lagen, um am nächsten Tag beerdigt zu werden. Sie waren fertig vorbereitet für die Feierlichkeiten, lagen in ihrem besten Anzug im Sarg, die Arme fein säuberlich über der Brust verschränkt. Die Sargdeckel waren nur lose aufgelegt. Diese wurden, wie Grace wusste, erst unmittelbar vor der Beerdigung zugenagelt.

In der Leichenhalle war es eiskalt. Eine Kerze brannte flackernd und in der Feuchtigkeit zischend in einem Halter aus Zinn und warf zitternde Schatten. Grace ließ sich jedoch von der unheimlichen, morbiden Atmosphäre nicht schrecken. Sie ging zum erstbesten Sarg – es war der von Mr Truscot-Divine –, hob den Deckel an und schob die Urkunde unter die Sargmatratze. Unwillkürlich musste sie an das andere Mal denken, als sie so etwas getan hatte: die traurige Grabbeigabe, die sie vor gut sechs Monaten in jenem anderen Sarg an anderem Ort hinterlassen hatte. Wie seltsam, dass jener Moment so unauflöslich mit diesem hier verquickt war …

Doch dies war nicht der Augenblick für Erinnerungen. Ihre Röcke anhebend, eilte Grace wieder die Treppe hinauf ins Nähzimmer. Sie vernahm aufgeregte Stimmen aus dem roten Salon – die beiden Unwin-Cousins und Rose, die sich weinend verteidigte und heftig dementierte – und entschied, dass es vielleicht klug wäre, zu Mrs Unwin zu gehen und sich durch ein Gespräch mit ihr ein gewisses Alibi zu verschaffen. Sie fand die Dame des Hauses in Begleitung von Jane und zwei anderen Mädchen in einem der Werkräume, wo sie Kränze aus Wachsblumen banden.

Grace knickste kurz. In den vergangenen Tagen hatte es sie enorme Mühe gekostet, ihren Hass auf die Unwin-Familie zu verbergen und ihnen gegenüber weiterhin einen höflichen, ehrerbietigen Ton anzuschlagen, doch jetzt, nach allem, was sie über Sylvester Unwin herausgefunden hatte, musste sie schon darum ringen, halbwegs normal zu klingen.

»Ich bin fast fertig mit dem Lorbeerkranz, Madam, und wusste nicht, ob ich als Nächstes mit der Stickerei für das Kissen beginnen soll«, sagte sie und hielt die neue Handarbeit hoch, die sie aus dem Korb mitgenommen hatte. »Oder möchten Sie, dass ich etwas anderes anfange?«

Mrs Unwin schenkte Grace ein falsches Lächeln aus lauter Zähnen und Zahnfleisch, denn auch sie hatte Mühe, sich angesichts des gewaltigen Täuschungsmanövers, in das sie verwickelt war, ganz normal zu geben. »Nimm dir irgendeine Arbeit aus dem Korb, Grace«, sagte sie. »Wie ging es denn mit dem Lorbeerkranz?«

»Sehr gut, Madam«, sagte Grace demutsvoll. »Möchten Sie die Arbeit sehen?«

»Gerne. Du stickst so außerordentlich fein – ein paar der Mädchen sollten sich an dir ein Beispiel nehmen.«

»Vielen Dank, Madam«, sagte Grace, während die anderen Mädchen ihr finstere Blicke zuwarfen. »Dann hole ich es schnell.«

Der winzige gestickte Lorbeerkranz wurde geholt, in Augenschein genommen und den anderen Mädchen gezeigt – und dann abrupt wieder Grace hingestreckt, als ein gänzlich außer sich geratener George Unwin die Tür aufstieß.

»Es ist weg!«, schrie er seine Frau an.

Mrs Unwin fuhr herum und starrte ihn entgeistert an. »Was ist weg?«

»Das Dokument! Was denn sonst?«

»Aber ich habe es doch noch vor einer halben Stunde mit eigenen Augen gesehen. Wie kann es da weg sein?«

»Was weiß ich, wie es das *kann*, jedenfalls *ist* es weg.«

Mrs Unwin besann sich plötzlich darauf, wo sie waren und dass Diskretion ihr Motto war. »Nicht vor den Mädchen, besonders –« Sie brach ab. »Gehen wir in den roten Salon.«

Mr Unwin verschwand und Mrs Unwin folgte ihm schweigend und bestürzt. In letzter Zeit hatte sie an nichts anderes mehr denken können als an die Erbschaft, die es ihnen ermöglichen würde (so ihr jüngster Entschluss), sich in eine Villa am Meer in Brighton zurückzuziehen. Sie hatte genug vom Bestattungsgewerbe: davon, ständig Betroffenheit heucheln zu müssen, Mitgefühl zu äußern, obwohl sie keines verspürte, Interesse vorzutäuschen, wenn die Leute sich ewig nicht entscheiden konnten, ob es denn nun rote Rosen oder rosarote Nelken für den Kranz sein sollten, wo das doch sowieso vollkommen egal war. Manchmal musste sie sich richtig zusammennehmen, um nicht den trauernden Angehörigen eines Verstorbenen an den Kopf zu werfen: »Was spielt das denn für eine Rolle? Er sieht sie doch sowieso nicht mehr! Er ist tot!«

Als Mr und Mrs Unwin die Tür hinter sich geschlossen hatten, huschte das Personal wie ein Mann ans Ende der Werkstatt, um möglichst viel von dem, was da vor sich ging, mitzubekommen. Alle drei Unwins redeten mit erregter Stimme, was das Lauschen umso leichter machte.

»Wo in drei Teufels Namen ist es?«

»Wenn ich es wüsste, würde ich nicht danach suchen, oder?«

»Es muss von jemandem entwendet worden sein.«

»Vielleicht nur ein Luftzug vom Fenster?«

»Der es aus dem Umschlag geweht hat? Mach dich nicht lächerlich, Frau!«

»Können diese Leute, wer es auch immer gemacht hat, nicht einfach noch mal eines anfertigen?«

»Keine Zeit«, sagte Sylvester Unwin. »Die andere Partei ist uns auf den Fersen.«

Eine kurze Stille trat ein, dann sagte George Unwin: »Es muss jemand aus dem Haus gewesen sein. Ruf alle zusammen, und wir durchsuchen sämtliche Zimmer.«

Das gesamte Unwin-Personal einschließlich des Schmieds und der Stallknechte wurden im Gang zusammengerufen. Man teilte ihnen mit, dass etwas Wichtiges verschwunden sei und ihre Zimmer durchsucht würden. Dies dauerte nicht lange, da die Zimmer mit nichts weiter ausgestattet waren als Bett und Tisch und keiner der Arbeiter mehr besaß als eine zweite Garnitur Kleider.

Während die anderen Angestellten das ganze Drama genossen und Betroffenheit mimten, rang Grace mit aller Kraft um ihre Fassung. Sie war sich sicher, dass als Nächstes die Angestellten und Bediensteten befragt und vielleicht sogar durchsucht würden, und auch wenn niemand etwas bei ihr finden würde, fürchtete sie sich maßlos davor, dass Mr Sylvester Unwin die Durchsuchung vornehmen werde. Wenn er das tat, wenn er sie auch nur berührte, dann könnte sie sich nicht länger beherrschen, da war sie sich sicher. Sie war vielleicht nicht fähig, ihn umzubringen, aber ganz gewiss würde sie nicht einfach ruhig dastehen und sich von ihm anfassen lassen. Dann könnte sie einfach nicht mehr anders, als auf ihn einzuschlagen und zu kratzen und zu beißen. Und dann wäre sie verraten.

»Niemand hat in der letzten Stunde das Gebäude verlassen, oder?«, fragte Sylvester Unwin.

Alle schüttelten den Kopf, während Mrs Unwin rasch durchzählte. »Wie mir scheint, nicht«, bestätigte sie.

»Wenn also das fehlende Dokument nirgends versteckt ist, dann muss es jemand bei sich tragen.«

»Moment mal.« George Unwin zog seine goldene Taschenuhr heraus – die Gravur mit den Worten *Für Thomas Perkins in Liebe von seiner Frau* deckte er dabei mit der Hand ab – und klappte sie auf. »Jemand *hat* das Haus verlassen. Zwei sogar. Die beiden Leichname für die morgigen Bestattungen sind bereits unterwegs zur Leichenhalle in Waterloo, für den Zug morgen früh.«

»Nun, die haben es ja wohl kaum gestohlen«, kläffte seine Frau ihn an.

George Unwin schwieg einen Moment und sagte dann nachdenklich: »Vielleicht doch. Ich war vorhin im Kühlraum unten, und da fiel mir auf, dass einer der Sargdeckel ein wenig verrutscht war.«

»Willst du damit sagen, eine der Leichen sei eben mal aufgestanden und hätte die Urkunde gestohlen?«

George Unwin bedachte seine Frau mit einem vernichtenden Blick. »Ich will damit sagen, dass jemand das Dokument in den Sarg gesteckt hat, um es außer Haus zu schaffen.«

Grace wurde ganz schwach, als sie das hörte. Sie blickte in die Gesichter der anderen Mädchen, um deren unschuldig-interessierte Mienen nachzuahmen. Sie wusste natürlich seit langem, dass die Londoner Nekropolis-Bahn die Särge, die für ein Begräbnis in Brookwood bestimmt waren, am Vorabend in der Stadt einsammelte; doch in ihrer Panik hatte sie nicht mehr daran gedacht.

»Und nun?«, fragte Mrs Unwin.

»Nun müssen wir den Särgen nach«, sagte Sylvester Unwin. »Wo genau werden die hingebracht?«

»In die Sarghalle in der Westminster Road, gleich neben dem Bahnhof Waterloo«, sagte George Unwin.

»Und nach wem muss ich suchen?«

»Mr Truscot-Divine und Mr Mayhew«, antwortete

Mrs Unwin. »In polierter Kirsche beziehungsweise Eiche.«

»Oder was nach Eiche aussieht«, murmelte George Unwin. Er wandte sich an seinen Cousin. »Soll ich dich begleiten?«

Sylvester Unwin schüttelte den Kopf. »Du bleibst hier und durchsuchst noch einmal alles, für den Fall, dass wir uns irren«, sagte er kurz. »Außerdem wartet draußen mein Kutscher mit dem Einspänner, und da ist nur Platz für mich.« Er schubste die nächstbeste Dienstmagd an. »Geh und hol mir meinen Mantel.«

Die versammelte Schar der Angestellten löste sich unter allgemeinem Getuschel langsam wieder auf. Alle versuchten, sich einen Reim auf das zu machen, was hier vor sich ging, während Grace blass und zitternd ins Nähzimmer zurückkehrte. Was sollte sie jetzt tun? Wenn sie zuließ, dass die Dinge einfach ihren Lauf nahmen, dann würde Sylvester Unwin die Urkunde wiederfinden und alles wäre umsonst gewesen.

Sie durfte das nicht zulassen. Nein, irgendwie musste sie jetzt zu Ende bringen, was sie angefangen hatte: Sie musste sich eine Mietkutsche nehmen und versuchen, als Erste in die Sarghalle zu gelangen.

NEBEL Während eines richtigen Londoner Nebels - der schwarz oder grau oder, am wahrscheinlichsten, orangefarben sein kann - darf sich glücklich schätzen, wer zu Hause bleiben kann.

Dickens's Dictionary of London, 1888

Kapitel 27

Als Sylvester Unwin auf die Straße trat, wo sein Kutscher mit dem Einspänner wartete, konnte er diesen zunächst gar nicht finden, denn einer der berüchtigten dicken Londoner Nebel war aufgezogen, so dicht, dass er Pferd und Kutsche schluckte, obwohl sie nur ein paar Meter entfernt standen.

»Was – ho!«, rief Sylvester Unwin. »Wo zum Teufel steckst du?«

»Hier, Sir!«, rief der Kutscher und brach in Husten aus, als die feuchte, schmierige Luft in seine Kehle drang.

»Verdammt, Mann. Hast du dich woanders hingestellt?«

»Nein, Sir!« Der Kutscher winkte mit seiner Peitsche. »Hier bin ich, Sir. Ich sitze auf der Kutsche, genau da, wo sie vorher gestanden hat.«

Sylvester Unwin streckte die Arme vor sich aus und versuchte, durch die Düsternis zu spähen. Der Nebel hatte sich richtiggehend zusammengeballt und sah an manchen Stellen dichter aus als an anderen, mal grau, dann schlammig braun und dann wieder von einem dicken, fauligen Grün. Vereinzelt brach ein dünner Sonnenstrahl durch und verwandelte ihn in fahles Gelb. Doch egal, von welcher Farbe er war, er machte einen nahezu blind, hing an den Kleidern, drang einem in die Glieder und kühlte einen bis ins Mark aus.

»Bis vor ’ner Stunde war hier alles in Butter – und dann kam’s vom Fluss herauf. Die reinste Waschküche«, berichtete der Kutscher.

»Rede weiter, damit ich dich finden kann!«, rief Sylvester Unwin.

»Hier, Sir! Direkt vor Ihnen!«, rief der Kutscher mehrmals, und schließlich berührte Sylvester Unwins ausgestreckte Hand die Seitenwand der Kutsche. Er hievte sich auf den Sitz neben dem Kutscher.

»Verfluchter Nebel! Verfluchte Stadt!«

»Wohin möchten Sie fahren, Sir?«

»Waterloo Station. Und zwar schnell«, erwiderte Sylvester Unwin.

»Also, was schnell angeht, weiß ich nicht so recht, Sir«, wandte der Kutscher zweifelnd ein. Er zog sich seinen Schal über die untere Gesichtshälfte, so dass er als eine notdürftige Maske zum Atmen diente. »Und ich kann mir nicht vorstellen, dass heute Abend Züge verkehren. Nicht in der Suppe.«

»Ich will auch keinen Zug erreichen«, knurrte Sylvester Unwin. Er holte tief Luft und musste sofort husten. »Spar dir dein Geschwätz und bring mich verdammt noch mal so schnell du kannst dorthin.«

»Wollen Sie für einen Fackeljungen bezahlen?«, fragte der Kutscher, denn er sah ein Stück weit vor ihnen ein paar Jungen brennende Fackeln schwenken, mit denen sie vor Fahrzeugen hergingen, um ihnen den Weg auszuleuchten.

»Hol zwei«, kam die Antwort. »Aber bring mich verdammt noch mal da hin.«

»Sehr wohl, Sir! Fackel! Fackel!«, rief der Kutscher in die undurchdringliche Dunkelheit hinein, doch die nächststehenden Jungen waren schon vergeben, und nachdem Sylvester Unwin ihn angeschnauzt hatte, dass er ihn gleich eigenhändig erwürgen werde, wenn er jetzt nicht endlich losfuhr, ließ der Kutscher seine Peitsche knallen.

Das Pferd setzte sich gehorsam in Bewegung, konnte jedoch in dem Nebel auch nicht mehr sehen als die Menschen, und so stolperte das Tier schon nach wenigen Schritten über eine Holzkiste, die jemand mitten auf dem Fahrdamm hatte liegen lassen. Das Pferd hielt sich zwar auf den Beinen, hatte sich jedoch die vordere Fessel verletzt und die Orientierung verloren – genau wie der Kutscher. Es irrte umher, nahm einen falschen Abzweig und versuchte schließlich völlig verwirrt eine rutschige Marmortreppe zu einem Hauseingang emporzusteigen.

»Du Idiot!«, brüllte Sylvester Unwin, als die Räder der Kutsche an der untersten Stufe hängen blieben. »Was glaubst du eigentlich, was du da machst?«

»Ich kann nicht das Geringste sehen, Sir!«, entschuldigte sich der Kutscher. »Das ist der schlimmste Nebel, der mir je begegnet ist.«

»Na, und wennschon. Kehr um auf die Straße zurück und fahr endlich los. Besorg dir zwei Fackeljungen! Zahl ihnen von mir aus das Doppelte!«

Begleitet von den ständigen Flüchen und gebrüllten Anweisungen Sylvester Unwins und immer wieder stockend und stehend, arbeitete sich die Kutsche langsam auf ihr Ziel zu, jenes Gebäude, das unter den Mitarbeitern der Nekropolis-Bahn nur als das Leichendepot bekannt war.

Grace brach erst ganze zehn Minuten nach Sylvester Unwin auf, zum einen, weil sie sich nicht aufraffen konnte, die relative Sicherheit des Unwin-Geschäftshauses zu verlassen, zum anderen, weil sie sich zutiefst vor einer erneuten Begegnung mit dem Mann fürchtete, der ihr all das angetan hatte. Irgendwie wurde sie das Gefühl nicht los, das Böse, das von ihm ausging, könne ihr nach wie vor zur Bedrohung werden.

Als sie dann aber an Lily dachte und in welcher Lage sich ihre Schwester wohl gegenwärtig befand, brachte dieser Gedanke Grace schließlich zum Handeln. Durch das Fenster sah sie den dichten Nebel draußen, holte sich ein Stück weißen Musselin und band ihn sich als Filter gegen die feuchte Luft vors Gesicht, denn sie konnte sich noch daran erinnern, wie Mama ihr eingeschärft hatte, dass es gefährlich für die Lungen sei, bei dichtem Londoner Nebel nach draußen zu gehen. Nachdem sie so gerüstet war, stellte sich jedoch die Frage, wie sie aus dem Haus kommen sollte. Sollte sie sich bei den Unwins entschuldigen, ihnen erzählen, sie fühle sich krank und wolle ein Hospital aufsuchen, oder etwas dergleichen? Aber wenn sie ihr nicht erlaubten, zu gehen?

Doch dann besann sie sich mit einem Mal und straffte den Rücken. Weshalb sollte sie sich wegen der Unwins überhaupt noch Gedanken machen? Wenn sie die Urkunde zurückbekam, dann brauchte sie womöglich keinen von ihnen je wiederzusehen – jedenfalls nicht als ihre Arbeitgeber. Und wenn sie die Urkunde nicht wiederbekam und die Unwins ihr das Erbe stahlen, wie hätte sie dann je wieder für diese Leute arbeiten können, nach allem, was sie wusste? Könnte sie dann wirklich weiterhin so tun, als wäre nichts, nur um ein Dach über dem Kopf zu haben?

Nein, sie würde einfach klammheimlich verschwinden, beschloss sie, setzte dies auch sogleich in die Tat um und schlüpfte ungesehen zur Haustür hinaus, ohne irgendwem Lebewohl zu sagen.

In den Nebel einzutreten war, als befände man sich plötzlich unter den Blinden. Leute tasteten sich Schritt für Schritt die Straße entlang, husteten, sobald der Nebel in ihre Lungen drang, klopften mit dem Gehstock den Weg vor sich ab, streckten die Arme vor sich aus wie Nachtwandler oder hielten sich an der Schulter eines Fackeljungen fest – sofern sie das Glück gehabt hatten, einen für ihre Dienste zu ergattern –, der ihnen behutsam voranging und den Bürgersteig ausleuchtete. Grace erkannte sogleich, dass es sinnlos wäre, sich eine Kutsche zu mieten, denn sie war kaum fünfzig Meter gegangen, als ihr bereits zwei solcher Gefährte begegneten, die auf der Straße liegen geblieben waren. Sie hatten in der Finsternis die Orientierung verloren und sich mit einem Omnibus verkeilt. An allen drei Fahrzeugen fehlte mindestens ein Rad, und so hingen sie nun zur Seite geneigt an Ort und Stelle fest. In einer abzweigenden Straße standen zwei Kutschpferde mit einem Futtersack um den Hals und kauten seelenruhig – sie waren ausgeschirrt worden, bis der Nebel sich wieder lüftete.

Grace tastete sich so schnell es ging an den großen Häusern der Edgeware Road entlang und benutzte dabei die Zaungitter als Geländer und Wegweiser. Sie war sich bewusst, dass Eile geboten war, doch dies schien nahezu unmöglich. Ständig musste man sich entschuldigen, weil man mit jemandem zusammengestoßen war, stolperte über Hunde oder stellte plötzlich fest, dass man sich in eine Sackgasse verlaufen hatte oder komplett im Kreis gegangen war. Kinder liefen vorbei und spielten Gespenster, stießen unheimliche Laute aus, um die änstlicheren Leute zu erschrecken, und manche Passanten hatten sich einfach in einen bequemen Türeingang gesetzt, um abzuwarten, bis der Nebel sich ein wenig lichtete und sie ihren Weg nach Hause finden konnten. Als sie die Oxford Street erreichte, wurde es ein wenig leichter, da die Schaufenster der Geschäfte erleuchtet waren und ein jedes einen kleinen, sicheren Hafen in der Dunkelheit schuf. Als sie am Unwin-Trauerbekleidungshaus vorbeikam, sah sie sogar Miss Violet hinter den Glastüren stehen und mit ihrem üblichen heiteren Lächeln einen Kunden begrüßen, der aus dem Nebel aufgetaucht war und seinen Weg in den Laden gefunden hatte; doch ansonsten schien das Kaufhaus so gut wie leer zu sein.

Sie eilte die Bond Street entlang, ohne die eleganten Schaufenster eines Blickes zu würdigen, und hörte ab und an einen schrillen Pfiff von einem der Londoner Polizisten, da jeder kleine Gauner und Taschendieb in der Stadt im Augenblick sein Glück versuchte. Viele Geschäfte hatten darunter zu leiden, wenn so dichter Nebel herrschte, denn die Diebe kamen einfach herein, packten den nächstbesten Gegenstand und verschwanden wieder im Nebel, bevor der Ladenbesitzer auch nur einen Schritt machen konnte, um sie zu ergreifen. Mehrere Male hörte Grace rennende Schritte in nächster Nähe an sich vorbeiziehen und gleich darauf den vergeblichen Ruf »Haltet den Dieb!«.

Von der Bond Street wandte sich Grace nach Picadilly und dann nach Haymarket und hinunter zur Strand. Nun war sie auf bekanntem Terrain – in der Gegend, wo sie Kresse verkauft hatte – und nutzte ihre Kenntnis der kleinen Gassen und Abkürzungen. Je näher sie allerdings dem Fluss kam, umso dichter hing die Dunstglocke des Nebels über ihnen. Einmal wurde sie versehentlich von einem Markthändler mit seinem Schubkarren umgefahren, und einmal kam sie an einem Mann vorbei, der in einen Kellereingang gestürzt war und klagend um Hilfe rief. Doch sie wagte nicht, ihre Zeit zu verschwenden, um ihm zu helfen.

Als sie sich der Strand näherte, musste sie eine Entscheidung treffen: Waterloo und der Nekropolis-Bahnhof befanden sich auf der anderen Flussseite, und sie wusste nicht, ob sie versuchen sollte, ein Fährboot zu ergattern oder die Hungerford Bridge anzusteuern, die noch ein Stück weit weg war. Diese kleine Eisenbrücke war jedoch vor kurzem von einem Konsortium aufgekauft worden, das sie als Eisenbahnbrücke nutzen wollte, und Grace wusste nicht, ob sie für Fußgänger noch geöffnet war. Wenn sie hinging und die Brücke gesperrt vorfand, so müsste sie ein langes Wegstück bis zur London Bridge hinunter zurücklegen, was sie ein beträchtliches Maß an Zeit kosten würde. Nach einem quälenden Moment des Abwägens ging sie schließlich zum Flussufer hinunter, um zu sehen, ob irgendwelche Fährboote verkehrten.

Wie sie fast befürchtet hatte, gab es keine. In ihrer wachsenden Panik steuerte sie die Hafenkneipe Sailor's Rest an, um nach einem Fährmann zu suchen. Dort saßen auch gut ein Dutzend oder mehr derselben beisammen und »ruhten sich aus«, allesamt sturzbetrunken. Sie ging von einem zum anderen und fragte, ob einer gewillt wäre, sie in einer Angelegenheit auf Leben und Tod über den Fluss zu setzen, stieß jedoch durchweg auf Ablehnung und dazu noch auf jede Menge Spott und Gelächter, und so sah sie sich in ihrer Verzweiflung bereits zur London Bridge hinuntereilen, als ein Fährmann, jünger als die anderen und noch nüchtern genug, um sich von einem hübschen Gesicht erweichen zu lassen, schließlich einwilligte, sie für zwei Shilling überzusetzen.

»Wobei ... ob wir da drüben auch ankommen, kann ich dir nich versprechen«, sagte er leicht lallend.

»Wenn doch, gebe ich dir noch einen Shilling extra«, sagte Grace skrupellos und dankte im Geiste James Solent für das Geld, das er ihr geliehen hatte.

»Umso besser. Und wenn uns ein Lastkahn über den Haufen fährt, dann ham wir eben Pech gehabt.« Er lachte rau. »Obwohl, ich hab heute so 'n gutes Gefühl in meinen Eingeweiden, ich glaube, wir werden's überleben.«

Grace war inzwischen bereit, alles zu riskieren. Entweder sie würden trotz des Nebels heil über den Fluss kommen, oder sie würden von einem Kanalboot überfahren. Entweder sie würde sich die Urkunde zurückholen, über die Unwins triumphieren und Lily finden, oder eben nicht. Es lag alles in der Hand des Schicksals.

Sie kletterte in das Boot, zog sich das weiße Musselintuch fest vor Mund und Nase und schloss die Augen. Mit einem kräftigen Stoß, der das Boot heftig hin und her schaukeln ließ und eine Ladung stinkendes Flusswasser über ihre Kleider spritzte, legten sie ab.

Die Taktik des Fährmanns, anderen Booten auszuweichen, bestand offenbar darin, den Kopf einzuziehen und so schnell zu fahren, wie er konnte, indem er mit kurzen Schlägen seiner schweren Ruder das Wasser aufpeitschte.

»'s Beste ist, ich fahr wie der Teufel«, sagte er zu Grace. »Und wenn's kracht, bin ich im Nu wieder weg.«

Grace hatte solche Angst, dass sie die ganze Zeit die Augen geschlossen hielt, und so entging ihr der Anblick der anderen zwei Boote, die auf dem Wasser unterwegs waren: ein riesiger Lastkahn mit Kohlen, der so gewaltig und unantastbar war, dass er sich nicht um das Wetter scherte, und das kleine Fischerboot eines alten Mannes, der Tag und Nacht, ob Nebel oder nicht, den Fluss abruderte und im Wasser nach Leichen suchte, um ihnen die Kleider abzunehmen.

Nachdem sie heil am anderen Ufer angekommen waren und Grace den Fährmann bezahlt hatte, fand sie den Weg zur Westminster Bridge Road recht rasch, verlief sich nur einziges Mal und hatte dabei das Glück, auf einen Polizisten zu stoßen, der mit einer Laterne an der York-Road-Kreuzung stand und all jenen den Weg wies, die sich verirrt hatten. Schließlich erreichte sie den Bahnhof Waterloo. Vor dem kunstvollen Eisengitter stehend, das den Eingang zur Nekropolis-Bahn zierte, sah sie im Schalterhäuschen einen Mann sitzen, der mit Schreibarbeiten beschäftigt war. Seine Aufmerksamkeit galt jedoch nur eintreffenden Leichenwagen, und so bemerkte er nicht, wie Grace durch das Eisentor hineinhuschte.

Die Sarghalle war ursprünglich ein normales Lagerhaus für Frachtgüter gewesen, das erst später zu einer Aufbewahrungshalle für Särge umgebaut, frisch gestrichen und mit den entsprechenden Vorrichtungen ausgestattet worden war. Dies war nötig geworden, da wegen des allmorgendlichen Londoner Verkehrs ein Sarg für fünf Meilen Weg bis Waterloo gut und gerne zwei Stunden brauchen konnte, so dass manche Leichen den Zug und damit ihre eigene Beerdigung verpassten. Deshalb bestand die Nekropolis-Gesellschaft nun darauf, dass alle Leichname, die in Brookwood beigesetzt werden sollten, bereits am Vorabend abfahrbereit am Bahnhof standen.

Grace war schon einmal im Inneren der Sarghalle gewesen, wusste also, was sie zu erwarten hatte. Was sie allerdings nicht wusste, war, ob Sylvester Unwin vor ihr angekommen war. Wenn ja und wenn er die

Urkunde bereits an sich genommen hatte, dann hatte sie verloren. Wenn nicht, so gab es noch Hoffnung.

Das Eisentor zu der Lagerhalle war so breit, dass die Sargträger nebeneinander mit einem Sarg auf den Schultern bequem hindurchkamen, und so kostete es Grace einige Kraft, es aufzuschieben. Die Särge lagen reihenweise drei Etagen hoch auf stabilen Regalen, ganz ähnlich wie im Sargwaggon des Nekropolis-Zugs. Es gab ungefähr dreißig Särge, die bei den verschiedenen Bestattern in und um London eingesammelt worden waren, sowie zwei leere, die, wie Grace wusste, für Verkehrsopfer oder Leichen, die aus der nahen Themse gefischt wurden, bereitgehalten wurden. Ein paar Laternen brannten zu Ehren der Toten, doch insgesamt war es ziemlich düster in der Halle, denn Besucher waren hier keine zu erwarten.

Grace zitterte vor Kälte, als sie die Halle betrat, da die Feuchtigkeit des Nebels und des Themsewassers ihre Kreppkleidung durchdrungen hatte, so dass der schwere Stoff ihr klamm auf der Haut klebte. Sie blickte sich rasch um und stellte fest, dass keine lebende Person vor Ort war, und es sah auch nicht so aus, als wäre bereits ein Sarg geöffnet worden: Jedenfalls lag kein Sargdeckel auf der Seite. Vielleicht war sie ja tatsächlich als Erste da.

Hastig schritt sie die Sargreihen ab, ließ den Blick nach oben und unten wandern und versuchte angestrengt, in dem Dämmerlicht die Messingschildchen zu lesen. Von dem flüchtigen Blick, den sie bei den

Unwins auf das Namensschild geworfen hatte, konnte sie sich nur noch erinnern, dass es sich um einen Doppelnamen gehandelt hatte – und davon gab es drei. Allerdings war einer der Leichname eine Frau und auf einem anderen Sarg lag eine zusammengefaltete Flagge, ein Zeichen, dass der Verstorbene ein Offizier der Armee gewesen war. Bei den Unwins hatte sie keine solche Flagge entdeckt, also musste der gesuchte Sarg der dritte sein, der von Mr Trescot-Divine, ganz am Ende der Halle auf dem obersten Regal.

Grace stellte sich auf die Zehenspitzen und holte gerade tief Luft, um die Hand in den Sarg zu stecken. In diesem Augenblick vernahm sie voller Entsetzen von draußen die Stimme Sylvester Unwins. Er klang höchst verärgert, da er bis zur London Bridge hinauf hatte fahren müssen, um den Fluss zu überqueren.

»Mach auf, Wachmann, und zwar rasch!«

»Wer ist da?«, kam die Antwort.

»Unwin! Ich habe eine verspätete Beigabe zu einem Sarg, der morgen nach Brookwood geht.«

Da dies nicht weiter ungewöhnlich war – manchmal wollte eine trauernde Witwe ihrem verstorbenen Gatten noch einen letzten Brief oder dergleichen ins Grab mitgeben –, erklang gleich darauf ein scharrendes Geräusch, als das äußere Tor geöffnet wurde. Inzwischen rannte Grace wie ein gefangenes Tier in Panik zwischen den Särgen hin und her und suchte vergeblich nach einem Versteck. Außer den Sargregalen war die Halle vollkommen kahl, und das Tor, durch das sie gekommen war, war der einzige Ein- und Ausgang. Nicht einmal ein Fenster gab es, durch das sie hätte entwischen können.

Und dann fielen ihr die zwei leeren Särge wieder ein. Sie waren unschwer auszumachen, da sie nur als Provisorium gedacht und aus billiger Wellpappe gefertigt waren, und standen gleich beim Eingang auf dem untersten Regal. Hastig rannte Grace zum nächstbesten der beiden Särge, kletterte hinein und zog den Deckel über sich zu. Dann lag sie in vollkommener Dunkelheit da und versuchte, sich nicht zu rühren, nicht zu zittern, ja, nicht einmal zu atmen.

Einen Augenblick herrschte Stille, dann kam Sylvester Unwin mit einer hochgehobenen Laterne polternd durch das Tor herein. Er blickte sich einen Moment lang um. Natürlich konnte Grace ihn nicht sehen, doch sie spürte seine Nähe genau so wie bereits bei anderen Gelegenheiten: weil seine physische Präsenz ihr eine Angst einflößte, von der ihr ganz schwach und übel wurde.

Vielleicht war es diese furchtbare Angst, die sie so verwegen machte, jedenfalls verspürte sie plötzlich den Drang, ihn zu konfrontieren, ihm zu zeigen, dass er nicht einfach rücksichtslos im Leben all jener herumtrampeln konnte, die schwächer waren als er. Sie war nicht länger bereit, ein schweigendes, gesichtsloses Opfer zu sein!

Und so setzte sie sich auf.

Ihr Sargdeckel fiel mit einem raschelnden Geräusch zu Boden. Sylvester Unwin fuhr ziemlich erschrocken herum. In dem dämmrigen Licht gab Grace mit dem weißen Musselintuch um den Kopf eine eindrucksvolle Erscheinung ab: Ein paar Nebelschwaden waren in die Halle gedrungen und hatten sich günstigerweise um sie herum zu einem Nebelschleier gesammelt, in dem sie geradezu unheimlich, furchteinflößend und jenseitig wirkte.

Voller Zorn, und doch ganz klar im Geiste und in vollem Bewusstsein dessen, was sie tat, zeigte sie mit ausgestrecktem Finger auf ihren Gegner und rief: »Mein ist die Rache, sagt der Herr!«

Sylvester Unwin schrie vor Entsetzen auf, fasste sich mit der Hand ans Herz und sank zu Boden.

DAS MAJESTIC HOTEL
DIE ERSTE ADRESSE IM HERZEN VON MAYFAIR.

EINE PERFEKTE UNTERKUNFT FÜR ALL JENE ANGEHÖRIGEN DER ARISTOKRATIE, DIE KEINE EIGENE WOHNUNG IN LONDON UNTERHALTEN MÖCHTEN.

LUXURIÖS AUSGESTATTETE ZIMMER MIT BLICK ÜBER DEN HYDE PARK FÜR GÄSTE MIT EDLEM GESCHMACK. MANCHE ZIMMER MIT EIGENEM BAD. SUITEN VORHANDEN.

UNSERE VIELEN ADLIGEN GÄSTE BETRACHTEN UNS ALS EINE ERWEITERUNG VON BUCKINGHAM PALACE.

Kapitel 28

»*Tot?*«, fragte James Solent. »Sylvester Unwin ist tot? Ich verstehe nicht. Wann ist er gestorben? Und wie?« Wegen des Nebels war James eine ganze Weile später als verabredet an ihrem üblichen Treffpunkt erschienen. Beinahe hatte er schon beschlossen, gar nicht hinzugehen, da er sich sicher war, dass Grace sich an einem solchen Abend nicht aus dem Haus wagen würde. Gegen acht Uhr war jedoch eine leichte Brise aufgezogen, die ganz allmählich den Nebel vertrieb, und um neun, als er den Treffpunkt eben verlassen wollte, war die Luft beinahe wieder klar. Plötzlich kam Grace, außer Atem und weinend, auf ihn zugerannt.

»Er ist tot, weil ich ihn umgebracht habe!«, sagte Grace schluchzend. »Ich wollte es nicht, aber ich hab's getan.«

»Du meinst ... Du hast ihn erstochen oder so was?«, fragte James entsetzt.

»Nein.« Sie versuchte, ihr Schluchzen zu ersticken. »Nein, das nicht.«

»Was denn dann?«

»Ich ... ich war in der Sarghalle.«

James schaute sie neugierig an. »Was ist das?«

»Das ist eine Lagerhalle am Bahnhof Waterloo, wo die Särge gesammelt werden, bevor sie mit dem Zug nach Brookwood gefahren werden.« James schaute noch immer verständnislos, und so fuhr sie fort: »Er hat heute Nachmittag die gefälschte Adoptionsurkunde zu den Unwins gebracht, und ich habe sie entwendet und in einem Sarg versteckt ...«

Auf James' Gesicht spiegelte sich vollkommene Verwirrung.

»Dann haben sie danach gesucht und gemerkt, dass die Urkunde in einem der Särge sein muss, die aber inzwischen schon am Bahnhof in Waterloo waren. Also ist Sylvester Unwin losgefahren, um sie sich von dort zurückzuholen, und ich habe mich ebenfalls aus dem Haus geschlichen und war vor ihm dort. Ich hatte mich in einem leeren Sarg versteckt, und als er hereinkam, habe ich mich aufgesetzt, und er hat mich gesehen und … und ich glaube, er ist so erschrocken, dass er gestorben ist.«

Während sie sprach, beobachtete sie nervös James' Miene. Wie würde er reagieren? Würde er ihr sagen, dass sie sich der Polizei stellen müsse? Oder würde er, als Angehöriger des Rechtsstandes, sogar darauf bestehen, sie selbst dort hinzubringen? Und dann würde sie womöglich für immer eingesperrt und würde Lily nie wieder sehen!

»Du hast dich vor ihm versteckt – aber warum hast du dich dann in dem Sarg aufgesetzt?«, fragte James, der immer noch darum rang, das Ganze zu einem Bild zusammenzufügen.

Grace schluckte. Ihr Mund war ganz trocken. »Ich hasste ihn so sehr, dass ich ihm Angst einjagen wollte.« Dann verbesserte sie sich noch einmal: »Nein, was ich eigentlich wollte, war, ihn umzubringen. Aber ich dachte nicht, dass er gleich sterben würde. Und … und nun ist er tot.«

»Aber warum hasst du ihn denn so sehr?« James sah immer noch verwirrt aus. »Wegen des Erbes? Weil er es deiner Familie stehlen will?«

Grace schüttelte den Kopf. »Nein. Da ist noch etwas anderes. Was er mir gestohlen hat und was noch … noch viel kostbarer ist als Geld. Und das hat er mir und auch meiner Schwester gestohlen.«

James schaute sie eindringlich an und bot ihr schließlich den Arm an. »Ich merke doch, dass da noch mehr ist, als du mir erzählst«, sagte er. »Ein

Stück weiter die Straße hinunter gibt es einen kleinen Platz mit einer Bank. Sollen wir da hingehen und uns einen Moment setzen?«

Grace nickte, und sie gingen schweigend die dunkle Straße entlang, bis sie einen gepflasterten Platz mit einem steinernen Pferdetrog und einer kleinen Holzbank erreichten.

»Willst du mir die ganze Geschichte erzählen?«, fragte James, nachdem er Grace hatte Platz nehmen lassen und sich neben sie gesetzt hatte. »Du musst nicht, aber vielleicht geht es dir besser, wenn du sie jemandem mitteilen kannst.«

Grace schwieg eine Weile und versuchte, ihre Gefühle unter Kontrolle zu bringen. Dann seufzte sie tief und sagte, dass sie ihm alles erzählen werde.

»Lily und ich kamen nach dem Tod unserer Mutter in ein Waisenhaus«, fing sie an, »und dort fühlten wir uns auch einigermaßen wohl. Als ich vierzehn wurde, wurden wir in ein Ausbildungsheim für Mädchen geschickt, wo Lily Hausarbeit lernen und ich eine Ausbildung als Lehrerin bekommen sollte.« Sie schwieg einen Moment und tupfte sich mit dem Taschentuch die Augenwinkel ab. Dann fuhr sie fort: »Wir erfuhren, dass unsere Unterkunft und Ausbildung von einem wohlhabenden und bedeutenden Mann finanziert würden, der Mädchen aus der Arbeiterklasse eine zweite Chance im Leben geben wolle, und dass wir uns glücklich schätzen dürften, hier zu sein.« Sie schauderte und fuhr nach einer Weile mit zaghafter

Stimme fort: »Leider glaubte dieser Mann, dass er, wenn er eine Ausbildung für ein Mädchen finanzierte, dass er dann auch …« – sie stockte und holte tief Luft, bevor sie fortfuhr –, »dass er dann das Recht hätte, sich zu ihr ins Bett zu legen.«

James fasste ihre Hand, doch Grace schüttelte sie mit den Worten ab, er solle erst alles hören, bevor er ihr sein Mitleid anbot. Sie schloss die Augen, um sich das Sprechen zu erleichtern.

»Ich hatte ein Kind bekommen«, fuhr sie mit einer Stimme kaum lauter als ein Flüstern fort. »Und es starb. An dem Tag … an dem Tag, als ich dir in Brookwood begegnete, da war ich nicht dort, um das Grab meiner Mutter zu besuchen. Sondern allein zu dem Zweck, das kleine Bündel zu beerdigen.«

Sie stockte erneut, und als James diesmal ihre Hand umfasste, war sie so dankbar für seinen Trost, dass sie ihre Hand nicht wegzog.

»Ich konnte es niemandem erzählen.«

»Aber niemand kann dich für das tadeln, was dieser Mann getan hat«, sagte er sanft.

»Halt«, sagte Grace, »da ist noch etwas, was du wissen solltest. Das Baby, das ich zur Welt brachte – ich konnte mir kein anständiges Begräbnis für es leisten oder auch nur einen Sarg, und so habe ich das Kind jemand anderem in den Sarg gelegt, der an diesem Tag begraben wurde.«

»Ich habe schon gehört, dass so etwas manchmal vorkommen soll.«

»Der Sarg, den ich ausgesucht hatte …« – sie zögerte und sagte dann rasch –, »… enthielt die sterblichen Überreste deiner Schwester.« Sie schaute angespannt zu James auf. »Ich habe ihren Sarg nur deshalb gewählt, weil sie sich nach jemand Freundlichem anhörte. Ich hatte das Gefühl, dass sie nichts dagegen hätte, mein Kind im Grab bei sich zu haben.«

James schwieg eine ganze Weile, dann sagte er bloß: »Du armes Kind.«

»Damals wusste ich noch nicht, dass der Mann, von dem ich sprach, Sylvester Unwin war, aber jetzt weiß ich es. Und erst später fand ich heraus, dass er auch Lily missbraucht hatte.«

James nickte langsam. »Er hat mehrere solcher Einrichtungen unterhalten, und es gab Gerüchte über sein Verhalten in den Mädchenheimen. Letztes Jahr wurden zwei Beschwerden gegen ihn vorgebracht.«

»Und wurde er angeklagt?«

»Nein, leider wurden die Anschuldigungen wieder fallen gelassen. Ob er den Mädchen etwas gezahlt oder sie eingeschüchtert hat, damit sie die Anschuldigungen zurückziehen, weiß ich nicht.«

Grace lehnte sich zurück und atmete tief durch, denn es hatte sie Mühe gekostet, all das zu erzählen.

»Und die … die Adoptionsurkunde ist noch immer in dem Sarg?«

Grace schüttelte den Kopf. »Nein, ich habe sie bei mir. Ich bin um ihn herumgegangen, wie er da auf dem Boden lag, und habe sie geholt.«

»Das sind exzellente Nachrichten!«

»Aber was passiert denn jetzt?« Sie schaute James angsterfüllt an. »Werde ich des Mordes angeklagt?«

»Aber natürlich nicht«, sagte er und schüttelte dazu den Kopf. »Du hast ihn doch gar nicht umgebracht.«

Grace schaute ihn angespannt an.

»Nun«, sagte James langsam. »Er ging in eine Leichenhalle und erlitt einen Herzinfarkt, das ist alles. Die Umstände seines Todes kann niemand rekonstruieren – und überhaupt, niemand könnte eindeutig feststellen, ob er den Herzinfarkt tatsächlich wegen deines Verhaltens in diesem Augenblick hatte.« Er schaute sie eindringlich an. »Ich hoffe, niemand hat dich gesehen?«

»Nein, niemand«, bestätigte Grace. »Ich hatte solche Angst und habe mich fünf Minuten lang hinter der Tür versteckt, bis der Kutscher kam, um nach ihm zu suchen, und als er reinging, bin ich hinausgeschlüpft. Als er die Leiche fand, war ich vermutlich schon die halbe York Street hinuntergegangen.«

»Sehr gut. Und damit ist zu diesem Thema alles zwischen uns gesagt. Wir werden die Sache in Zukunft nicht mehr erwähnen.«

Grace blickte ihn besorgt an. »Und ich brauche doch nicht mehr zu den Unwins zurückzukehren, oder?«

»Natürlich nicht!«, antwortete er lächelnd. »Und ich denke nicht, dass du inzwischen Zeit gefunden hast, zum Somerset House zu gehen, um die Geburtsurkunden zu holen, oder?«

Grace schüttelte den Kopf. »Nein. Und jetzt habe ich das ganze Geld verbraucht, das du mir gegeben hast.«

»Das ist nicht von Bedeutung. Ich war selbst dort und habe die Geburtsurkunden besorgt.«

Grace hielt den Atem an. »Und ist alles so, wie es sein soll?«

»In der Tat, das ist es. Die Urkunden sind vollkommen eindeutig: Dein Vater und deine Mutter, Reginald Parkes und Letitia, geborene Paul, heirateten im April 1840. Deine Schwester kam …«

»Lily!«, rief Grace plötzlich aus, denn in den vergangenen Stunden hatte sie kaum an ihre Schwester gedacht. »Wo ist sie?« Sie seufzte. »Wie soll ich sie je wiederfinden?«

»Wir werden sie finden«, sagte James mit fester Stimme. »Ich verspreche es dir.« Grace lächelte ihn dankbar an, und er fuhr fort: »Lily kam also 1844 auf die Welt und du, Grace, 1845, wenn ich es recht in Erinnerung habe.«

Grace nickte. »Stimmt.«

»Der Name deines Vaters ist auf beiden Urkunden vermerkt, aber auf deiner ist notiert, dass er sich im Ausland befindet.«

»Hast du sie dabei? Kann ich sie sehen?«

»Im Augenblick nicht. Sie liegen bei Mr Stamford.«

Graces Gesicht hellte sich auf.

»Ich habe ihm deinen Fall vorgestellt, und er ist höchst interessiert.« Er überlegte einen Moment. »Nein, interessiert trifft es nicht ganz – er ist geradezu ekstatisch angesichts der Aussicht, mit dem berühmten Parkes-Fall zu tun zu haben und dabei gleichzeitig auch noch den Unwins eins auszuwischen. Und Mr Stamford in einem ekstatischen Zustand zu erleben, das ist ein höchst seltener Genuss.«

Darüber musste Grace nun doch schmunzeln. »Was passiert als Nächstes?«

»Mr Stamford hat bereits mit den Anwälten Binge und Gently gesprochen, und sie haben die Unwins für morgen Mittag in ihre Kanzlei bestellt. Da wir nun im Besitz der gefälschten Urkunde sind, werden auch wir dort hingehen – und zwar vor den Unwins. Ich habe vor, noch heute Abend Mr Stamford aufzusuchen und ihn über den neuesten Stand der Dinge ins Bild zu setzen. Ich werde ihm mitteilen, dass wir die Adoptionsurkunde haben, jedoch nicht, wie wir daran gekommen sind.«

»Und wird uns diese Tatsache helfen?«

Er nickte. »Und ob. Wenn die Unwins sie vorgelegt hätten, dann wären sie vielleicht damit durchgekommen. Aber jetzt, wo sie unter Verdacht stehen, wird die Urkunde gleich mehrfach geprüft werden – und jemand wird außerdem bei einer Überprüfung feststellen, dass es gar nie ein Original davon im Somerset House gab.«

Grace machte große Augen. »Du hast gesagt, morgen soll das stattfinden. Aber die Unwins haben morgen zwei Begräbnisse anstehen. Die Leichname sind schon in der Leichenhalle am Bahnhof.«

»Das, fürchte ich, ist nicht von Belang«, sagte James. »Die Unwins wurden nicht in die Kanzlei Binge und Gently eingeladen, sondern so gut wie vorgeladen. Außerdem werden sie selbst scharf darauf sein, zu kommen, weil sie annehmen, dass es sich um die letzte Hürde handelt, bevor sie das Geld kassieren können.«

»Sie werden bis dahin vom Tod ihres Cousins erfahren haben.«

»Ich denke nicht, dass sie dies groß beeindrucken wird«, merkte James trocken an. »So wie ich die Unwins kenne, bedeutet das für sie nur, dass dann der restlichen Familie mehr Geld bleibt.«

Sie blieben noch eine Weile auf der Bank sitzen, jeder in seine eigenen Gedanken vertieft (wobei Graces Gedanken vor allem um Lily kreisten und um die Frage, wo sie wohl sein mochte), bis Graces ursprüngliche Erregung schließlich ein wenig nachließ und sie auf einmal die durchdringende Kälte spürte und bedenklich zu zittern anfing.

James erhob sich sofort und bot ihr den Arm. »Wo bin ich bloß mit meinen Gedanken? Komm, als Erstes müssen wir dir Wärme und Obdach verschaffen.«

»Aber ich weiß keinen Ort, wo ich hinkann«, sagte Grace. »Es sei denn …« Sie dachte an die letzte schreckliche Unterkunft, in der sie mit Lily gewesen war – das Lagerhaus in Southwark –, und zitterte erneut.

»Dann überlass es mir, eine angenehme Bleibe für dich zu finden«, sagte James und führte sie zügigen Schrittes den Gehsteig entlang.

Der Verkehr, der vorher durch den Nebel fast zum Erliegen gekommen war, floss nun wieder ungehindert, und mit Hilfe eines Schutzmanns an der Kreuzung Hyde Park Corner überquerten sie die Straße und gingen in Richtung Mayfair. Als die Straßen immer eleganter und die Gebäude immer nobler wurden, blickte Grace an sich hinunter.

»Wohin gehen wir?«, fragte sie beunruhigt. »Sieh mich doch an! Keine halbwegs anständige Mietpension würde mich aufnehmen.«

»Wir suchen auch keine Mietpension«, erwiderte James. »Eine reiche Erbin schläft nicht in einer Mietpension.«

»Bin ich wirklich eine reiche Erbin?«

James nickte. »Du bist die rechtmäßige Erbin deiner Mutter.«

Inzwischen hatten sie das Hotel erreicht: ein berühmtes, mit Spiegeln verkleidetes, prunkvolles Haus an der Ecke Park Lane. James geleitete sie durch die Schwingtüren und ging, während Grace sich verlegen im Hintergrund hielt, zum Empfang. Eine Visitenkarte wurde vorgelegt, sie hörte den Namen »Mr Ernest Stamfort, Anwalt der Krone« und auch das Wort

»Erbin«, und im Nu erschien der Hotelmanager auf der Bildfläche. Er verbeugte sich vor ihr und geleitete sie zur Haupttreppe, ohne den Zustand ihrer Kleider auch nur mit irgendeiner Regung zur Kenntnis zu nehmen.

»Ich hole dich morgen um zehn Uhr ab!«, rief James ihr noch nach und war verschwunden, bevor sie sich richtig bei ihm bedanken konnte.

TODESANZEIGEN

MR SYLVESTER UNWIN

Mr Sylvester Unwin war in ganz London für seine Mildtätigkeit und guten Werke bekannt. Er gründete und beaufsichtigte ein Heim für Waisenkinder und eine Ausbildungsstätte für mittellose Mädchen und war ein häufiger Besucher und Förderer des Asyls für notleidende Frauen in Whitechapel. In weiten Kreisen wurde er als zukünftiger Bürgermeister von London gehandelt.

The Mercury

Kapitel 29

Grace stand am Fenster ihres Hotelzimmers und blickte auf die riesige Fläche des Hyde Parks hinunter. Es war ein kalter, klarer Tag mit frostiger Luft und leuchtend blauem Himmel. Aus den Nüstern der Pferde, die die Omnibusse zogen, kamen weiße Dampfwolken, und die Menschen, dick eingemummt in ihre Winterkleider, gingen mit zusammengekniffenen Gesichtern umher.

Grace hatte die ganze Nacht kaum ein Auge zugetan. Wie hätte sie auch! Zu sehr trieben sie die Gedanken an das um, was sie getan hatte, und obendrein war das Zimmer, in dem sie sich befand, so pompös, dass sie gar nicht darin schlafen wollte, sondern nur darin herumwandern, die Vorhänge berühren, mit der Hand über die polierten Möbel streichen, die dicken Decken streicheln und die wolkengleichen Kissen drücken. Und als sie sich endlich doch hingelegt hatte, musste sie im Kopf immer und immer wieder die wundersamen, verblüffenden Umstände durchgehen, die dazu geführt hatten, dass sie sich jetzt an diesem herrlichen Ort befand.

Sie wandte sich vom Fenster ab und setzte sich auf ein Sofa. Vor ihr auf einem niedrigen Tisch stand eine Kristallglasschale mit Obst: Äpfeln, Orangen, Pfirsichen und Trauben. Eine ganze Obstschale voll nur für sie. Im Augenblick würde sie gar nichts davon hinunterbringen, aber sie wollte sich auf jeden Fall etwas davon mitnehmen, sagte sie sich, und so nahm sie zwei Äpfel und steckte sie in die Taschen des Unterrocks, in dem sie geschlafen hatte. Dann steckte sie noch zwei Orangen dazu und stand auf, um sich von der Seite im Spiegel zu betrachten. Sie musste grinsen – es sah lächerlich aus! Als ob sie zwei Maultierkörbe um die Hüfte trüge! Sie nahm das Obst wieder heraus, und anscheinend gerade rechtzeitig, denn in diesem Augenblick klopfte es an der Tür. Grace erschrak, und panische Gedanken wirbelten ihr durch den Kopf: dass sie eigentlich gar kein Recht hatte, hier zu sein, und nun kamen sie, um sie hinauszuwerfen! Schlimmer noch, die Unwins hatten herausgefunden, was sie getan hatte. Es klopfte erneut, und so kletterte Grace rasch ins Bett zurück und zog sich die Decke bis zur Nase hoch.

»Herein!«, sagte sie so leise, dass man es unmöglich draußen gehört haben konnte. Sie räusperte sich und sagte noch einmal etwas vernehmlicher »Herein, bitte!«.

Ein Zimmermädchen erschien mit einem Korb voller Kohlen, um ein Feuer zu machen, gefolgt von einem zweiten Mädchen, das sich anschickte, die Vorhänge aufzuziehen und das Zimmer aufzuräumen, sowie einem dritten mit einem großen Krug heißen Wassers, den es ins Badezimmer stellte. Nachdem sie ihre Pflichten erledigt hatten, musterten sie Grace mit derselben Neugier wie Grace sie, denn unter den Dienstboten hatte sich die Nachricht, dass jemand Bedeutendes zu Gast war – eine reiche Erbin, sogar! –, in Sekundenschnelle verbreitet.

»Möchten Sie jetzt vielleicht Ihr Frühstück serviert bekommen, Madam?«, fragte eines der Mädchen, und Grace hätte beinahe den Kopf über die Schulter gewandt, um zu sehen, wer denn da so angesprochen wurde. Noch nie hatte sie jemand mit »Madam« angeredet.

»Ja, bitte«, sagte Grace. »Wo muss ich denn hin, um es abzuholen?«

»Wir bringen es Ihnen hierher, Madam«, kam die verdutzte Antwort. »Und was hätten Sie gerne zu essen?«

»Was gibt es denn?«

»Es gibt Würstchen, Brisolettes, Speck, Blutwurst und Saure Nierchen«, sagte das erste Mädchen, wobei es die Speisen an den Fingern abzählte. »Und Eier nach der Art, wie Sie es wünschen.«

Grace lief das Wasser im Mund zusammen. Sie nickte. »Ja, bitte.«

»Welches, Madam?«

»Ich muss etwas auswählen?«, fragte sie verwirrt.

»Nun, Sie müssen nicht, schätze ich«, erwiderte das Zimmermädchen mit großen Augen. »Nicht, wenn Sie nicht wollen, Madam.«

»Dann bringen Sie alles«, sagte Grace kühn und stellte sich vor, wie es Lily gefallen würde, mit ihr im Bett zu sitzen und Würstchen zu essen.

Als das Essen dann aber kam – auf weißem Porzellan mit silbernen gewölbten Deckeln darauf, und dazu Toastbrot in einem Körbchen –, war Grace natürlich viel zu beeindruckt, um überhaupt viel davon zu essen. Sie schaffte es, ein wenig Rührei und eine Viertelscheibe Toast mit dick Butter zu essen, doch von den Fleischgerichten bekam sie keinen Bissen hinunter. Vor lauter schlechtem Gewissen über die Verschwendung, die sie angerichtet hatte, warf sie die Würstchen ins Feuer, ließ den Rest des Frühstücks unter den silbernen Deckeln stehen und zog sich erleichtert ins Badezimmer zurück (mit glänzenden weißen Kacheln ausgekleidet, und – kaum zu fassen! – nur für sie allein!), während das Zimmermädchen kam, um das Frühstück abzuräumen.

Inzwischen war ihr Waschwasser beinahe kalt geworden, doch daran war sie gewöhnt, und so ließ sie sich nicht abhalten, von den Waschbecken und den bereitliegenden großen weichen Handtüchern ausgiebig Gebrauch zu machen. Sie wusch sich erst den Körper, dann die Haare mit einer rosaroten Seife, die wunderbar nach Rosen duftete, und spülte sie mit reichlich Wasser aus den Wasserhähnen aus. Aus diesen kam zwar leider nur kaltes Wasser (das Heißwassersystem des Hotels war noch nicht ganz auf dem neuesten Stand), doch ihr erschien es auch so schon wie ein Wunder, so viel Wasser, wie man wollte, zur Verfügung zu haben, indem man einfach nur einen Hahn aufdrehte. Während sie vor dem Feuer kniete, um sich das Haar trocknen zu lassen, ging ihr durch den Kopf, dass dieses Märchen, in das sich ihr Leben verwandelt hatte, zwar höchst unwahrscheinlich erschien und sich vermutlich jeden Augenblick wieder in nichts auflösen konnte, doch solange es andauerte, sagte sie sich, wollte sie es in vollen Zügen genießen.

Sie schob ihre Locken zurecht (denn sie hatte ja nicht einmal einen Kamm bei sich) und betrachtete dann ihre Kleider: die schlaffe, selbst halb tot wirkende Sargbegleiterinnen-Kluft, fleckig und staubig und noch feucht von den Strapazen des Vortags. Grace schauderte unwillkürlich. Wie sollte sie je noch einmal in diese fürchterlichen Sachen schlüpfen? Aber das musste sie, wenn sie das Zimmer verlassen wollte. Auf einer Frisierkommode entdeckte sie ein paar

Haarnadeln und steckte sich gerade das Haar, wie es der momentanen Mode entsprach, nach hinten, als es erneut an der Tür klopfte.

Nur mit einem Handtuch bekleidet, floh sie ins Badezimmer und rief: »Herein!«

Eines der Mädchen schob einen ledernen Koffer auf einem Gepäckwägelchen herein. »Ein Herr hat diesen Koffer für Sie vorbeigebracht, Madam«, hörte sie das Zimmermädchen sagen. »Er lässt Ihnen ausrichten, er sei so frei – und bitte Sie für seine Kühnheit um Verzeihung –, Ihnen ein paar Kleider seiner Schwester zu schicken, falls Sie sich davon bedienen mögen.«

Grace streckte den Kopf um die Badezimmertür herum.

»Er sagte, er habe sich gedacht, Sie hätten womöglich nicht das Passende für die Jahreszeit«, fuhr sie fort, »wo Sie doch erst ganz frisch in der Stadt sind.«

Grace verkniff sich ein Lächeln. Wie nett von James, wie aufmerksam. »Danke. Und bitte richten Sie dem Herrn meinen ausdrücklichen Dank aus«, sagte sie.

»Er sagte, er würde sich freuen, sich mit Ihnen in einer halben Stunde unten zu treffen«, sagte das Zimmermädchen, bevor es ging.

Grace machte den Koffer auf und fand mehrere Kleider mit jeweils dazu passendem Umhang, die vermutlich einmal Susannah Solent gehört hatten und in Stil und Eleganz dem entsprachen, was einer jungen

Dame der Gesellschaft gebührte. Grace schaute die Sachen durch und fand ein gerafftes Kleid in lebhaftem Türkis mit Perlenknöpfen. Sie schüttelte die Falten aus, erwog eine kurze Weile das Für und Wider, die Kleider eines toten Mädchens zu tragen, kam jedoch alsbald zu dem Schluss, dass Susannah Solent, so freundlich, wie sie offenbar gewesen war, wohl nichts dagegen hätte.

Nachdem sie sich angekleidet hatte, blickte Grace in den Spiegel, um das Ergebnis in Augenschein zu nehmen, und hätte beinahe laut lachen müssen, so verändert war ihre ganze Erscheinung. Sie hatte so lange Schwarz getragen – und davor nur düstere, ausgewaschene Farben –, dass sie sich in dieser leuchtenden Farbe vorkam wie eine gänzlich andere Person. Einen zum Kleid passenden türkisfarbenen Hut mit aufgenähten weißen Blumen auf der Krempe gab es auch noch, und den drückte sie nun über ihren Locken fest und hoffte, dass sie für den bevorstehenden Tag gut gewählt hatte. Das Einzige, was ihr modisches Outfit verdarb, war die Tatsache, dass sie keine eleganten Schuhe dazu hatte, aber so musste sie eben mit den schwarzen Schnürstiefeln, die sie von den Unwins erhalten hatte, vorliebnehmen.

James erwartete sie bereits unten in der Hotelhalle und sprang auf, sobald sie auf der Treppe erschien.

»Es war dir also nicht zu aufdringlich?«, sagte er,

nachdem er ihr ein Kompliment zu ihrem Aussehen gemacht hatte. »Du fandest nicht, dass es zu kühn von mir war, dir die Sachen zu schicken?«

Grace schüttelte den Kopf. »Ich hätte in diesen Trauerkleidern nicht nach draußen gehen können. Wirklich, ich hätte das nicht mehr gekonnt!«

»Was hättest du dann gemacht, wenn ich dir die nicht geschickt hätte?«, fragte er amüsiert.

»Dann hätte ich wohl einen Vorhang abschneiden und mir etwas daraus basteln müssen!«, erwiderte sie lachend.

Vor dem Hotel standen wartende Mietkutschen bereit. Ein Hoteldiener winkte eine herbei, und James half Grace hinein und legte ihr eine Reisedecke um. Als der Kutscher seine Peitsche knallen ließ und Grace sich in die Sitzpolster zurücklehnte, überkam sie auf einmal ein Bewusstsein der Tragweite, die dieser Vormittag womöglich für sie haben konnte, und sie fing heftig an zu zittern.

»Mein liebes Mädchen, ist dir kalt?«, fragte James.

»Es ist nicht Kälte«, sagte Grace mit einem Schaudern, »sondern Furcht. Denn sie wissen es doch inzwischen, oder? Das von …?«

»Von ihm?« James neigte bedeutungsvoll den Kopf zur Seite, und Grace nickte. Er brachte eine Zeitung zum Vorschein, die er unter dem Mantel verborgen hatte, und fragte Grace in beiläufigem Gesprächston: »Hast du heute Morgen schon einen Blick in die Zeitung geworfen?«

Grace schüttelte nervös den Kopf. »Nein, habe ich nicht.«

Er faltete den *Mercury* auf. »Einer der führenden Geschäftsmänner Londons wurde tot aufgefunden. Der, dem das Trauerbekleidungshaus in der Oxford Street gehörte.«

»Wie ... wie ist er denn ...?«, hob Grace an, doch sie konnte nicht weitersprechen, so heftig ging auf einmal ihr Atem.

»Da ... sieh selbst.« Er strich die Seite glatt und reichte ihr die Zeitung.

Grace sah nur die Worte SYLVESTER UNWIN – VERMUTLICHER HERZINFARKT und konnte wieder atmen.

»Soll ich es dir vorlesen?«

»Wenn es dir nichts ausmacht?«

James las: *»Zur tiefen Bestürzung der Stadt London wurde Mr Sylvester Unwin, Besitzer des berühmten Trauerbekleidungskaufhauses in der Oxford Street, gestern Abend tot in der Sarghalle der Nekropolis-Eisenbahn neben Waterloo Station aufgefunden. Offenbar war Mr Unwin (der Cousin des Bestattungsunternehmers George Unwin) zur Leichenhalle gefahren, um, als Gefälligkeitsdienst für seinen Cousin, einem Sarg die Grabbeigabe einer trauernden Witwe beizulegen, als er einen Herzinfarkt erlitt. Mr George Unwin sagte, die aufmerksame Tat an einem hoffnungslos nebligen Abend sei ein typischer Akt der Selbstlosigkeit seines Cousins gewesen, und es sei be-*

sonders tragisch und anrührend, dass er ausgerechnet dabei seinen Tod gefunden habe.«

James warf Grace einen Blick zu – sie hatte die Augen geschlossen – und fragte mit leiser Stimme: »Soll ich dir seine Todesanzeige vorlesen?«

»Nein«, sagte sie. »Danke, nein. Ich will nie wieder an ihn denken – und an das, was er getan hat. Ich bin froh, dass er tot ist.« Sie schlug die Augen auf. »Ist das böse von mir?«

James schüttelte langsam den Kopf. »Ich denke, nein.« Grace hielt mit einer Hand die Reisedecke über ihrem Schoß zusammen, und James legte seine Hand auf ihre.

Sie lächelte ihn an und sagte mit zittriger Stimme: »Lily wird auch froh sein.« Im Stillen schickte sie ein Gebet zum Himmel, mit der Bitte, dass sie Lily recht bald davon werde erzählen können.

Kurz vor elf Uhr saß Grace nervös auf der vordersten Stuhlkante eines Lederstuhls in einem Besprechungszimmer der Kanzlei Binge & Gently. Sie war inzwischen den beiden Seniorpartnern der Kanzlei vorgestellt worden, ebenso wie dem gefeierten Oberhaupt von James' Kanzlei, Mr Ernest Stamford, Anwalt der Krone, der nicht nur für seinen scharfsinnigen Rechtsbeistand berühmt war, sondern auch für sein üppiges Gesichtshaar – buschige Koteletten und einen enormen gezwirbelten Schnurrbart.

Alle Parteien hatten sie sorgfältig über ihre Beziehung zu den Unwins befragt und darüber, wie es gekommen war, dass sie für diese arbeitete. Vor allem Mr Binge hatte genauestens alles über ihre Mutter wissen wollen, woran sie sich noch erinnern könne. Manchmal befragte er sie so aggressiv, dass sie befürchtete, er glaube ihr nicht, und einmal fragte er, ob es jemanden gäbe, der dafür bürgen könne, dass sie die sei, für die sie sich ausgab.

»Gibt es zum Beispiel irgendjemanden, der bestätigen kann, dass Sie und Ihre Schwester bereits vor einem Jahr, als von der Erbschaft noch nichts bekannt war, die Namen Grace und Lily Parkes benutzten?«

Grace überlegte einen Moment und nickte dann. »Wir wohnten damals in Mrs Macreadys Mietshaus in Seven Dials und verwendeten natürlich unsere Namen.«

»Seven Dials?«, fragte Mr Binge nach und zog die Augenbrauen hoch. »Kann man sich auf das Wort von jemandem verlassen, der ein Mietshaus in Seven Dials führt? Lebt denn die Frau noch da?«

Grace schüttelte zögernd den Kopf. »Das Haus wurde abgerissen.«

»Da haben wir's!«, sagte Mr Binge.

»Aber ich weiß, wo Mrs Macready jetzt wohnt«, sagte Grace. »Ich kann sie ausfindig machen.«

Mr Stamford schaltete sich ein: »Laut Information eines meiner Angestellten besaß die besagte Dame – Mrs Macready – dieses Mietshaus in Seven Dials über zwanzig Jahre lang. Sie hat den Ruf einer ehrenwerten Frau.«

»Hmm«, machte Mr Binge.

Kurz vor Mittag führte James, als er sah, dass Grace zunehmend ängstlicher und angespannter wurde, sie auf die Terrasse, wo sie etwas frische Luft schnappen konnte.

»Ich mag Mr Binge nicht besonders«, sagte sie zu James, nachdem er sie ins Freie begleitet hatte und sie unter dem Schneehimmel standen. »Er scheint nichts von dem zu glauben, was ich sage.«

»Du darfst es nicht persönlich nehmen«, sagte James. »Dein Vater hat irgendwann Binge & Gently den Auftrag für die Abwicklung seiner geschäftlichen Angelegenheiten gegeben, und nun müssen sie sicherstellen, dass seine Wünsche exakt ausgeführt werden und sein Vermögen an die richtigen Erben gelangt.«

»Aber muss er deswegen so streng sein?«

»Mr Binge macht nur seine Arbeit«, sagte James sanft. »Wir sind hier wie ein kleiner Gerichtshof. Wir versuchen, die absolute Wahrheit herauszufinden.«

Nachdem sie ungefähr zehn Minuten auf der schmalen Terrasse auf und ab gegangen waren, kehrten sie in das Büro zurück, und je näher die Zeiger der Uhr auf dem Kaminsims in Richtung zwölf vorrückten, umso aufgeregter wurde Grace, bis sie das Gefühl hatte, gleich ohnmächtig zu werden oder sich übergeben zu müssen oder sich sonst irgendwie zu blamieren. Fünf Minuten vor der vollen Stunde führte Mr Gently sie, James und Mr Stamford in ein Vorzimmer, wo sie warten sollten, bis die Unwins befragt worden waren. Dort stand eine bequeme Chaiselongue, zu der die beiden Herren sie geleiten wollten, doch sie war viel zu angespannt, um sich zu setzen, entschuldigte sich bei Mr Stamford und James und ging ruhelos im Zimmer auf und ab.

Was, wenn nun doch noch alles fehlschlug? In London konnte mit einem Bestechungsgeld so ziemlich alles geregelt werden, und wer wollte dafür bürgen, dass Binge & Gently nicht mit den Unwins unter einer Decke steckten? Was, wenn Lily irgendwohin verschickt worden war und sie einander nie mehr wiedersahen? Wie sollte sie ohne Zimmer und Geld den Winter überleben? Und was war mit der Nacht, die sie bereits im Hotel verbracht hatte? Konnte man sie dafür ins Gefängnis werfen, weil sie dort abgestiegen war, ohne die Mittel zu besitzen, um die Kosten dafür zu tragen?

Manche dieser Gedanken hätte sie vielleicht mit James teilen können, doch der wurde ein paar Augenblicke später von einem Angestellten abgeholt, da seine Gegenwart anderswo benötigt werde. Und Mr Stamford auf solche, aus seiner Sicht bestimmt trivialen Dinge anzusprechen, wagte sie nicht. Außerdem war er vollkommen in das Kreuzworträtsel der *Times* vertieft, hielt in der einen Hand einen Bleistift und zwirbelte mit der anderen seinen Bart.

Um zwanzig Minuten nach Mittag kam Mr Gently herein und forderte sie auf, in das große Besprechungszimmer zurückzukehren. Grace blickte, panisch vor Angst, den Gang hinunter, in dem James verschwunden war, in der vergeblichen Hoffnung, ihn dort auftauchen zu sehen. Dafür bot jedoch Mr Stamford mit seiner ruhigen und unerschütterlichen Art ihr den Arm, den sie dankbar ergriff.

Im Hauptzimmer saßen Mr und Mrs George Unwin sowie Miss Charlotte Unwin. Die beiden Damen waren in schwarzen Pelz gekleidet, Mr Unwin trug Volltrauer, und alle waren höchst überrascht, als sie Grace erblickten. Dies galt vor allem für Charlotte Unwin, deren puderbleiches Gesicht aschfahl wurde.

»Mr und Mrs Unwin, Miss Charlotte Unwin, darf ich Ihnen Miss Grace Parkes vorstellen?«, sagte Mr Gently, als ob sie sich nie zuvor begegnet wären. »Miss Grace«, fuhr Mr Gently geschmeidig fort, »nun können Sie Wiedersehen mit Ihrer Schwester feiern.«

»Das ist nicht meine Schwester«, sagte Grace. »Das ist Charlotte Unwin.«

»Aber ... aber ...« Charlotte Unwin schwankte unschlüssig, dachte dann an ihre Kutsche samt Chauffeur und riss sich zusammen. »Ja, *inzwischen* bin ich Charlotte Unwin, aber bevor ich von meinen lieben Eltern hier adoptiert wurde, war ich Lily Parkes.«

»Das warst du noch nie!«, rief Grace empört. »Wie kannst du so etwas sagen? Ich habe nur eine Schwester, nämlich Lily, und das bist nicht du!«

»Wie kannst du es wagen, meiner Tochter zu widersprechen!«, fuhr Mrs Unwin Grace zornig an und warf ihr einen vernichtenden Blick zu. »Aus purer Herzensgüte habe ich dir Arbeit bei uns gegeben! Und das ist jetzt der Dank dafür?«

»Sie haben auch meiner Schwester Arbeit gegeben!«, erwiderte Grace. »Und wo ist Lily jetzt?«

»Wovon redest du da?« Mrs Unwin warf die Hände in die Höhe. »Das arme Mädchen hat den Verstand verloren.«

»Mrs Unwin, können Sie mir Ihre Seite der Geschichte noch einmal von Anfang an erzählen?«, bat Mr Binge. »Ab dem Zeitpunkt der Adoption ... äh, Charlottes hier.«

»Selbstverständlich«, sagte Mrs Unwin. »Es ist ganz einfach. Als Mrs Parkes – Mrs Letitia Parkes – starb, hinterließ sie eine Tochter namens Lily.« Dabei deutete sie auf Charlotte. »Wir wussten, dass der Vater in Übersee war, vermutlich verstorben, und so adoptierten wir sie und machten sie zu unserem eigenen Kind. Und hier ist sie nun, vollends erwachsen, eine feine junge Dame, die wir lange Jahre liebevoll gehegt haben.«

George Unwin hob drohend die Faust gegen Grace. »Was für ein gemeines, bösartiges Verhalten von dir! Unserer Tochter wegnehmen zu wollen, was ihr rechtmäßig zusteht.«

»Ganz genau, es gehört mir!«, rief Charlotte und brach in Tränen aus. »Mama hat mir immer erzählt, dass Papa in Übersee sein Vermögen machen würde und wir dann ganz, ganz reich wären.«

»Tatsächlich, hat sie das gesagt?«, fragte Mr Binge.

»Das hat sie! Wir wohnten in einem hübschen kleinen Häuschen in Wimbledon, und obwohl wir arm waren, kochte Mama jeden Tag Tee in ihrer schönen Teekanne mit den blauen Vögeln, die Glück bringen, und wir redeten darüber, was wir alles tun würden, wenn wir reich wären.«

Grace starrte sie an. »Du weißt all das nur, weil Lily und ich es dir erzählt haben!«, rief sie wutentbrannt. »Und wo ist meine echte Schwester? Was habt ihr mit ihr gemacht?«

»Ich weiß nicht, wovon du redest«, sagte Charlotte Unwin herablassend.

Eine feindselige Stille trat ein, in der sich die gegnerischen Parteien zornig anfunkelten und die schließlich von Mr Stamford mit einem Hüsteln unterbrochen wurde. »Meine Klientin, Miss Grace Parkes, hat die Geburtsurkunden für sich und ihre Schwester vorgelegt«, sagte er. »Über welchen schriftlichen Nachweis verfügen Sie, Mr und Mrs Unwin?«

»Wir haben die Adoptionsurkunde«, sagte Mr Unwin und warf dabei seiner Frau einen bedeutungsvollen Blick zu.

»Es ist nur so – wie dumm von mir, wirklich –, dass ich sie irgendwo verlegt habe«, fuhr Mrs Unwin fort. »Und, wie Sie sicher wissen, mit dem ganzen furchtbaren Schock über den Tod unseres geliebten Cousins gestern, habe ich sie im Augenblick einfach nicht finden können.«

»Aber wir werden sie ganz bestimmt finden«, sagte Mr Unwin.

Es folgte eine Pause, so lang wie ein Herzschlag, und dann sagte Mr Stamford in amüsiertem Ton: »Nun, wie es der Zufall will, brauchen Sie sich keine weiteren Sorgen zu machen, Mr Unwin, denn – was glauben Sie wohl? – durch eine wundersame Fügung haben wir das fragliche Dokument hier!« Er hielt es in die Höhe und wedelte damit herum. »Zumindest gibt es vor, eine Adoptionsurkunde zu sein.«

Die nun eintretende Stille war noch länger und nachhaltiger als alle vorherigen: Alle drei Unwins starrten entgeistert auf die Urkunde und fragten sich, wie um alles in der Welt Mr Stamford in den Besitz derselben gelangt sein könnte und was dies nun zu bedeuten habe.

Charlotte Unwin fing an zu weinen. »Aber ich sage Ihnen die Wahrheit: Ich bin Lily Parkes! Mama – meine echte Mama – hatte ein kleines Bildchen von Papa auf ihrem Nachttisch stehen, und sie sagte immer, wie sehr ich ihm ähnlich sehe! Es wurde von jemandem gemalt, der … an dessen Namen ich mich nicht mehr genau erinnern kann, aber …«

In diesem Augenblick flog die Tür zu dem Büro auf, und eine Stimme rief: »Nein! Mama hat es selbst gemalt!«

Grace fuhr herum, und da stand ihre Schwester, ihre richtige, geliebte Schwester Lily, und hinter ihr ein lächelnder James. Grace sprang auf, und als Lily sie sah, rannte sie auf sie zu, stolperte vor lauter Erregung noch über einen Läufer und fiel Grace buchstäblich in die Arme.

»Dafür müssen wir Mrs Beaman danken«, erklärte James das Ganze ein wenig später.

Grace und Lily saßen – nachdem Lily es irgendwann geschafft hatte, mit dem Schluchzen aufzuhören – Arm in Arm nebeneinander auf der Chaiselongue im Vorzimmer. Sie gaben ein komisches Paar ab: die eine ganz elegant in Türkis, die andere in einer fleckigen Schürze über einem schäbigen grauen Baumwollkleid und mit nackten Füßen.

»Mrs Beaman, die Köchin der Unwins?«, fragte Grace überrascht.

»Genau diese. Als du sie nach Weihnachten aufgesucht hattest, Grace, um dich nach deiner Schwester zu erkundigen, hatte Mrs Beaman offenbar solches Mitleid, dass sie beschloss, zur Polizei zu gehen und die Wahrheit zu erzählen: dass Lily nämlich gegen ihren Willen aus dem Haus fortgebracht worden war.«

»Oh, wie gutherzig von ihr!«, rief Grace aus.

»Nun, es war wohl nur zum Teil Gutherzigkeit«, setzte James hinzu, »und zum anderen die Tatsache, dass George Unwin höchst knauserig mit dem Bestechungsgeld war. Er schien wohl zu glauben, mit zehn Shilling wäre die ganze Sache von Anfang bis Ende abgedeckt.«

»Und wo war Lily die ganze Zeit?«, fragte Grace mit einem beunruhigten Blick auf ihre Schwester und hoffend, dass diese nichts Schlimmes hatte erleiden müssen.

»In einem Hospital … einer Anstalt in einem Slum von Manchester«, gab James zur Antwort.

»Oh, Lily, war es sehr schlimm?«, fragte Grace.

Lily überlegte. »So arg schlimm war es gar nicht«, sagte sie. »Da waren viele Kinder …«

»Kinder, die von ihren Angehörigen aus dem Weg geschafft worden waren«, warf James mit gedämpfter Stimme ein.

»Und ich habe mich um ein paar von ihnen gekümmert und ihnen Geschichten erzählt. Aber du hast mir so gefehlt! Und ich habe immer gefragt, wann ich dich wiedersehen kann, aber keiner hat mir zugehört.« Sie musterte staunend und voller Bewunderung Graces modisches Kleid und den Hut. »Aber du siehst auf einmal so schick aus, wie eine noble Dame … Hast *du* mich denn auch vermisst?«

»Oh, und wie!«, antwortete Grace und drückte sie noch fester an sich. »Jede Minute.«

»Mrs Beaman meldete also die Sache«, fuhr James fort, »die hiesige Polizei fing an zu ermitteln und schickte bald zwei Leute nach Manchester, die sich mit Kollegen dort oben zusammentaten und schließlich herausfanden, wo Lily hingebracht worden war. Sie haben sie gestern nach London zurückgebracht, und ein geistesgegenwärtiger Polizist erkannte ihren

Namen wieder und erinnerte sich daran, um wen es sich hier handelte. Er kontaktierte Binge & Gently, und den Rest kennst du.«

»In der Tat, und es ist ganz wunderbar«, sagte Grace und strich ihrer Schwester über das zerzauste Haar.

»Sie haben gesagt, dass du mich vielleicht besuchen kommst, und da habe ich den ganzen Tag am Fenster gestanden und hab nach dir Ausschau gehalten, aber du bist nicht gekommen«, erzählte Lily traurig.

»Liebste Lily«, sagte Grace. »Den größten Teil der Zeit wusste ich nicht einmal, dass du weggebracht worden warst! Und als ich es erfuhr, erzählten sie mir, du wärst mit einem Stallburschen durchgebrannt.«

Bei dieser Vorstellung verzog Lily so angewidert das Gesicht, dass James und Grace in schallendes Gelächter ausbrachen.

Eine gute Viertelstunde später kehrte Mr Stamford in das Vorzimmer zurück und sah höchst zufrieden mit sich aus.

»Mr und Mrs Unwin sowie Miss Charlotte Unwin werden allesamt der arglistigen Täuschung angeklagt«, sagte er. »Es ist offensichtlich, dass Sylvester Unwin in den Plan mit eingeweiht war, aber wie wir alle wissen, hat der allmächtige Herrgott seine Strafe schon vollstreckt.«

Lily schaute fragend ihre ernsten Gesichter an. »Was bedeutet denn das alles?«

Grace holte tief Luft. »Ich muss dir eine Menge erzählen.« Sie wandte sich an Mr Stamford. »Weiß meine Schwester schon von Papa und dem …?«

Mr Stamford schüttelte den Kopf. »Wir haben ihr nicht viel gesagt. Wir dachten, das sollte sie besser von Ihnen erfahren.«

»Was?«, fragte Lily, da alle sie auf einmal anschauten.

»Ich erzähle dir alles, wenn wir im Hotel sind«, versprach Grace, denn sie fühlte sich auf einmal vollkommen erschöpft und müde.

»Binge & Gently sind jetzt im Besitz aller nötigen Dokumente«, erklärte Mr Stamford, »einschließlich der gefälschten Adoptionsurkunde. Es fehlt jetzt nur noch eine eidesstattliche Erklärung von jemandem, der sie vor mindestens sechs Monaten als die Schwestern Grace und Lily Parkes kannte.«

»Das wird Mrs Macready machen«, sagte Grace. »Ich glaube, sie wohnt bei ihrem Sohn in Connaught Gardens.«

»Dann schlage ich vor, dass mein Assistent hier« – Mr Stamford deutete auf James – »morgen Vormittag mit Ihnen dort hinfährt und sie bittet, freundlicherweise ihre Unterschrift unter das entsprechende Papier zu setzen. Und dann muss nur noch ein Treuhandvermögen eingerichtet werden.« Er überlegte kurz. »Ich vermute, Sie besitzen kein Bankkonto?«

Grace schüttelte den Kopf.

»Dann werden wir ein gemeinsames Konto für Sie

und Ihre Schwester eröffnen und Geld nach Ihren Bedürfnissen überweisen.«

Lily runzelte die Stirn, gähnte und schaute Grace an.« »Sind wir reich? Ist es Papa?«

»Es ist Papa, und ja, ich glaube fast, wir werden ziemlich bald schon ziemlich reich sein«, erwiderte Grace.

Kapitel 30

»Können wir eine Kutsche nehmen?«, fragte Grace, während sie mit James von der Empfangshalle des Hotels in den feuchtgrauen Londoner Morgen hinausblickte. Sie trug einen dunkelgrünen Pelzumhang mit dazugehörigem Muff und Hut. Die Farbe brachte ihr Haar schön zur Geltung und ließ ihre Augen bernsteinfarben leuchten.

James lachte. »Wie schnell du dich an deinen neu erworbenen Reichtum gewöhnt hast«, merkte er an. »Zwei Nächte in Londons bestem Hotel, Frühstück im Bett – und jetzt verlangst du nach einer Kutsche, um nach Connaught Gardens gebracht zu werden.«

»Oh nein, bitte glaub nicht, dass ich …«

Er lachte erneut und schüttelte den Kopf. »Ich mache nur Spaß. Natürlich nehmen wir eine Kutsche.« Er sprach mit einem Hoteldiener, der sich sogleich darum kümmerte. »Wo ist deine Schwester heute Morgen?«

»Sie ist wieder zu Bett gegangen«, sagte Grace. »Oder, ich sollte wohl sagen, sie ist gar nicht aufgestanden, weil wir letzte Nacht kaum geschlafen haben. Wir lagen stundenlang wach und haben geschwatzt und einander von unseren Erlebnissen berichtet und überlegt, was wir nun machen werden. Und ich fürchte, Lily hat die komplette Obstschale leer gegessen.«

James lachte, wurde dann aber rasch wieder ernst. »Hast du ihr von dem bedauernswerten Ableben von … einem gewissen Herrn berichtet?«

»Habe ich«, sagte Grace, während sie in die Kutsche kletterten. »Und ich habe ihr auch erzählt, dass ich herausfand, wer er wirklich war.«

Es war eine denkwürdige Nacht für die beiden Mädchen gewesen: eine Nacht voller Geschichten, die alle anderen Geschichten in den Schatten stellten, und in der die beiden so viel gelacht und geweint hatten, dass sie irgendwann gar nicht mehr sagen konnten, welches Gefühl vorgeherrscht hatte. Grace lächelte bei der Erinnerung daran. »Jedenfalls konnte Lily heute sowieso nicht mitkommen, da sie keine Schuhe hat.«

»Ah«, sagte James und reichte ihr einen kleinen Umschlag. »Dann ist es ja umso besser, dass Mr Stamford zehn Pfund vorgestreckt hat, damit ihr euch schon einmal einige eventuell notwendige kleine Dinge des Alltags besorgen könnt.«

Grace nahm den Umschlag entgegen und dankte James mit übervollem Herzen. Es war unmöglich in Worte zu fassen, wie es sich anfühlte, mit einem jungen Herrn in einer Mietkutsche durch den Londoner Verkehr zu fahren und dabei zehn ganze Pfund in einem grünen Samtmuff stecken zu haben! Grace wurde das Gefühl nicht los, dass jeden Augenblick jemand daherkommen und ihr sagen würde, es sei alles ein Irrtum gewesen.

Sie hielten vor einem hohen, schmucken Reihenhaus in Connaught Gardens, in dem Mrs Macready wohnte. Die alte Dame kam höchstpersönlich zur Tür und stieß beim Anblick der völlig veränderten Grace einen erstaunten Ruf aus.

»Mein liebes Kind!«, sagte sie und trat dann einen Schritt zurück, um sie besser in Augenschein nehmen zu können. »Na, da ist aber jemand aufgestiegen in der Welt! Kaum weg aus Seven Dials, und schon wird man ganz schick und elegant!«

Grace musste lachen. »Das stimmt aber für uns beide!«, sagte sie mit einem bewundernden Blick auf Mrs Macreadys spitzenbesetztes Kleid.

Sie wurden in den Salon gebeten, wo Grace James Solent vorstellte und erklärte, weshalb sie hier waren. Während Mrs Macready einer Kurzfassung der ganzen Geschichte lauschte, wurden ihre Augen vor Staunen immer größer und runder, und sie stimmte bereitwillig zu, die Papiere zu unterzeichnen, die James mitgebracht hatte.

»Aber natürlich unterschreibe ich, dass die Mädchen bei mir gewohnt haben«, sagte sie. »Zwei nettere Mädchen als die beiden hatte ich mein Lebtag nicht unter meinem Dach.«

Während James sich bedankte und die Unterlagen herausholte, blickte Mrs Macready Grace mit einem Augenzwinkern an und legte Zeige- und Mittelfinger aneinander, um anzudeuten, dass sie beide ein feines Paar abgäben.

Grace reagierte nicht darauf, zumal sie gar nicht gewusst hätte, wie. James war ihr sehr ans Herz gewachsen, doch sie hatte bisher nicht einmal zu denken gewagt, ein gebildeter junger Mann wie er mit hervorragenden Aussichten und aus einer erstklassigen Familie könne sie als standesgemäße Freundin in Betracht ziehen – schon gar jetzt, wo sie ihm die allerschlimmsten Dinge aus ihrem Leben anvertraut hatte, die es überhaupt zu wissen gab.

Mrs Macready unterschrieb mit ihrem ganzen Namen, *Jane Ebsworthy Macready*, in einer langsamen, sorgfältigen Handschrift. James fungierte als Zeuge, und dann wurde die Tinte mit Sand bestreut und das Dokument aufgerollt. Daraufhin küsste Mrs Macready Grace herzlich auf beide Wangen und ließ sie versprechen, bald wieder zu Besuch zu kommen.

Grace wollte gerade in die wartende Kutsche steigen, als die alte Dame sie noch einmal zu sich heranwinkte. Grace hatte es inzwischen eilig, zu Lily zurückzukehren, und sie wollte schon so tun, als hätte sie die Geste der alten Dame nicht gesehen; dann besann sie sich aber doch, entschuldigte sich bei James und lief noch einmal die Stufen hinauf.

»Gibt es noch etwas?«

»Nun, ich habe noch einmal darüber nachgedacht, und es liegt mir doch auf der Seele«, sage Mrs Macready.

Grace schaute sie fragend an.

»Weil sie nämlich noch einmal kam und meinte, es wäre ihr letzter Wunsch, bevor sie stirbt, dich zu finden. Und da fühlt man sich doch ein wenig verpflichtet, nicht wahr, wenn man weiß, dass einem jemand seinen letzten Wunsch anvertraut hat.«

»Ich vermute, ja«, antwortete Grace immer noch verständnislos. »Aber um wen geht es denn?«

»Mrs Smith, oder wie auch immer ihr richtiger Name sein mag.«

»Oh!«, sagte Grace. Manche Kapitel aus ihrem Leben schienen sich einfach nicht schließen lassen zu wollen.

»Sie kam mit ihrer Tochter vorbei und hat mich angefleht, ich solle ihr helfen, dich zu finden. Natürlich wusste ich inzwischen, dass du bei den Bestattungsleuten arbeitest, und ich hätte ihnen sagen können, wo sie dich finden, aber ich tat es nicht, weil ich doch nicht wusste, ob sie womöglich etwas Unrechtes im Schilde führten.« Grace wartete schweigend, was noch kommen würde. »Allerdings, wie ich sie mir so angesehen habe, da war mir klar, dass sie nicht mehr lange zu leben haben wird, und ich denke, so nah an seinem Ende kann man wohl keinem mehr was Böses antun. Also überlasse ich es jetzt dir, meine Liebe.«

Grace nickte und dachte an jenen Tag zurück, den traurigsten ihres Lebens.

»Vielleicht ist sie ja inzwischen gestorben – aber vielleicht auch nicht.«

»Wo wohnt denn diese Mrs Smith?«, fragte Grace.

»Das Haus heißt Tamarind Cottage und ist in der Sydney Street. Keine schlechte Gegend.«

Grace nickte. »Ich weiß, wo das ist. Ich kenne es noch aus den Zeiten, als ich Kresse verkaufte.«

»Dann wirst du sie also aufsuchen?«

»Ich weiß nicht.«

Doch in Wirklichkeit hatte sich Grace bereits entschieden. Sie hatte Sylvester Unwin die Stirn geboten und über den Rest der Unwin-Familie triumphiert. Und nun würde sie Mrs Smith gegenübertreten. Und wenn sie sie gesehen hatte und mit ihr fertig war, dann hatte sie sich allen Dämonen ihrer Vergangenheit gestellt.

Zurück in der Kutsche bat sie James, dem Kutscher zu sagen, er möge sie irgendwo in der Oxford Street aussteigen lassen, da sie ein Paar Schuhe für Lily und auch eines für sich selbst kaufen wolle.

»Von da gehe ich dann zu Fuß nach Hause«, fügte sie hinzu. »Ein bisschen an der frischen Luft zu sein, wird mir guttun. Dann habe ich Zeit, ein wenig über alles nachzudenken.«

»Da haben wir's!«, stellte James fest. »Es langweilt dich schon jetzt, immer in Kutschen herumgefahren zu werden.«

Grace lachte. »Nein, überhaupt nicht! Aber es geht alles so schnell, dass ich auch ein wenig Zeit brauche, um nachzudenken, wie es weitergehen soll.«

»Die sollst du auf jeden Fall bekommen«, stimmte James zu und wies den Kutscher an, am oberen Ende der Regent Street anzuhalten – da seien die exklusivsten und modischsten Damenbekleidungsgeschäfte, meinte er. Er versprach, Lily und Grace später im Hotel aufzusuchen und ihnen Einzelheiten über Unterkünfte zu bringen, in die sie einziehen könnten.

Grace ging in das erstbeste Schuhgeschäft, auf das sie stieß, und sah sich sogleich mit neuen Unwägbarkeiten konfrontiert. Sie konnte sich nicht erinnern, jemals zuvor ein nagelneues Paar Schuhe gekauft zu haben, und so war sie im Nu vollkommen erschlagen von der schieren Vielfalt an Sorten, Materialien und Stilen. Begeistert begutachtete sie jedes Paar, das ihr vorgeführt wurde, so dass am Ende sieben Paar vor ihr auf der Ladentheke standen, alle in verschiedenen Farben. Sie wollte schon allesamt bezahlen, als ihr aufging, wie lächerlich sie sich benahm. Sie wusste ja noch nicht einmal, wie viel Geld sie besaßen, und wenn sie es unvernünftig ausgab, dann wären sie womöglich schon bald wieder verarmt. Sie musste vorsichtig sein! So entschuldigte sie sich bei dem Ladenangestellten, kaufte nur zwei identische Paare in schlichtem Schwarz (allerdings mit glänzenden Lederquasten, denn auf keinen Fall sollten sie nach Trauerkleidung aussehen) und ließ sie sich einpacken.

Dann machte sie sich auf den Weg zur Sidney Street. Sie ging raschen Schrittes, um diese nächste Etappe ihres Tages so schnell wie möglich hinter sich zu bringen. Das Tamarind Cottage entpuppte sich als ein hübsches Reihenhaus mit einem kleinen Gärtchen davor. Die Tür war rot lackiert und verfügte über einen polierten Türklopfer aus Messing in Form eines Löwenkopfs.

Grace klopfte mit höchst gemischten Gefühlen an die Tür. Insgeheim hoffte sie, die Dame wäre vielleicht gerade ausgegangen – allerdings wäre dadurch nur etwas Unvermeidbares weiter hinausgeschoben worden. Außerdem, überlegte sie, wäre die Begegnung vielleicht eine gute Übung dafür, vor Gericht den Unwins gegenüberzutreten.

Aus dem Haus war kein Geräusch zu hören, und nachdem Grace eine Weile gewartet hatte, wandte sie sich zum Gehen, ließ vorher allerdings den Klopfer doch noch einmal halbherzig gegen die Tür fallen. Während sie bereits das Gartentürchen ansteuerte, ging auf einmal doch noch die Tür auf, und zur beiderseitigen großen Überraschung sah Grace Miss Violet im Türrahmen stehen, die Angestellte aus dem Unwin-Trauerbekleidungshaus.

»Miss Violet!«

»Miss Grace!«

Die beiden blickten einander fragend an, dann sprach Grace als Erste. »Aber es sind doch Geschäftszeiten. Bist du denn gar nicht im Laden?«

»Das Geschäft ist für drei Tage geschlossen«, erklärte Violet. »Mr Unwin ist …«

Grace nickte rasch. »Ja, ich habe es gehört.«

Violet blickte sie neugierig an. »Und du …?«

Grace räusperte sich nervös. »Ich wollte eigentlich mit Mrs Smith sprechen.«

Violet nickte, doch ihr Gesicht wurde mit einem Mal traurig. »Mrs Smith ist der Name, den meine Mutter manchmal verwendete.«

Grace zögerte. »Ist sie gestorben?«, fragte sie leise, und erst da fiel ihr der Trauerflor an Violets Oberarm auf.

Violet nickte erneut. »Vor einer Woche. Die Beerdigung war gestern, nur eine ganz kleine.«

»Nicht bei den Unwins?«

»Ganz bestimmt nicht bei den Unwins!«, erwiderte Violet heftig. »Nur weil ich dort arbeite, heißt das nicht, dass mir deren Art gefällt. Allerdings bin ich nun sehr neugierig, weshalb du meine Mutter sprechen wolltest.«

Grace machte mehrere Anläufe, brach jedoch jedes Mal wieder ab. Während dieser Versuche führte Violet sie in ein kleines Wohnzimmer und bat sie, sich zu setzen und eine Tasse Tee zu trinken.

»Offenbar wollte deine Mutter mich sehr dringend sprechen«, sagte Grace schließlich. »Sie kannte mich unter dem Namen Mary.«

Violet schaute Grace überrascht an. »Du warst eine von ihren ›Marys‹?«

Grace nickte errötend. »Ja. Und offenbar hast du mit deiner Mutter zusammen meine frühere Vermieterin aufgesucht, Mrs Macready, um herauszufinden, wo ich wohne.«

Violets Augen wurden noch größer, als Grace den Namen der Vermieterin erwähnte. »Du bist *diese* Mary! Dann bist du also meiner Mutter im vergangenen Juni begegnet? Im Berkeley House?«

»Genau.« Grace nickte. »Mrs Macready kennt allerdings die Umstände nicht, und da sie irgendeinen Schwindel befürchtete, hat sie deiner Mutter nicht mitgeteilt, wo ich zu finden war.« Grace atmete tief durch. »Allerdings habe ich Mrs Macready heute Vormittag wiedergesehen, und es lag ihr sehr am Herzen, dass ich deine Mutter aufsuche, weil sie mich angeblich dringend sprechen wollte.«

»Das stimmt«, antwortete Violet. Sie setzte sich neben Grace auf das Sofa. »Meine Mutter hat mich versprechen lassen, dass ich weiter nach dir suchen werde, um dir etwas sehr Wichtiges mitzuteilen, sofern ich dich denn finden sollte. Die Wahrheit nämlich.«

»Die Wahrheit!« Graces Gesicht verzerrte sich in einem Anflug von Panik. Irgendetwas war mit dem Kind nicht in Ordnung gewesen, das sie zur Welt gebracht hatte. Es war verkrüppelt, lahm oder fürchterlich entstellt gewesen!

»Es ist nichts Schlimmes«, beeilte sich Violet zu sagen, da sie merkte, in welche Richtung Grace offenbar dachte. Sie überlegte einen Moment, blickte auf die Uhr auf dem Kaminsims und schien eine Entscheidung zu treffen. »Würdest du mich auf einen kleinen Spaziergang begleiten?«

Grace fragte sich einen Augenblick, ob Violet jetzt den Verstand verloren hatte. »Einen Spaziergang?«

»Ja. Ich werde dir unterwegs alles erklären, ich verspreche es.« Violet holte ihren Umhang, Hut und Handschuhe und zeigte Grace ihr einziges Zugeständnis in Sachen Trauerkleidung: einen Strauß violetter Blumen auf der Krempe ihres Huts.

»Wir gehen in Richtung Bloomsbury«, erklärte sie.

Nachdem sie die Straße überquert hatten, an den großen Hotels und Geschäften vorbei und in Richtung Russel Square unterwegs waren, nahm Violet Graces Arm.

»Es tut mir leid, wenn ich dir jetzt komisch und geheimnistuerisch erscheine, aber dies ist das Letzte, was ich je für meine Mutter tun kann, und ich will es ganz richtig machen. Mutter sagte, ich soll dich hinbringen und es dir behutsam erklären, und dann liegt die Entscheidung ganz bei dir.«

Grace antwortete nicht darauf. In ihrem Kopf überschlugen sich die Fragen.

»Nachdem mein Vater gestorben war, wurde meine Mutter Hebamme, um irgendwie ihren Lebensunterhalt zu verdienen«, erzählte Violet, während sie an zwei zerlumpten Kindern vorbeigingen, die sich um einen Zigarrenstummel stritten. »Sie war eine der ersten Frauen, die diesen Beruf richtig erlernten. Hauptsächlich betreute sie Frauen zu Hause, aber zwei Tage pro Woche arbeitete sie auch im Berkeley House, um denen zu helfen, die weniger Glück im Leben hatten. Einmal erzählte sie mir, sie habe bestimmt um die tausend Babys zur Welt gebracht.«

Grace nickte, darum bemüht, ruhig zu bleiben, um alles genau mitzubekommen, und nicht schon in Gedanken vorauszueilen.

»Natürlich überlebte nicht jedes Baby, und auch manche Mütter starben – ein Kind zu gebären ist solch eine gefährliche Sache. Manche Frauen verloren gleich mehrere Kinder, bevor sie eines lebend zur Welt brachten. Eine bestimmte Frau verlor fünf Mal hintereinander ihr Baby, und beim letzten war sie so verzweifelt, dass ihr Mann befürchtete, sie würde den Verstand verlieren.«

»Die Ärmste …«, sagte Grace leise.

Violet fuhr fort: »Tags darauf kam ein junges, unverheiratetes Mädchen ins Berkeley House. Sie war allein und hatte niemanden, keinen Beschützer und keine Familie, und wohnte in einem Elendsviertel. Sie hatte nichts vorbereitet für das Kind und kein Geld beiseitegelegt für die Bedürfnisse des Säuglings.«

Sie schaute Grace forschend an. Grace schluckte und bedeutete ihr mit einem Nicken, fortzufahren.

»Meine Mutter fürchtete, dass das Baby nicht lange überleben werde, denn obgleich es gesund zur Welt gekommen war, wog es nicht sehr viel und hatte ein paar kleinere Beschwerden, die man behandeln musste, was sich das Mädchen garantiert nicht leisten konnte. Wenn sie das Mädchen mit dem Säugling gehen ließ, dann, so empfand sie es, käme das fast einem Todesurteil für das Kind gleich. Und da … da hat sie etwas getan, was sie nicht hätte tun sollen.«

Grace, die zugleich fürchtete und ersehnte, was nun gleich kommen musste, stieß einen unterdrückten Schrei aus und blieb stehen, um Violet anzusehen.

»Sie nahm das Baby und gab es der armen Frau, die schon fünf verloren hatte«, sagte Violet.

»Nein!«, rief Grace heiser aus. »Das hätte sie nicht tun dürfen!«

»Sie wusste, dass sie das eigentlich nicht durfte. Sie war sich bewusst, dass sie unrecht tat«, sagte Violet in flehendem Ton, »doch zum damaligen Zeitpunkt erschien es ihr als die beste und die richtige Entscheidung.« Sie blickte Grace an. »Dieses Baby hätte sonst sein erstes halbes Jahr nicht überlebt.«

Grace stellte sich vor, wie sie mit einem Säugling auf dem Rücken durch die kalten Straßen gewandert wäre, ohne ein Bett, in das sie es nachts hätte legen können, mit nichts weiter zu essen den ganzen Tag als einem Stück Brotrinde. »Aber was ist mit dem armen Mädchen?«, fragte sie mit einem Schluchzer.

»Ja, was ist mit dem armen Mädchen?«, wiederholte Violet seufzend. »Meine Mutter konnte es nicht vergessen. Immer wieder ging es ihr durch den Kopf. Als sie dann wusste, dass sie nicht mehr lange zu leben hatte, weil man bei ihr vor einigen Monaten Krebs diagnostiziert hatte, fing sie an, nach dem Mädchen zu suchen …« Violet richtete den Blick auf Grace. »Nach *dir* zu suchen. Und da sie dich nicht ausfindig machen konnte, trug sie mir auf, weiterzusuchen.«

»Sie hätte das nicht tun dürfen«, sagte Grace noch einmal flüsternd.

»Nein, das hätte sie nicht«, sagte auch Violet.

Sie gingen weiter, erreichten den Russel Square und bogen in eine Straße mit adretten, weiß gestrichenen Villen. Wilder Wein und andere Grünpflanzen rankten sich an den Fassaden empor. Violet bedeutete Grace, ihr auf einen kleinen Weg zwischen zwei Häusern zu folgen. »Sie war sich bewusst, dass es falsch war. Aber sie wollte, dass ich dich ausfindig mache und dir alles erzähle und dich dann selbst entscheiden lasse, was zu tun sei. Sie hat mir einen von ihr unterzeichneten und beglaubigten Brief hinterlassen, der auch vor Gericht standhalten würde. Du wärst damit in der Lage, dein Kind zurückzufordern, und ich habe ihr versprochen, dass ich dir dabei helfen werde, wenn du dies willst.«

Mit diesen Worten blieb sie vor einem schmiedeeisernen Zaun stehen, der einen Garten auf der Rückseite eines Hauses umschloss und den Blick in ein Kinderzimmer freigab: ein herrliches Zimmer, dessen Wände mit Schiffen bemalt waren und in dem ein Schaukelpferd stand und Bauklötze am Boden verstreut lagen. In diesem Zimmer konnte man eine Frau sehen – Mrs Robinson –, die ein kleines Kind, vielleicht sieben Monate alt, auf der Hüfte trug. Es war ein Junge, ein munteres, strammes, gesundes Kerlchen. Grace stieß einen unterdrückten Schrei aus und betrachtete ihn mit solcher Liebe, dass es schien, als müsse allein die schiere Kraft ihrer Zuneigung ihn zu ihr herbringen.

»Ich hatte gehofft, dass wir ihn vielleicht sehen«, sagte Violet. »Meine Mutter ging manchmal vormittags hierher, einfach nur, um ihn anzuschauen und sich zu beruhigen, dass sie doch das Richtige getan hatte. Der Kleine wird von seiner Familie innig geliebt.«

Plötzlich fiel Grace etwas ein. »Aber … wen habe ich denn dann nach Brookwood auf den Friedhof gebracht?«, fragte sie gequält. »War das das tote Kind von jemand anderem?«

Violet verzog die Mundwinkel ein wenig nach oben. »Nein«, sagte sie, »das war ein Laib Brot.«

»Ein Laib Brot?«

Violet nickte. »Mutter meinte, er hätte die richtige Form und das Gewicht gehabt.« Dann konnte sie sich ein Schmunzeln doch nicht verkneifen. »Wem auch immer du dein Bündel in den Sarg gelegt hast, er hat nun einen Laib Brot dabei, um sich im Paradies zu verköstigen.«

Grace wandte sich wieder dem Fenster des Kinderzimmers zu und schaute gebannt den kleinen Jungen an, der jetzt mit seiner Mutter auf dem Boden saß und mit den Bauklötzen spielte. Man konnte tatsächlich sehen, dass er sehr geliebt wurde und diese Liebe erwiderte.

Sie seufzte tief. Es würde einiges zum Nachdenken geben in den kommenden Monaten, und viele Entscheidungen würden zu treffen sein. Sie musste eine neue Bleibe für sich und Lily finden, alles, was sie nur konnte, für Lily tun, für sich selbst entscheiden, was sie mit ihrem Leben anfangen wollte, und wie es wohl zwischen ihr und James weitergehen würde. Dies hier aber war zumindest eine Sache, über die sie sich nicht den Kopf zerbrechen musste.

»Ich würde ihn nicht aus seiner Familie reißen wollen«, sagte sie zu Violet, den Blick immer noch auf den Jungen gerichtet. »Das brächte ich nicht übers Herz.«

Violet drehte sich zu ihr. »Ich hatte so gehofft, dass du das sagen würdest. Aber bist du auch ganz sicher? Du musst dich nicht jetzt gleich entscheiden.«

»Ich bin mir sicher.« Grace nickte. »Ich brauche nicht mehr Zeit. Es wäre grausam, ihn dort wegzuholen und dabei mindestens drei Herzen zu brechen.«

Violet, der jetzt selbst Tränen in den Augen standen, nahm Graces Hand und drückte sie. »Ich bin überzeugt, dass du eine gute Entscheidung getroffen hast, und dass es die richtige ist.«

»Ich möchte nicht, dass meinem Kind schon so früh im Leben das Herz gebrochen wird.«

»Ich glaube nicht, dass du das je bereuen wirst«, sagte Violet, immer noch Graces Hand haltend.

»Aber vielleicht können wir beide, du und ich, ab und an einmal einen Spaziergang hierher machen und …«

»Die hübschen Gärten bewundern!«

»Genau, die hübschen Gärten bewundern«, bekräftigte Grace.

Die beiden Mädchen sahen einander an, und dann bot Violet Grace ihren Arm an und sie gingen weiter.

ANMERKUNGEN DER AUTORIN ZUM HISTORISCHEN HINTERGRUND

DIE LONDON–BROOKWOOD NEKROPOLIS-EISENBAHN

Gegen Ende der vierziger Jahre des 19. Jahrhunderts forderte eine Choleraepidemie in London nahezu 15 000 Todesopfer und verschärfte damit auf drastische Weise die Knappheit an Beerdigungsplätzen in der Stadt. Schon seit längerem war die Bestattung der Londoner Toten zu einem Problem geworden, da die Kirchenfriedhöfe überfüllt waren, so dass Grabstellen mehrfach umgegraben und wiederbenutzt werden mussten. Da Einäscherung damals noch nicht üblich war, entstand die Idee, außerhalb Londons einen riesigen Friedhof anzulegen, auf dem über viele Jahre hinaus ausreichend Grabplätze für die Londoner zur Verfügung stehen würden.

Der dafür gewählte Ort lag in der Grafschaft Surrey (weit genug von London entfernt, um die Gesundheit der Städter nicht zu gefährden) und war bequem und gegen einen geringen Fahrpreis mit der Eisenbahn zu erreichen. Zunächst gab es Bedenken gegen das Projekt. Der Bischof von London beispielsweise fand, dass der ganze »Rummel und Radau« der Eisenbahn sich nicht mit der Feierlichkeit einer Beerdigung vertrage. Widerstand kam auch von wohlhabenden Bürgern, die die Vorstellung, ihre Verstorbenen zusammen mit denen der unteren Klassen zum Friedhof transportieren zu lassen, empörend fanden (denn es war vorgesehen, dass selbst die Ärmsten sich die Fahrt samt einem schlichten Begräbnis in Brookwood leisten können sollten, um ihnen so die Schmach einer Bestattung ihrer Angehörigen in einem Massengrab zu ersparen). Nachdem dem Bischof und den anderen Gegnern des Projekts zugesichert worden war, dass es eine erste, zweite und dritte Klasse für die Trauernden geben werde und auch die Särge getrennt voneinander transportiert würden und dass außerdem die unterschiedlichen Konfessionen voneinander getrennt gehalten würden, wurde die Brookwood-Nekropolis-Eisenbahn schließlich 1854 gebaut.

Zu dieser Zeit war Zugfahren noch etwas ganz Neues – die erste regelmäßige öffentliche Zugverbindung war erst 1830 eröffnet worden –, doch es erfreute sich rasch einer immensen Popularität. In den 1840er Jahren war die industrielle Revolution in Großbritannien in vollem Gange, und 1851 waren bereits um die 6800 Meilen Schienenstrang verlegt. 1863 wurde, nachdem zahlreiche Armenviertel in der Innenstadt niedergerissen worden waren, um Platz zu schaffen, die erste Untergrundbahn Londons eröffnet.

Das Buch *The Brookwood Necropolis Railway* von John M. Clarke erwies sich als unschätzbare Fundgrube für die Recherchen zu diesem Roman. Ich habe daraus allerlei grundlegende Informationen entnommen, etwa den Preis einer Einzelfahrkarte oder die Aufteilung nach Klassen, habe mir jedoch zu Zwecken der Handlungsführung einige Freiheiten erlaubt, etwa bei der Beschreibung der Zugwaggons (die zum Beispiel keine Korridore hatten). Der Nekropolis-Zug fuhr noch bis 1941 vom Bahnhof Waterloo in London nach Brookwood in Surrey, und auch heute finden dort noch Beerdigungen statt und werden regelmäßig Führungen über das wunderschöne Friedhofsgelände angeboten, manche auch speziell zum Thema Nekropolis-Bahn.

TOD UND TRAUER AUF VIKTORIANISCHE ART

Zahlreiche Friedhöfe in London waren seit dem Pestjahr 1665, als die Seuche in der Stadt wütete, überfüllt, und als Königin Viktoria den Thron bestieg, waren bereits viele von ihnen geschlossen worden. So mussten gezielt neue Friedhöfe angelegt werden. Der erste dieser geplanten Friedhöfe war Kensal Green Cemetery in der Nähe von Paddington. Als der Duke of Sussex, der Onkel Königin Viktorias, 1843 starb, hatte er in seinem Testament verfügt, dass er in Kensal Green mitten unter ganz gewöhnlichen Londoner Bürgern begraben werden wolle, was dem Friedhof eine enorme Beliebtheit verlieh. Dieser weitläufigen, parkartigen Begräbnisstätte folgten in raschem Tempo sechs weitere an den damaligen Rändern der Stadt, unter anderem Highgate Cemetery, der sich zum »angesagtesten« Bestattungsort Londons entwickelte. Highgate konnte mit Katakomben aufwarten (unterirdische Gänge mit Nischen, in denen Särge gelagert werden konnten) sowie einer »Ägyptischen Allee«, die zu dem eindrucksvollen »Circle of Lebanon« führt, einem Kreis aus Familienmausoleen rund um einen herrlichen alten Zedernbaum. An Sonntagen pflegten wohlhabende viktorianische Familien auf den Wegen und Lichtungen entlangzuspazieren und die Gräber ihrer Verstorbenen zu besuchen.

Regelrecht angefacht wurden Trauerriten und Trauerkult durch keine Geringere als Königin Viktoria selbst anlässlich des Todes ihres Gemahls Prinz Albert. Was die Königin und der Hochadel vormachten, wurde von der Schicht neureicher Industrieller und Kaufleute imitiert und verbreitete sich schließlich auch unter den ärmeren Bevölkerungsschichten. Sobald aber die Armen Trauer trugen, mussten die oberen Schichten ihre Anstrengungen verdoppeln, um ihre soziale Überlegenheit zu demonstrieren. So entwickelte sich im Lauf des 19. Jahrhunderts das Tragen von Schwarz zu einem solchen Kult, dass niemand sich ihm zu widersetzen wagte. Frauen aus der Oberschicht, die auf Reisen im Land unterwegs waren, führten immer eine Garnitur korrekter Trauerkleidung im Gepäck mit, für den Fall, dass sie bei einem gesellschaftlichen Anlass mit einem Trauer tragenden Mitglied der königlichen Familie zusammenträfen.

Lou Taylor führt in ihrem Buch *Mourning Dress* die Verbreitung von Trauerkleidern auch auf das Aufkommen von Modemagazinen zurück, in denen sich Einzelheiten zu den neuesten Stoffen und Accessoires ebenso wie Empfehlungen zur Traueretikette fanden. Beim Tod Prinz Alberts folgten die Oberschichtfamilien sklavisch den Vorgaben der Königin – vermutlich in der Hoffnung, selbst für Verwandte der königlichen Familie gehalten zu werden – und trugen wie sie zunächst Volltrauer, dann Halbtrauer und schließlich Vierteltrauer. Anlässlich eines so bedeutenden Todesfalls tauschte eine Dame der feinen Gesellschaft für ein ganzes Jahr ihre komplette Garderobe aus. Um die Verkäufe anzukurbeln, verbreiteten die Hersteller von Kreppstoffen und die Trauerbekleidungshäuser (es gab mindestens zwei große Kaufhäuser ausschließlich dafür in der Regent Street) das Gerücht, es bringe Unglück, Trauerkleidung nach der Trauerzeit bis zum nächsten Sterbefall im Haus zu behalten. Und die Vorschriften wurden immer noch komplizierter und weitreichender. In einer Zeitschrift aus dem Jahr 1881 heißt es zum Beispiel, dass eine zweite Ehefrau beim Tod der Eltern der ersten Frau ihres Mannes drei Monate lang schwarze Seide zu tragen habe.

VIKTORIA UND ALBERT

Königin Viktoria bestieg im Jahr 1837 als Achtzehnjährige den Thron. Ihre Regentschaft folgte auf die Regency-Periode, in der die königliche Familie zunehmend unbeliebt geworden war. 1840 heiratete sie ihren Cousin Albert, Prinz von Sachsen-Coburg-Gotha, und obschon es eine stürmische Ehe war, war sie doch von echter Liebe getragen und brachte neun Kinder hervor. Ihre Verbindung genoss ein hohes Ansehen, und die Bürger des Kaiserreichs waren angehalten, diesem Ideal nachzueifern.

Manche britische Untertanen hatten allerdings auch Vorbehalte gegen Prinz Albert, erstens, da er aus dem Ausland stammte, und zweitens, da er und seine Familie großen Einfluss auf die Königin ausübten. Albert war anfangs dadurch eingeschränkt, dass er nur die Position des Prinzgemahls innehatte (die keine offiziellen Aufgaben vorsah), doch bald schon übernahm er die Führung des königlichen Haushalts und schaltete sich in mehrere öffentliche Angelegenheiten ein, unter anderem auch in die Bemühungen, die Lebensumstände der Armen zu verbessern. An der Organisation der 1. Weltausstellung in London von 1851 war er ebenfalls maßgeblich beteiligt. Die Briten behielten ein gewisses Misstrauen gegenüber Albert immer bei, betrauerten seinen Tod jedoch aufrichtig, als er im Dezember 1861 im Alter von 42 Jahren an Typhus starb.

Als Folge seines Todes und der Verlautbarung Königin Viktorias, die Nation möge eine angemessene Trauer zeigen, wurde London von einer Flut von Schwarz überschwemmt: Aus Respekt für den Prinzgemahl bemühte sich selbst der einfache Mann auf der Straße, dem Wunsch der Königin nachzukommen, und versuchte, so er es sich irgendwie leisten konnte, sich und seine Familie für mindestens einige Monate mit angemessener Trauerkleidung auszustatten. Angeblich sollen sogar die Geländer in London, ursprünglich grün gestrichen, zu Ehren Alberts schwarz lackiert worden sein. Inzwischen ist man sich einig, dass Königin Viktoria mit ihrer Trauer zu weit ging. Sie war so niedergeschmettert von Alberts frühem Tod, dass sie sich praktisch aus dem öffentlichen Leben zurückzog, der Hauptstadt London fernblieb und den Rest ihres Lebens Trauerkleidung trug. Dadurch verspielte sie sich die Zuneigung ihrer Untertanen, die sich von ihrer Königin vernachlässigt fühlten.

Viktoria regierte 63 Jahre lang – länger als irgendein anderer britischer Monarch vor ihr –, bis zu ihrem Tod im Jahr 1901. Es gelang ihr, den Respekt der Nation vor der Monarchie wiederherzustellen und selbst zu einem Symbol für den Geist und die Identität der Nation zu werden. Sie bemühte sich auch darum, die Lebensbedingungen der

Armen zu verbessern, etwa durch die Einführung einer allgemeinen Schulpflicht und einer Begrenzung der Arbeitszeiten auf zehn Stunden pro Tag.

DIE ARMEN ZU ZEITEN VIKTORIAS

Der Journalist Henry Mayhew interviewte seinerzeit Hunderte von gewöhnlichen Londonern und veröffentlichte die Interviews 1851 im ersten Band seines Werks *London Labour and the London Poor*. Darin lässt sich in Einzelheiten und aus erster Hand nachlesen, wie das Leben auf den Straßen Londons für jene aussah, die am untersten Ende des gesellschaftlichen Spektrums angesiedelt waren.

Um ihr Überleben zu sichern, versuchten die Armen auf unzählige Arten, Geld zu verdienen. Dazu zählte zum Beispiel auch die Praxis, Vögel oder Hunde »anzumalen«, um sie als exotische Tiere auszugeben, oder narkotisierte Haustiere zusammen in einem kleinen Käfig als »Happy Families« zu präsentieren. Kinder sammelten Vogelnester, um sie zu verkaufen, suchten in Abflussgruben nach verloren gegangenen Gegenständen, sammelten Hundekot, der bei der Ledergerberei zum Einsatz kam, fingen Ratten für Tierkämpfe »Hund gegen Ratte« und durchkämmten Müllhalden – alles, um vielleicht einen Penny oder zwei zu verdienen. Ganze Armeen von Kindern im Alter von sechs Jahren und aufwärts boten kleine, billige Waren zum Verkauf: Brunnenkresse, Orangen, Zitronen, Schwämme, Kämme, Bleistifte, Siegelwachs, Papier, Taschenmesser oder Streichhölzer. Manche dieser Kinder wurden von ihren Eltern losgeschickt, um deren eigene Einkünfte aufzubessern, doch es gab auch eine

Vielzahl von Waisen oder unerwünschten Kindern, die vollkommen unabhängig und unversorgt von Erwachsenen auf der Straße lebten und allein um ihr Überleben kämpften.

Manches, was Mayhew in seinem Buch beschreibt, bricht einem fast das Herz. So erzählt er beispielsweise von den kleinen Kindern, deren Mutter verhungerte, woraufhin die achtjährige älteste Schwester für sie sorgen musste; von einer Frau, die nur von Brot und Tee lebte und immer wieder dieselben Teeblätter aufkochte; von einem Jungen, der weder eigene Schuhe noch eigene Kleider besaß und daher nur aus dem Haus konnte, wenn sein Bruder zu Hause blieb.

Viele lebten unter erbärmlichen Bedingungen in überfüllten Behausungen und immer dem Verhungern nahe. Ein Zimmer in einem Mietshaus konnte zwei Shilling die Woche kosten und wurde womöglich von zwei oder noch mehr Familien bewohnt. Wer nachts kein Bett hatte, suchte sich einen Platz irgendwo auf dem Boden. Es gab keine sanitären Anlagen in den Häusern und kein fließendes Wasser, die Zimmer stanken und in den Matratzen hausten Wanzen, Flöhe und Läuse. Wenn ein Familienangehöriger starb (was nur allzu häufig vorkam), blieb seine Leiche womöglich mehrere Tage im selben Raum liegen, in dem die anderen lebten, bis genügend Geld für eine Beerdigung aufgetrieben worden war.

Der Stadtverwaltung waren die überfüllten Mietshäuser und Elendsquartiere, in denen die Allerärmsten dicht an dicht hausten, ein Dorn im Auge, und so wurden die baufälligsten Gebäude in den schlimmsten Slum-Vierteln nach und nach abgerissen und neue Straßen und Schienenstränge durch das frei gewordene Gelände gezogen.

Dies verbesserte die Wohnsituation natürlich auch nicht, da den obdachlos gewordenen nun keine andere Wahl blieb, als sich eine Straße weiter eine neue, nicht weniger überfüllte Bleibe zu suchen.

Allseits gefürchtet und verhasst waren die Arbeitshäuser, mit denen die Stadt London versuchte, der extremen Armut zu begegnen. Während der viktorianischen Epoche wurden Hunderte von Wohlfahrtseinrichtungen gegründet. Sie hießen »Verein zum Beistand für junge Dienstboten«, »Industrieschule und Heim für arbeitende Jungen«, »Heim für verlassene, mittellose Kinder« oder »Wohlfahrtshaus für Personen in Not«. Über zwei Millionen Pfund jährlich gaben diese Organisationen aus, um die grassierende Armut zu lindern, und doch waren ihre Bemühungen nur ein Tropfen auf den heißen Stein. Das alltägliche Leben der wahrhaft Armen wurde davon kaum berührt.

CHARLES DICKENS

Charles Dickens war der populärste Romanautor der viktorianischen Epoche und erfreut sich noch heute solcher Beliebtheit, dass seine Werke nach wie vor gedruckt werden. Das Thema sozialer Reformen zieht sich durch sein gesamtes Werk, und die Tatsache, dass er viele seiner Bücher als Fortsetzungsromane in Zeitschriften veröffentlichte, erlaubte es ihm, den Fortgang der Geschichten während des Schreibens den Launen und Wünschen seines Publikums anzupassen. Seine Figuren sind so unvergesslich, dass manche von ihnen ein Eigenleben außerhalb der Bücher angenommen haben.

Es ist bekannt, dass Dickens wenig von Bestattern und dem Bestattungsgewerbe hielt, und von ihm stammt auch der Begriff von den »Geschäftemachern mit dem Tod«. Auch war er kein großer Anhänger von Prinz Albert, und Peter Ackroyd berichtet, Dickens sei nicht gerade erfreut gewesen, als er eine Lesereise mit sechs geplanten Lesungen in Liverpool wegen Alberts plötzlichem Tod absagen und nach London zurückkehren musste.

Dickens' beliebter Roman *Große Erwartungen*, mit der böswilligen verhinderten Braut Miss Havisham, erschien als Fortsetzungsroman in der Zeitschrift *All The Year Round* bis zum August 1861. Für die Zwecke meiner Geschichte habe ich also den Veröffentlichungszeitraum ein wenig verlängert.

Oliver Twist, der wohl berühmteste Roman von Charles Dickens, ist zum einen eine Kritik an den neuen Armengesetzen, die 1834 verabschiedet wurden, zum anderen eine Darstellung, wie mit Waisenkindern im London jener Zeit verfahren wurde. Dickens wählte die Stufen der London Bridge als Schauplatz für den grausamen Mord an Nancy – dem Mädchen, das sich mit Oliver anfreundet – durch Bill Sikes, die bösartigste Figur des Romans. Die Stufen entwickelten sich sofort zu einer Touristenattraktion, und noch heute wird bei einer Stadtführung durch den Londoner Stadtteil Southwark auf »Nancys Stufen« hingewiesen.

Glossar

BOMBASIN: ein alter Name für einen feinen, weich fließenden Stoff aus Seide und gekämmter Wolle; im viktorianischen England wurde er typischerweise für schwarze Trauerkleidung verwendet.

BÜTTEL: in früheren Zeiten eine Art Vollstreckungsbeamter der Gemeinde, der sich im Auftrag des Richters um kleinere Vergehen und Strafbelange kümmerte.

HUMIDOR: ein Aufbewahrungsbehälter für Zigarren, in dem dank eines Befeuchtungssystems immer eine für den Tabak günstige hohe Luftfeuchtigkeit herrscht.

INNS OF COURT: ein Gebäudekomplex in London, in dem sich seit Jahrhunderten die Ausbildungsstätten und Räumlichkeiten der vier großen traditionellen englischen Juristenverbände und Rechtsschulen befinden.

KREPP: auch »Crêpe«; ein Stoff mit matter, sandig-rauer Oberfläche, der im viktorianischen Zeitalter für die Trauerkleider von Frauen üblich war.

LANDAUER: eine vierrädrige Kutsche, deren Verdeck heruntergeklappt werden kann.

LIVREE: eine von einem bestimmten Berufsstand getragene Arbeitsuniform, beispielsweise die von Haus- oder Hotelangestellten.

PLUMPUDDING: eine traditionelle Festtagsspeise in England und auf den Britischen Inseln, die am ersten

Weihnachtsfeiertag serviert wird und daher auch »Christmas Pudding« heißt. Es handelt sich um eine Art Kuchen aus kompaktem Teig mit Trockenfrüchten, der im Wasserbad gegart und typischerweise mit Vanillesoße serviert wird.

SERGE: ein robuster, meist einfarbiger Stoff. Aus dem ursprünglich in Frankreich hergestellten »Serge de Nimes« entstand im Englischen der Begriff »Denim«, jener Stoff also, aus dem noch heute Jeans gefertigt werden.

SEVEN DIALS: ein berüchtigtes Elendsviertel im London des 19. Jahrhunderts, das auch von Charles Dickens beschrieben wurde.

SOMERSET HOUSE: ein historisches Gebäude in London, in dem im 19. Jahrhundert die Verwaltungsbehörden der Stadt London untergebracht waren.

Mary Hooper

Im Haus des Zauberers

Band 2: *In königlichem Auftrag*

Band 3: *Teuflische Maskerade*

England gegen Ende des 16. Jahrhunderts. Offiziell ist Lucy Dienstmädchen im Haus von Dr. Dee, dem Zauberer der Königin Elizabeth. Aber heimlich hat sie noch eine zweite Aufgabe, seit sie eine gefährliche Intrige aufgedeckt und dadurch der Königin das Leben gerettet hat. Als Spionin Ihrer Majestät soll sie Ausschau halten nach etwaigen Verrätern …

Spannung, Romantik und Magie: Mary Hooper entführt uns mit ihren wunderbaren historischen Jugendromanen in die aufregendsten Momente der englischen Geschichte!

Bloomsbury
Kinderbücher & Jugendbücher

Mary Hooper

Die Schwester der Zuckermacherin und Aschenblüten

Die beiden großen historischen London-Romane in einem Band!

Hat die junge Liebe zwischen Hannah und Tom eine Chance gegen die tödlichen Bedrohungen der großen Pest und des großen Feuers von London?
Mary Hooper entführt uns mit ihren atemberaubenden Romanen in das London des 17. Jahrhunderts, in die Welt der Zuckermacher, Apotheker und Wunderheiler.

»Ein historisches Highlight.« Bild am Sonntag

»Fast wie in Patrick Süskinds Roman Das Parfum *scheint es, als könnte man die alten Zeiten riechen … Eine romantische und zarte Liebesgeschichte, die zudem einen historischen Rückblick gewährt.«* STERN

Bloomsbury K & J Taschenbuch
Weitere Informationen: www.bloomsbury-verlag.de